제3판

Consumer
Behavior and Psychology

소비자 행동과 심리

서여주 저

 (주)백산출판사

제3판 머리말

시장의 흐름에서 소비자가 우위에 설 수 있도록 만드는 권력 이동은 많이 있다. 가깝게는 코로나 팬데믹이 있고, 멀게는 스마트폰을 만든 애플의 탄생이 있다. 2023년, ChatGPT라는 '초거대 AI'가 등장하여 전 세계적으로 충격을 주었다. ChatGPT는 인간의 고유영역으로 여겨졌던 '창조'의 영역에 진입한 생성AI로, 세상에 없는 창작물을 만들어내며 무섭고도 놀라운 능력을 보여주고 있기 때문이다. 또한 기존의 AI 모델 대비 언어의 맥락을 더 정교하게 이해하고 오류를 스스로 수정하며 마치 '사람'과 대화하는 듯한 착각에 빠지게 할 만큼 고도화된 기술력을 보여주고 있다.

이러한 흐름에 소비자의 역할은 그 어느 때보다도 중요하며, 소비자 행동과 심리의 이해는 성공적인 비즈니스 전략과 마케팅 실행에 핵심적인 역할을 한다.

본 책은 소비자를 깊이 이해하는 힘을 제공하기 위해 집필하였다. 특히 이전 책에서 다루었던 자료를 더욱 간결하게 다듬어 총 3부 14장으로 구성하였다.

제1부에서는 소비자 행동의 정의와 일반적인 성격을 다루며, 소비자 행동의 이해에 필수적인 요소들을 탐색하였다.

제2부에서는 소비자의 구매 결정 과정에 관한 내용을 다루었다. 문제 인식, 정보 탐색, 대안 평가, 구매 행동, 그리고 구매 후 행동에 대한 개념과 전략을 살펴봄으로써, 독자는 소비자 구매 과정의 주요 단계와 관련된 고려 사항을 이해할 수 있게 될 것이다.

제3부에서는 소비자 심리의 이해를 중점적으로 다루었다. 소비자 심리학의 기본 개념과 이론을 소개하고, 소비자의 지각, 학습과 기억, 동기와 감정, 성격, 그리고 설득 커뮤니케이션에 대해 다양한 관점에서 설명하였다. 이를 통해 독자는 소비자의 내면세계를 더 깊이 파악하고, 효과적인 마케팅 전략과 소통 방법을 개발할 수 있게 될 것이다.

끝으로 언제나 이 책이 나오기까지 여러 분들이 도움을 주셨는데 출판을 허락해주신 (주)백산출판사 진욱상 대표님과 책을 만드느라 애써주신 편집부 및 마케팅부 여러분께도 진심을 담아 감사의 마음을 전해드린다.

2023년 7월
소비자는 비즈니스의 서치라이트다.
서 여 주

제2판 머리말

우리 모두에게는 공통점이 있다. 그것은 모두 소비자의 입장에 처해 있다는 것이다. 그런 면에서 우리 모두가 소비자 행동과 심리에 대해 관심을 갖는 일은 당연한 일이다. 더욱이 코로나19가 촉발한 비대면 환경에서 소비자들의 행동과 심리는 시시각각 달라지고 있다. 일례로 소비자는 상품을 구매할 때 기업이 지향하는 목적을 눈여겨보며, 다른 소비자와의 연결성, 제품 탐색 시 소요되는 시간 대비 효익 등에 주안점을 두고 있다. 즉 소비자로서의 구매 여정에 대한 면밀한 관심이 비즈니스에 성공을 가져올 수 있다.

본 책은 소비자 행동의 본질에 대한 이해를 높이기 위해 소비자의 행동과정에 초점을 맞추어 구성되었다. 또한 소비자의 행동과정에 영향을 미치는 심리학적 요인들에 관하여도 다루었다. 특히 이번 소비자 행동과 심리 제2판을 준비하면서, 이전에는 다루지 못한 주요한 내용을 추가하여 수록하였다. 또한 최신의 이슈와 사례를 추가하여 이해하는 데 도움을 주고자 했다.

본 책의 구성을 살펴보면, 총 4부 17장으로 구성하여 심도 있게 다루었다.

제1부는 소비자 행동의 이해에 관한 내용으로 소비자 행동의 정의, 소비자 행동모델의 일반적 성격, 관여도와 의사결정에 관하여 알아보았다.

제2부는 소비자 구매의사결정 과정에 관한 내용으로 문제 인식, 정보 탐색, 대안 평가, 구매 행동, 구매 후 행동에 관하여 다루었다.

제3부는 소비자 심리의 이해에 관한 내용으로 소비자 심리학에 소개, 지각, 학습과 기억, 동기와 감정, 성격, 설득 커뮤니케이션에 대하여 설명하였다.

제4부는 소비자 환경 영향요인에 관한 내용을 가족과 준거집단, 사회계층, 문화, 컨슈머리즘에 관하여 다루었다.

제2판을 준비하면서 여러 분들이 도움을 주셨는데 무엇보다도 무리한 일정에도 기꺼이 출판을 허락해주신 백산출판사 진욱상 대표님과 책을 만드느라 애써주신 편집부 및 마케팅부 여러분께도 진심을 담아 고마움을 표시하고자 한다.

2022년 2월
힘찬 시작을 향한 새로운 봄을 맞이하며
서 여 주

머리말

    소비자를 이해하고 소비자 행동을 파악하는 것은 마케팅의 기본이다. 최근에는 이러한 기본명제에 더 나아가 핀셋처럼 '소비자의 특성'을 관찰해 특화한 마켓이 형성되고, 현미경처럼 산재하는 '소비자의 니즈'를 파악해 그중 하나에 초점을 맞추거나 브랜드가 가지고 있는 하나의 역량에 힘을 모은 제품들이 출시되는 추세다. 지금은 그냥 소비자 만족이 아니라 '초(超)'소비자 만족의 시대라고 불릴 만한 소비자 집중의 시대라 할 수 있다.

    이러한 시대적 변화에 기업들은 불특정 다수보다 확실하게 관심 있는 특정 소비자에 올인하는 전략을 펼치고 있고, 소비자 심리를 재빠르게 파악하고, 소비자의 구매 전 활동에서 구매 후 소비, 평가 및 폐기 활동에 이르기까지 구매 행동의 모든 측면을 이해하는 것만이 기업의 성패를 가르는 중요한 기준이 된다.

    본 책은 소비자 중심의 경제활동 체계 안에서 소비자의 제품구매, 사용, 처리 등에 관한 구매의사결정과정을 살펴보고, 제품과 서비스에 관한 인간의 사고 과정과 행동을 연구하고 나아가 소비활동으로부터 어떻게 인간이 영향을 받는지를 다룬다.

본 책의 구성을 살펴보면, 총 3부 14장으로 구성하여 심도 있게 다루었다.

제1부는 소비자 행동의 이해에 관한 내용으로 소비자 행동의 정의, 컨슈머리즘 일반이론, 소비자 행동모델의 일반적 성격에 관하여 고찰하였다.

제2부는 소비자 의사결정과정에 관한 내용으로 문제 인식, 정보 탐색, 대안 평가, 구매 행동, 구매 후 행동에 관하여 다루었다.

제3부는 소비자 심리의 이해로 소비자 심리학의 소개, 지각, 학습과 기억, 동기와 감정, 성격, 설득 커뮤니케이션에 대하여 설명하였다.

본 책의 가치는 독자들의 지속적인 사랑으로부터 창출된다는 것을 항상 인식하고 있다. 소비자 행동과 심리에 관한 쉬운 이해와 풍부한 사례 정보가 새롭게 수록될 수 있는 책을 만들 수 있도록 지속적인 노력을 기울이겠다.

끝으로 이 책이 나오기까지 여러 분들이 도움을 주셨는데 우선 무리한 일정에도 기꺼이 출판을 허락해주신 (주)백산출판사 진욱상 대표님과 책을 만드느라 애써주신 편집부 및 마케팅부 여러분께도 진심을 담아 감사의 마음을 전해드린다.

2020년 2월
Best Self를 위해서!! Be You, Only Better
서 여 주

차례

CONSUMER BEHAVIOR AND PSYCHOLOGY

소·비·자
행·동·과
심·리

제 **1** 부

소비자
행동의 이해

소비자 행동과 심리

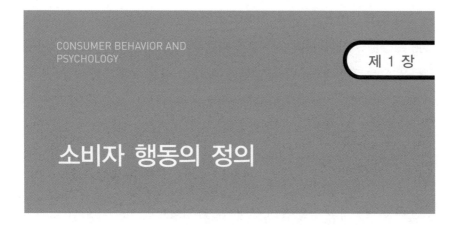

CONSUMER BEHAVIOR AND
PSYCHOLOGY

제 1 장

소비자 행동의 정의

1. 소비자 행동의 개념과 특성

1) 소비자 행동의 개념

원래 '행동'이라는 말은 외부에서 관찰할 수 있는 어떤 '신체적 움직임'에 대한 의미를 강하게 암시하기 때문에 흔히 소비자 행동이라고 하면 제품의 구매 및 사용과 관련된 소비자의 물리적 행동(physical action)만을 의미하는 것으로 생각하기 쉽다. 그러나 소비자 행동 연구가들은 이와 같은 가시적인 신체적 움직임보다는 오히려 소비자의 내면에서 일어나고 있는 심리적인 변화, 즉 인지적 활동(cognitive activities)에 더 많은 관심을 보인다. 왜냐하면 외형적으로 나타나는 소비자들의 결과론적인 행동을 이해하고, 그들의 다음 행동을 예측하기 위해서는 그와 같은 행동을 유발시킨 내적 동인과 그런 행동을 하게 된 의사결정과정에 대한 이해가 보다 더 중요하기 때문이다. 따라서 소비자 행동연구 분야에서는 소비자 행동 개념을 상당히 포괄적으로 사용하고 있다.

소비자 행동이란 구매 및 사용(또는 소비)을 위한 소비자의 최종적인 실행 행동뿐만 아니라, 구매 결정과 관련하여 발생한 소비자의 내·외적 행동을 모두 포함한다. 다시 말해서, 제품을 직접 구매·사용·소비하는 행동 이외에도, 구매결정을 위하 정보를 수집하고, 제품 및 상표를 비교·검토하며, 더 나아가서는 특정제품이나 상표에 대한 지각·태도·선호도의 형성(또는 변화) 과정에서 발생하는 소비자의 심리적 움직임까지도 소비자 행동의 범주 속에 포함된다.

소비자 행동의 본질을 좀더 구체적으로 알아보면, 다음과 같다.

첫째, 소비자 행동이란 소비자가 제품의 구매 및 사용과 관련하여 수행하는 '의사결정 및 그 실행행동'을 의미한다. 따라서 일차적으로는 구매결정에 직접 관련되는 제반 물리적 활동, 즉 어떤 제품을 언제, 어디서, 어떻게 구매할 것인가를 결정하기 위하여 정보를 탐색하고, 상표를 비교·평가하고, 실제로 제품을 구매하고, 구매한 제품을 사용 또는 소비하는 일련의 물리적 행동을 소비자 행동의 범주 속에 포함한다.

둘째, 소비자는 위에서와 같이 물리적인 구매관련 행동을 실행하는 과정에서 인지적 의사결정행동을 병행하기 때문에, 소비자 내부에서 이루어지는 인지적 활동 측면도 소비자 행동의 범주 속에 포함된다.

셋째, 제품사용 후 소비자의 경험이나 평가, 그리고 이 경험과 평가의 결과를 차기 구매결정에 피드백(feedback)하는 심리적 움직임도 소비자 행동의 범주 속에 포함된다.

넷째, 소비자의 구매 및 소비자 행동과 관련하여 필연적으로 파생되는 집단적·사회적 행동, 즉 불매운동이나 소비자 주권운동과 같은 행동도 소비자 행동의 범주 속에 포함된다.

2) 소비자 행동의 특성

소비자 행동의 정의에 근거해서 소비자 행동의 특성을 정리해 보면 다음과 같다.

첫째, 소비자는 자주적(sovereign) 사고를 하며 다분히 목표지향적이다. 소비자 스스로 판단하여 자신에게 필요한 정보만 선택적으로 기억하며, 부적절하다고 판단되는 것은 무시하거나 망각한다. 이러한 특성으로 인해 소비자 행동 연구가 쉽지 않다. 또한 소비자는 여러 제약조건을 합리적으로 고려하여 목표를 가장 효율적으로 달성할 수 있다고 판단되는 행동을 추구하며 일탈행위나 반항적 동기에 의한 행동패턴은 소비자 행동의 특수형태이다.

둘째, 소비자 행동은 하나의 과정이며 그 과정에는 많은 사람이 관여된다. 소비자 행동은 '문제 인식 → 정보탐색 → 대안평가 → 구매 → 구매 후 평가'의 여러 단계를 거쳐서 이루어지며 이는 하나의 통합적 의사결정과정이다. 또한 그 과정에는 개인이든 조직이든 여러 사람이 직·간접적으로 영향을 미친다.

셋째, 소비자 행동에는 정신적·신체적 활동과정이 포함되며 이는 다양한 리서치를 통하여 밝혀질 수 있다. 소비자의 구매결정과정에는 내적인 동기에서부터 외적으로는 각종 사회적 영향요인에 이르기까지 많은 영향력이 작용하며 이러한 요인들은 완전하지는 않지만 어느 정도 조사방법을 통해서 규명될 수 있다.

넷째, 소비자 행동이 개인적·심리적 요인에 의해 결정됨과 동시에 그러한 과정에서 외적요소들이 지대한 영향을 미친다. 소비자의 개인적 필요와 욕구가 무엇이며 차별화된 심리가 무엇인지를 분명히 알아서 그에 합당한 제품과 서비스 및 마케팅 믹스를 제공한다면 소비자의 동기 및 행동에 영향을 줄 수 있다. 마케팅 요소, 문화, 사회계층, 준거집단을 포함하는 사회문화적 요소, 그리고 경제적, 정치적 요소 등과 같은 외적 요소들을 어떻게 통제하느냐에 따라서 최종 구매결정에 영향을 미칠 수 있을 것이다.

마지막으로 소비자 행동에는 접촉, 획득, 소비, 처분이 포함되며 이러한 과정 전반에서 소비자에게 영향을 주는 기업의 마케팅 활동은 사회적으로 타당하고 합리적이어야 한다. 접촉(contact)은 소비자가 상표에 노출되는 과정을 의미하며 최근에는 통합적 마케팅커뮤니케이션을 통해 소비자와의 접촉을 강화하는 데 상당한 투자가 이루어지고 있다. 획득(obtaining)은 정보탐색, 대체안 평가, 및 구매활동을 통해 제품을 구매하는 프로세스이며 소비(consuming)는 소비자가 제품은 언제, 어디서, 어떻게, 어떤 상황에서 사용할 것인가를 포함하며 처분(disposing)은 제품 사용 후 처리와 관련된 문제로 최근 환경문제와 함께 중요한 프로세스로 부각되고 있다. 접촉은 처분에 이르는 과정 전반에서 이루어지는 기업의 상업적 활동들은 사회적으로 타당하고 합리적이어야 한다.

3) 소비자 행동의 결정요인

소비자 행동은 인간 행동의 중요한 한 영역으로서, 한 개인의 전체행동을 구성하는 하위 행동의 하나이다. 따라서 인간의 행동에 관해 서로 다른 측면에서 연구하고 있는 심리학, 사회학, 문화인류학 등 인간행동 관련 분야의 제 이론을 원용함으로써 소비자 행동을 이해하는 데 많은 도움을 받을 수 있다.

행동과학에서는 인간의 행동을 '환경요인의 자극에 대한 행동주체의 반응'으로 본다. 따라서 환경요인의 성격과 이에 반응하는 행동주체의 개인적 특성에 따라 인간의 행동양식은 다양한 형태로 나타난다는 것이다. 즉 인간 행동(Behavior)은 행동주체의 개인적 요인(Person)과 환경적 요인(Environment)의 함수관계에 있음을 의미한다.

소비자 행동도 인간 행동의 하나이기 때문에 위의 행동식에서 알 수 있는 바와 같이 크게 두 가지 요인, 즉 소비자의 개인적 특성과 환경적 요인에 의해서 영향을 받는다고 볼 수 있다. 따라서 소비자 행동 분야에서는 소비자 행동에 영향을 주는 제반 환경적 요인을 소비자 행동에의 자극변수(또는 투입변수)로 보고 있으며, 소비자의 개인 내적 요인을 소비자 행동에의 매개변수, 그리고 이들 자극변수와 매개변수의 함수 관계로 생성되는 다양한 형태의 행동반응을 소비자 행동의 반응변수로 본다. 이들 세 변수 간의 관계가 소비자 행동 연구의 핵심과제이다.

(1) 소비자 행동에의 자극변수

소비자들은 무수히 많은 외적 요인에 의해 끊임없이 영향을 받고, 이에 대응하여 반응을 보인다. 소비자가 광고를 보고 새로운 제품을 알게 된다거나, 점포에 진열된 제품을 보고 충동 구매를 한다거나, 친구가 새로 산 장신구를 보고 자신도 가지고 싶은 욕구를 느끼게 된다면, 이 모두는 소비자에게 특정한 반응을 유발시킨 하나의 자극요인으로 작용한 셈이다.

이처럼 어떤 형태로든 소비자의 반응을 유발시키는 개인 외적 요인을 소비자 행동에의 자극 변수라 한다. 이들 자극 변수에는 기업의 마케팅 관련 제 요인뿐만 아니라, 타인, 가족, 준거집단, 사회계층과 같은 사회적·문화적 환경요인 등이 포함된다. 소비자들은 이들 자극변수의 내용,

질, 양, 심도 등이 다르면 그들의 행동반응에 차이를 보이게 된다.

(2) 소비자 행동의 매개변수

두 사람이 동일한 자극변수에 노출되었다 하더라도 두 사람이 동일한 반응을 보이는 것은 아니다. 이를테면, 동일한 TV 광고를 동시에 시청한 소비자라 하더라도 그들의 반응이 서로 다르고, 점포에 진열된 똑같은 제품을 보면서도 소비자들의 반응은 서로 다른 것이 일반적이다. 이는 외부자극을 받아들이고 그것을 해석하는 개인의 지각 및 인지구조가 서로 다르기 때문이다.

외부로부터의 자극내용을 수용하고 해석하여 최종 반응형태를 결정 짓는 데 작용하는 개인 내적인 요인을 행동의 매개변수(intervening variables) 또는 결정변수라 한다. 이들 매개변수에는 개인의 지각, 동기, 태도와 같은 심리적 요인들이 포함된다. 소비자들은 그들이 욕구와 필요, 지각구조 그리고 경험 및 학습의 내용과 정도가 서로 다르기 때문에 똑같은 자극변수에 노출된다 하더라도 결국 서로 다른 행동반응을 표출하게 된다.

(3) 소비자 행동의 반응변수

소비자 행동은 자극변수에 의해서 개시되고, 매개변수의 중개를 통해서 생성·표출되는 소비자의 심리적 또는 신체적 변화를 말하는데, 이와 같이 최종적으로 생성 또는 표출되는 변화의 행태를 반응변수(response varibales)라고 한다. 반응변수는 외부에서 직접 관찰할 수 있는 표현적 행동, 즉 특정 제품 및 상표의 선택, 구매, 그리고 사용과 같은 가시적 행동만을 포함하지 않는다. 새로운 지식의 획득이라든가, 태도의 변화, 구매의도의 변화와 같은 소비자의 내면적·심리적인 변화 역시 소비자 행동 변화의 중요한 측면이기 때문에 이들 심리적 변화도 반응변수에 모두 포함된다.

4) 소비자 행동 연구의 필요성

소비자 행동을 연구해야 하는 가장 중요한 이유 중의 하나는 인간의 일상생활에 밀접히 관련되어 있다는 사실일 것이다. 우리는 매일매일 제품이나 서비스를 구매하고 소비함으로써 소비자로서 행동을 하지 않는 날은 하루도 없을 것이다. 우리는 항상 제품이나 서비스에 관한 광고에 접하고 있으며, 그에 관해 가족이나 친구들과 대화를 나누며 또 그러한 제품이나 서비스를 구매하기 위한 활동을 수행함으로써 소비행동은 분리할 수 없는 생활의 일부가 되어 있다. 소비활동의 과정과 결과는 상호작용하고 피드백되어 일상생활을 영위하는 데 있어서 중요한 영향을 미치게 된다.

소비자 행동을 연구할 필요성은 그 결과를 여러 의사결정분야에 적용하려는 데서 찾을 수 있다. 그러한 의사결정분야는 거시적이고 미시적인 두 가지 차원에서 생각해 볼 수 있다. 우선 거시적 차원에서 소비자들의 집단적 행동은 그 사회의 사회 경제적 제 조건의 영향을 준다. 즉 시장경제체제하에서 소비자들의 행동은 무엇을 얼마나 누구를 위해 생산하며 또 전체 경제적 자원은 어떻게 배분할 것인가를 결정케 함으로써 우리 생활의 질과 수준에 절대적인 영향을 미치고 있다. 그러므로 거시적 차원에서의 소비자 행동을 이해함으로써 전체 경제적 사회적 추세를 이해 또는 예측할 수 있게 되고 그렇게 함으로써 다시 시장체제의 능률을 증대시킴은 물론 그 사회 전체의 복리를 증진시킬 수가 있게 되는 것이다.

다음으로 미시적 차원에서 소비자 행동을 보다 충실히 이해함으로써 기업이나 여타의 사회적 조직이 그들의 목표를 보다 효과적이고 능률적으로 달성할 수가 있게 된다. 기업조직은 소비자 행동 연구의 결과를 광고, 제품설계, 가격결정, 서비스나 포장의 설계에 유효하게 활용할 수 있다는 점에서 그리고 비영리조직은 고객들의 욕구를 보다 효과적이고 효율적으로 충족시킬 수 있는 기회를 발견할 수 있다는 점에서 소비자 행동의 연구는 가히 필요한 것이다.

사회적 관점에서도 소비자 행동 연구는 필요하다. 즉 소비자들이 왜 그리고 어떻게 행동하느냐를 규명한다는 것은 소비자보호를 위한 공공정책의 수립에 있어 중요한 정보가 될 것이다. 가령 정부가 도로, 교육, 의료 등 각종의 공공서비스를 제공하려 할 때에도 소비자들의 태도나 신념, 지각 등을 이해함과 더불어 각 상황에 따른 그들의 행동을 예측할 수 있어야 올바른 공공정책을 수립할 수 있을 것이다. 기업이 사회적 관점을 견지하는 것도 간과할 수 없다.

소비자 행동에 대한 연구는 기업의 마케팅 과정에서 꼭 필요한 절차이며, 실제 경영전략 분야에서 매우 중요하게 다루어진다. 기업에서 소비자 행동 연구가 필수인 이유는 다음과 같다.

첫째, 소비자가 어떻게 행동하고 최종 소비 활동을 하는지에 대한 구조적이고 이론적인 설명을 제시해준다.

둘째, 구매행위와 관련된 소비를 예측하는 데 도움을 준다.

셋째, 소비자의 미래 소비를 구상하여 경영전략을 펼칠 수 있게 해준다.

넷째, 인지를 기반으로 이루어지고, 연구결과는 마케터들에게 경영전략을 구상할 수 있게 한다.

한편, 소비자 행동연구는 인간의 소비행동에 관하여 분석하고 연구함으로 인해서 다른 학문분야와는 다른 여러 성격을 지니고 있다. 그 내용을 구체적으로 살펴보면 다음과 같다.

(1) 종합과학으로서의 소비자 행동 연구

소비자 행동 연구는 행동과학의 한 분야로서 인간의 행동에 관한 연구를 하는 것이다. 따라서 인간 행동에 관해서 연구를 하는 기존의 학문들로부터 많은 이론들을 빌려와서 사용을 하고 있다. 심리학, 사회학, 문화인류학, 경제학 등에서 인간의 행동에 관한 필요한 이론들을 통합하고 원용해서 소비자 행동에 관한 연구를 진행하고 있다. 따라서 소비자 행동을 연구함에 있어서 학제적 관점이 요구된다.

(2) 이론과 실천의 양면성을 지닌 소비자 행동 연구

소비자 행동 연구는 순수과학과 응용과학의 양면성을 지닌 학문이다. 심리학이나 사회학과 같은 순수학문에서 많은 이론들을 빌려왔을 뿐만 아니라 인간의 행동에 대한 통일된 이론의 형성을 지향하며 인간행동의 상호관련이나 법칙을 설명하고 밝히려는 이론으로서의 성격을 갖는다. 또한 소비자 행동 연구는 인간 생활에 유용하게 이용하려는 응용과학의 성격을 갖는다. 소비자 행동에 대한 연구는 이론으로서 그치는 것이 아니라 그 이론들을 기업 경영에 유용하게 이용하려는 데 주된 목적이 있다.

(3) 관찰 (불)가능변수들 및 변수의 다양성과 상호작용

소비자 행동에 관련된 변수들을 자극변수와 반응변수 그리고 매개변수로 나눌 수 있는데 매개변수들을 비롯한 많은 변수들을 우리 눈으로 직접 보고 관찰할 수가 없는 경우가 대부분이다. 다시 말해서, 각 변수들 중 특히 투입변수로서의 자극변수와 산출변수로서의 반응변수를 중개하는 매개변수는 대부분의 경우 관찰하기 힘들다. 따라서 소비자 행동 연구에서 이러한 매개변수의 비가시성 문제를 해결하는 것이 무척 중요한 과제이다. 소비자의 동기, 개성, 태도 등을 알아보기 위해 다양한 조사방법들이 개발되고 있다.

또한 소비자 행동에 영향을 미치는 투입변수들은 그 종류가 많고 다양하며 또한 변수들 간에 상호작용을 하기 때문에 변수들을 정확히 측정하고 조사한다는 것은 매우 어려운 일이다. 소비자들의 행동은 내적, 외적 변수는 물론 이들의 과거, 현재, 미래의 여러 측면에 의해서 복잡하게 영향을 받고 있다. 내적 요인들은 외부의 경제적, 사회·문화적, 자연적 환경들에 의해 복잡하게 영향을 받고 있다. 외적 환경은 과거, 현재, 미래라는 세 가지의 측면을 지니면서 소비자들의 태도, 지각, 학습, 동기 등과 교환작용을 하며 과거와 현재의 행동에 영향을 주고 있다.

이와 같이 무수한 변수가 복잡하게 작용을 하고 있고 또한 이들 변수를 포착하거나 그 영향의 정도를 측정하기가 곤란하기 때문에 소비자 행동의 연구도 그만큼 어려운 과업이 아닐 수가 없다. 나아가 소비자 행동에 이처럼 많은 변수들이 영향을 주고 있을 뿐만 아니라 그들은 또한 서로의 효과를 확대, 축소, 혹은 재조정하기도 하기에 소비자 행동 연구를 더욱더 어렵게 만들고 있다. 이러한 이유에서 소비자 행동을 이해하기 위해서는 경험, 직관과 창의력 및 리서치의 세 가지 능력이 모두 필요하다.

(4) 개별 소비자 행동의 주관성과 추정의 어려움

각 개인들의 학습경험과 심리적 특성은 각기 다르며 따라서 그들의 사물에 대한 지각과정도 서로 다르기 때문에 동일한 상황에 대한 그들의 반응 역시 전혀 다를 수가 있다. 기업의 마케팅 전략 실행, 정부의 소비자 정책 수립은 소비자 행동의 주관적 특성을 등한시하여 정책적 전략적 실패를 초래하는 경우가 발견된다. 소비자의 이러한 개별성과 다양성은 소비자 행동과 관련된 매개변수의 정확한 성격을 추정하기 힘들게 만든다. 더욱이 시간에 따라 소비 환경 및 소비 성향이 변화함으로 인해서 소비자 행동 조사에는 항상 불확실성이 내재하며 변수의 추정과 관련하여 같은 문제를 놓고 두 조사자가 각기 다른 결론을 내리는 경우도 많다.

(5) 소비자 행동 분석에 다양한 통계분석기법 및 툴(tool)이 활용된다.

소비자 행동에 관한 연구에는 많은 투입변수와 변수들 간의 상호작용으로 인하여 다양하고 많은 정보가 필요하고 분석기법도 다변량 통계기법들이 많이 활용되고 있다. 따라서 이러한 연구들의 분석에는 통계기법의 활용 및 정보기술의 도움이 필수적이다. 최근에는 이커머스 사이트를 정교하게 진단 및 분석해 고객 행동 데이터 기반의 마케팅 자동화를 실현한 솔루션으로, 데이터 수집·처리·진단부터 마케팅 액션 및 개선에 이르는 모든 프로세스를 자동화했다.

2. 소비자 행동 연구의 등장배경

우리 인간은 태어나서 죽을 때까지 끊임없이 재화와 용역을 구매하고 소비하면서 생활해가고 있다. 다시 말해서 우리는 누구나 일상생활에 필요로 하는 제품이나 서비스를 구매하고 소비함으로써 소비자로서의 행동을 수행하고 있다. 소비자로서의 인간활동은 인류의 역사와 더불어 행해져 왔지만 자급자족이나 물물교환의 시대 더 나아가 주문생산에 의한 시장 경제구조하에서는 별로 주목을 받지 못했다. 그러다가 대량생산이 행하여지고 공급과잉의 시대가 도래하면서 소비자들의 행동에 대한 관심이 높아져 갔다.

소비자들의 행동에 대한 연구는 20세기에 들어와서부터이고 그것도 1930년대부터 관심을 가지기 시작하였다고 할 수 있으며, 본격적인 연구는 1960년대에 들어와서 비로소 시작되었다. 이 분야에 대한 연구를 가장 먼저 시작한 미국에서도 논문이 나온 것은 1930년대이지만 소비자 행동에 관한 첫 교과서가 등장한 것은 1968년으로 이 분야에 대한 연구의 역사가 얼마나 짧은지 알 수 있다. 우리나라에서는 1970년대에 들어와서 이 이론이 소개되고 1980년대에 들어와서 활발한 연구가 이루어지기 시작하였다. 그동안 비교적 무관심 분야였던 소비자 행동에 대한 연구가 최근에 와서 활발한 연구가 이루어지게 된 배경에는 다음과 같은 이유들이 있다.

첫째, 산업혁명 이후 기계화, 자동화에 의한 대량생산이 확산되면서 수요에 비해 공급과잉 현상이 일반화되고 지금까지 무관심하였던 수요 측면 즉 소비자가 중요한 존재로 부각되었다. 대량생산에 의한 공급과잉 현상이 일반화되면서 기업의 관심은 생산에서 판매로 옮겨질 수 밖에 없었으며 이는 곧 판매의 대상인 소비자의 행동을 이해하는 것이 기업의 가장 중요한 문제가 되었다. 오늘날 시장은 판매자가 더 많은 힘을 가지는 판매자 중심시장(seller's market)에서 소비자가 주도권을 가지는 구매자 중심시장(buyer's market)으로 기업이 계속적인 유지, 성장을 하기 위해서 소비자욕구 파악은 핵심과제로 부각되었다.

둘째, 경쟁의 심화와 기술혁신 및 신제품 출시 가속화에 따른 제품수명주기 단축을 들 수 있다. 단축된 제품수명주기에서는 소비자들의 필요와 욕구를 충족시키면서 소비자들이 진정 원하는 제품과 서비스를 개발해야만 성공을 할 수 있을 것이며, 이는 소비자 행동 전반에 대한 체계적인 이해와 연구의 중요성을 반증하는 것이다.

셋째, 소비자들의 소득수준과 교육수준 및 문화수준의 향상에 따른 구매행동의 고급화와 개성화를 빼놓을 수 없다. 이러한 변화에 따른 소비트렌드를 빠르게 감지하고 이에 부응하는 기업만이 지속적으로 발전하고 성장할 수 있게 되었다. 소비 트렌드 반영을 위한 시장세분화(market segmentation) 전략은 선택이 아니라 필수과정이 되었으며 더 나아가 개별고객화(individualized segmentation)가 기업생존의 필수전략이 되고 있다. 현재는 실시간으로 소비자의 상황과 맥락을 파악하고 이해하여, 궁극적으로 고객의 니즈를 예측해 서비스와 상품을 제공하는 기술인 '초개인화 기술(Technology of Hyper-personalization)'이 개발되었다. 아마존은 "0.1명 규모로 세그먼트를 한다."라는 말처럼 디지털 세계의 소비자는 한 명의 고객이 아니다. 한 명이 갖고 있는 다양한 특징을 드러내는 개인화를 위해 기업은 고객 접점에서 분석가능한 모든 데이터를 수집하고 이를 AI(artificial intelligence) 알고리즘을 통해 분석한 후, 다양한 미디어를 통해 상호 커뮤니케이션 할 수 있게 되었다.

넷째, 소비자주의(consumerism) 및 소비자주권경제(consumer sover-eignty economy)의 확산 및 일반화이다. 소비자주의란 1962년 3월 15일 미국의 케네디 대통령의 특별교서에서 처음 사용한 말로 소비자의 필요와 욕구 충족에 미흡한 기업계에 대하여 소비자 및 유관단체들이 펼치는 이익증진 활동을 뜻한다. 소비자주의는 판매자를 상대로 하여 구매자들의 세력을 증대시키는 일종의 사회 운동이라고 할 수 있으며 기업체는 물론 정부기관, 학교, 병원, 도서관에 이르기까지 모든 조직체로부터 소비자를 보호하려는 광범위한 활동을 포함하고 있다. 이러한 경제 및 소비환경에서 소비자는 그들 욕구를 충족시켜 주는 제품이나 서비스만을 계속적으로 구매하기 때문에 현대 기업은 자기 기업이 제공하는 제품이나 서비스에 대한 구매 저항을 극복하고 소비자의 지지를 얻을 수 있는 경영활동을 수행해 나가야 하며 그 중심에 소비자 행동에 대한 이해가 자리잡고 있다. 소비자주의와 연관된 자료는 다음 장에서 보다 자세하게 살펴보고자 한다.

다섯째, 오늘날 기업활동의 글로벌화를 들 수 있다. 국제무대에서의 마케팅 활동으로 이제까지의 국내 소비자와 매우 다른 소비자들을 상대로 비즈니스를 수행하고 있으며 이로 인해 소비자 행동에 대한 철저한 이해는 글로벌 마켓에서의 생존여부를 결정하는 중요한 시금석이 되고 있다.

여섯째, 마케팅의 영역 확대로 인해서 교육기관, 종교단체, 병원과 같은 비영리 조직체에서도 마케팅이 필요불가결한 개념이 되고 있다. 비영리 조직 영역 시장의 소비자 행동 차이를 이해하고 분석하는 것은 해당 조직의 지속적 생존 및 경쟁력 창출에 핵심이 되었다.

3. 소비자의 개념 및 특징

1) 소비자의 개념

'소비자'라는 용어는 오늘날의 사회에서 흔히 들을 수 있는 아주 익숙한 단어다. 경제적 행위이자 심리−사회−문화적 행위인 소비를 통해 개개인은 소비자로서의 정체성을 형성해 나가기 때문에, 현대사회는 소비사회로, 현대인은 소비인(Homo Consumence)으로 명명된다. 그렇기 때문에 우리는 일상생활 속에서 광고, 마케팅 등을 통해 소비자라는 용어를 쉽게 접할 수 있다. 요람에서 무덤까지 매 순간 소비하며 살아가고 있는 우리는 소비자라 불린다. 그렇다면 '소비자'란 누구이며, 어떤 역할을 하는 사람들을 일컫는 것일까?

일반적으로 소비자(Consumer)는 소비생활을 위하여 상품이나 서비스를 구입·소비하는 사람들, 제품이나 서비스를 최종적으로 사용하는 사람들을 가리킨다. 소비자란, '장래 시장의 구성원', '상품이나 서비스를 사적인 용도로 제공받는 사람', '타인이 공급하는 물품이나 서비스를 소비생활을 위해 구입·이용 하는 자' 등으로 정의될 수 있다. 즉 소비자는 일반적으로 소비 활동을 하는 모든 주체를 말할 수 있다. 소비자는 구매자, 사용자, 구매결정자의 역할을 각각 다르게 하는 경우와 1인 2역, 3역 역할을 수행하는 경우가 있다.

한편 우리나라 소비자기본법에 따르면 소비자란 사업자가 제공하는 물품 및 용역을 소비생활을 위하여 사용하거나 이용하는 자 또는 대통령령이 정하는 자로 정의되고 있다. 이에 따르면 소비자는 사업자가 공급하는 상품 및 서비스를 소비생활을 위하여 구입하여 사용하거나 이용하는 자이며, 사업자에 대립하는 개념이다. 다시 말해 소비자라는 개념은,

첫째로 국민의 소비생활에 관련되는 측면을 취급하는 개념이고, 둘째로 소비자는 사업자에 대립하는 개념이며, 셋째로 소비자는 소비생활을 영위하는 자를 의미한다. 단, 여기서 소비자와 대립되는 개념인 사업자란 제품 및 서비스를 공급함으로써 이윤추구 목적으로 사업을 영위하는 사람으로, 물품을 제조, 수입, 판매하거나 용역을 제공하는 생산자, 도매업자 및 소매업자 등을 예로 들 수 있다.

반면 보다 넓은 의미의 소비자에는 개인뿐 아니라, 가계, 학교, 교회 등의 조직도 포함된다. 더불어 소비자기본법 시행령에 따르면 소비자의 범위에 제공된 물품 등을 원재료, 자본재 또는 이에 준하는 용도로 생산활동에 사용하는 자는 제외하고 있으나, 제공된 물품 등을 농축산업 및 원양어업을 제외한 어업활동을 위하여 사용하는 자 또한 소비자로 규정하고 있다. 이는 농축산업 및 어업과 같이 특수한 상행위의 경우 중간 단계의 상인이나 제조업자에 대한 보호의 필요성이 소비자 정책차원에서 대두됨에 따라 이를 반영하여 규정된 것이라 해석할 수 있다. 그러나 일반적으로 소비자라고 함에는 재생산 및 재판매를 하지 않고 순수히 사용만 하는 '최종소비자'를 의미하며, 사업상 재화를 구입하여 재판매를 하는 중간소비자나 산업사용자는 포함시키지 않는 것이 일반적이다.

종합하자면, 소비자란 거래과정의 말단에 위치하여 최종소비자로서 생활을 영위하는 생활자를 의미한다. 즉, 자신의 생산물을 사용 또는 소비하는 경우나 사업자로부터 구입하더라도 자신의 소비 생활을 위한 것이 아닐 경우에는 소비자가 아니라고 말할 수 있다. 더불어 소비자의 소비활동은 단순히 재화와 용역을 구매하고 사용하는 데 국한되지 않으며, 소비를 가능토록 하는 소득의 획득, 재화와 용역의 창출, 이용 후의 결과까지 포함하는 일련의 과정으로서 사회경제적, 문화적 행위이다. 그렇기 때문에 소비자는 일상적인 삶의 유지를 위해 소비활동을 행하는 사회경제—문화적 행위의 주체이다. 기업은 이들을 위한 전략으로 시장세분화(segmentation), 타깃 설정(targeting), 포지셔닝(positioning)의 STP를 실행한다. STP전략에는 행위(behavior), 조사(research), 불평(complaint) 분석 등의 전략이 필요하다. 소비자는 제품과 서비스를 어떤 목적을 이루거나 도구로써 사용하기 위해 구매한다. 또한 소비자는 제품이나 서비스를 정서적 혹은 심미적 반응의 경험으로써 소비한다. 이러한 소비자의 소비는 자신을 드러내거나 사회적인 위치를 나타내기 위해서이며, 소비자는 구매하는 브랜드를 통하여 자신의 정체성을 표현하거나 어떤 계층에 귀속되거나 분류되기도 한다.

한편, 고객(customer)은 직접 마케팅을 하는 대상으로 연속적인 재구매 의사가 강한 손님을 의미하며, 구체적인 특정 상품·기업·점포에 반응한다. 이들은 가치 창출의 대상이며, 이를 위하여 기업은 고객관계관리를 구축한다. 그리고 이들을 일반 고객, 단골 고객, 옹호자, 파트너 등으로 분류하여 지원(support), 서비스(service), 만족(satisfaction) 등의 전략을 제공한다.

2) 소비자 분류

(1) 관계 진화적 관점에 의한 분류

관계 진화적 관점에서의 고객은 〈표 1-1〉에 있는 다섯 가지의 단계를 거치며 단계마다 해당 상품과 서비스에 대한 다른 구매행동을 보인다. 모든 고객이 잠재 고객에서 충성 고객까지 이르지 않고, 이전의 단계에서 멈출 수도 있다.

〈표 1-1〉 관계 진화적 관점에서 분류

구분	내용
잠재 고객	기업의 제품을 구매하지 않은 사람들 중에서 이후에 고객이 될 수 있는 잠재력을 가진 집단 또는 아직 기업에 관심이 없는 고객
가망고객	기업에 관심을 보이고 있어 신규 고객이 될 가능성이 있는 고객
신규고객	기업과 처음 거래를 시작한 고객
기존고객	2회 이상 반복구매를 한 고객으로 안정화 단계에 들어간 고객
충성 고객	제품이나 서비스를 반복적으로 구매하고 기업과 강한 유대 관계를 형성하는 고객

충성 고객의 특징은 첫째, 관대하다. 기업과 브랜드에 대한 애착심으로 가격상승까지 수용한다. 둘째, 교차 구매가 가능하다. 현재 사용하고 있는 상품을 생산하는 기업의 다른 상품을 구매한다. 셋째, 상승 구매가 가능하다. 동일한 기업의 상위 제품을 구매한다. 넷째, 구전 활동을 한다. 고객 스스로 지인에게 소개하는 활동을 한다. 다섯째, 반복 구매한다. 반복적인 구매행동을 보인다.

(2) 참여적 관점에 의한 분류

구매 과정에 참여하는 형태에 따라 고객을 분류하기도 한다.

〈표 1-2〉 참여적 관점에서 분류

구분	내용
직접고객	• 제품과 서비스를 직접 구매하는 고객
간접고객	• 최종 소비자 또는 2차 소비자
내부고객	• 기업 내부의 직원, 주주, 직원의 가족
의사결정 고객	• 직접 고객의 선택에 큰 영향을 미치나, 직접 구매하거나 금전적 지출을 하지 않는 고객
의견 선도 고객	• 제품의 평판, 심사, 모니터링 등에 영향을 미치는 고객
경쟁자	• 전략이나 고객 관리 등에 중요한 인식을 심어주는 고객
단골 고객	• 직접 제품이나 서비스를 지속해서 애용하고 있지만, 아주 적극적으로 타인에게 추천할 정도의 충성도를 가지고 있지는 않은 고객
옹호 고객	• 상품을 다른 사람에게 추천할 정도의 충성도를 가지고 있는 고객
한계 고객	• 기업의 이익 실현에 방해가 되며, 마케팅 활동 등 기업의 여러 활동을 저해하는 고객 • 고객 명단에서 제외하거나 해약을 유도하여 고객 활동을 중지하는 편이 좋은 고객
체리피커 (Cherry picker)	• '신 포도 대신 체리만 골라먹는다'라는 의미의 명칭 • 이벤트 기간에 가입해서 혜택만을 취하고 해약하거나, 잠시 사용할 목적으로 구매하여 반품하는 등 자신의 실속만 챙기고 기업에 피해를 주는 고객 • 기업의 서비스, 유통 체계 등의 약점을 이용해서 자신의 이득만을 취하는 서비스 이용의도가 나쁜 고객

(3) Stone(1954)의 고객 분류

Stone은 상품 구매 고객을 네 가지로 분류하였다. 이는 고객의 쇼핑 태도에 대한 가장 널리 알려진 분류법이다.

〈표 1-3〉 Stone(1954)의 고객 분류

구분	내용	예
경제적 고객 (절약 추구)	• 자신이 투자한 돈과 시간, 노력에 대해 최대의 효용을 얻으려 한다. • 자신이 얻을 수 있는 효용을 계산하여 기업 간 정보를 비교하며 때로는 변덕스러운 모습을 보인다. • 경제적 고객의 상실은 서비스 품질에 대한 경고 신호를 의미한다.	• 자신이 사용한 시간, 노력, 금전으로부터 획득할 수 있는 가치를 극대화하려 한다. • 백화점에서 옷을 직접 입어 본 다음 인터넷으로 검색하여 저렴하게 판매하는 곳에서 구입한다.
윤리적 고객 (도덕성 추구)	• 구매의사결정에 있어 기업의 윤리성이 큰 비중을 차지하며, 윤리적인 기업의 고객이 되는 것을 책무라고 생각한다. • 기업에 깨끗하고 윤리적인 사회적 이미지를 요구한다. • 사회적 기부 또는 환경을 위해 노력하는 이미지를 강조하는 마케팅이 필요하다.	• 사회적으로 신뢰할 수 있는 기업의 단골이 되는 것을 선호한다.
개인적 고객 (개별화 추구)	• 개인 대 개인 간의 교류를 선호하는 고객을 말한다. • 일관된 서비스보다 자기를 인정해주는 맞춤형 서비스를 원하기 때문에 고객 정보 활용이 선행된다.	• 누구에게나 하는 통상적인 서비스보다 '나만을 위한 서비스'를 선호한다.
편의적 고객 (편의성 추구)	• 서비스를 받는 데 있어서 편의성을 중시하는 고객이다. • 편의를 위해서라면 추가 비용을 지불할 의사가 있다.	• 실시간 배달해주는 마트 등의 시스템을 선호한다.

3) 소비자의 유형

소비자는 크게 개인 소비자와 조직 소비자로 분류한다. 개인 소비자는 자신이나 친구를 위해 제품이나 서비스를 구매하는 소비자이고, 조직 소비자는 기업, 정부, 단체의 이익을 위하여 제품이나 서비스를 구매하는 소비자이다. 기업에서 제공하는 제품이나 서비스에 대해 소비자가 어떻게 생각하는가에 따라 3가지 범주로 구분한다.

첫째, 미충족 고객(undershot customer)은 기업에서 제공하는 제품의 성능과 서비스가 부족하다고 느끼는 고객이다.

둘째, 과충족 고객(overshot customer)은 기업에서 제공하는 제품의 성능과 서비스가 과다하다고 생각하는 고객이다.

셋째, 비사용자(non-consumer)는 현재 기업의 목표 고객에 해당하지 않는 고객이다.

이러한 분류는 고객의 행동을 기준으로 고객이 제공되는 제품에 대한 문제점을 해석하는 방법에 기반한다. 이들에 대한 대응 방안은 다음과 같다.

(1) 미충족 고객

제품의 내용이 부족하다고 생각하는 미충족 고객에게는 이들이 무엇이 부족하다고 생각하는지 찾아내는 것이 핵심이다. 이들은 기존 제품의 성능이나 서비스 개선에 얼마든지 가치를 지불하고자 하는 의지를 가진 고객이고, 제품이 항상 완벽하기를 바라는 니즈를 가지고 있는 집단이다. 미충족 고객은 제품에 대한 충성도가 매우 높아서 기업들은 이들의 니즈를 조사하여 제품에 반영하고자 노력한다. 하지만 이들은 항상 일정 정도의 불만족을 가지고 개선 사항을 요구한다. 따라서 이들의 요구를 충족시킬 수 있는 제품이나 서비스가 가장 우선적으로 제공되어야 한다.

(2) 과충족 고객

주어진 기능을 제대로 활용하지 못하는 과충족 고객에게는 제품의 기능 중에서 어떠한 점이 이들에게 불필요하게 작용하는지를 찾아내는 것이 중요하다. 이들은 자신이 필요한 기능보다 과다한 기능이 탑재되어 있다고 생각하며, 적정 정도의 상품이나 자신이 요구하는 최소의 수준만 갖춘 제품을 원한다. 이러한 과충족 고객은 최신 기술이나 첨단 방식보다는 어느 정도 일반화되고 기초적 기능을 갖춘 저렴한 제품을 선호한다. 이로 인해서 제조사에 대한 일방적 충성보다는 타사의 저렴한 제품이 출시되었을 때 바로 갈아타는 유동적인 계층이다. 따라서 제품이나 서비스가 개선되었다 하더라도 이에 크게 중점을 두고 반응하지 않으며, 프리미엄 가격을 지불할 생각이 없는 고객이다. 이들은 개선된 성능이나 서비스보다는 할인 가격이나 제휴 제품을 더 중요하게 여기기 때문에 이를 고려하여 대응한다.

(3) 비사용자

제품을 사용하고 있지 않은 비사용자들에게는 제품에 접근할 수 있도록 유도해야 한다. 이들은 제품의 성능이 복잡하다고 생각하여 제대로 이용할 수 없거나 불편하게 느끼는 고객이다. 또한 제품을 사용하지

않고 있는 집단으로 어느 특정 기업에 충성하지 않는 백지 상태의 고객
이다. 이러한 고객에게는 일단 저가 가격 전략으로 구매의 진입장벽을
최소한으로 낮추는 것이 중요하다. 또한 과충족 고객과 동일하게 핵심
적인 주요 기능만 탑재하여 최대한 간편하고 저렴한 가격으로 설득해야
한다.

소비자 행동과 심리

CONSUMER BEHAVIOR AND
PSYCHOLOGY

제 2 장

소비자 행동모델의 일반적 성격

1. 소비자 행동모델의 정의와 유용성

1) 소비자 행동모델의 정의

모델이란 현실을 단순화시켜 특정현상을 함축적으로 모사(a replica of the phenomena)한 것을 말한다. 모델의 표현방법에는 언어로 서술하는 기술적 방법(verbal representation), 수학적 기호(mathematical symbols)를 사용하는 방법, 그리고 도형(diagram or flow chart)을 사용하는 방법 등이 있다.

소비자 행동모델은 언어로 표현하는 기술적 모델이 주종을 이루고 있다. 그러나 소비자 행동을 하나의 의사결정과정으로 보고, 이 과정을 일목요연하게 묘사하기 위해서 구성요소 간의 관계를 도형(diagram)으로 표현하는 방법도 많이 이용되고 있다. 또한 소비자 행동의 예측성을 향상시킬 목적으로 최근에는 수리모델에 관해서도 많은 관심을 보이고 있다.

모델은 마치 건물의 설계도처럼 현상에 관련되는 제 변수 간의 관계를 일목요연하게 표현하는 것이 바람직하다. 따라서 모델설계자는 현상의 생성에 중요한 역할을 수행하지도 않으면서 상황만 복잡하게 만드는 요인은 무시해 버리거나, 그가 관심을 가지고 있는 측면만을 상세히 모델화하기도 한다.

소비자 행동 분야에서도 어떤 모델은 소비자 행동의 특정측면만을 설명하고 있는 반면에, 어떤 모델은 여러 측면의 소비자 행동을 포괄적으로 표현하고 있다. 상표 애호도 모델(brand loyalty model)이나 소비자태도 모델(attitude models)들은 전자에 속하고, Howard-Sheth 모델이나 EKM모델과 같은 포괄적 소비자 행동모델은 후자에 속한다.

일반적으로 모델에 포함된 관련변수와 이들 변수 간의 관계는 상당부문 가설화(hypothesized)된 것이 많으므로, 어느 모델도 완전무결한 것으로 보기는 어렵다. 사실 소비자 행동모델은 새로운 조사와 연구를 통해서 항상 수정 또는 보완될 수 있으며, 또한 그렇게 되어야 한다. 특히 이 분야의 짧은 역사를 감안한다면, 소비자 행동모델은 정밀한 검증과 다각적인 분석을 통해 많은 보완이 요구된다.

2) 소비자 행동모델의 유용성

소비자 행동모델은 소비자의 행동에 대한 체계적이고 논리적인 이해와 사고를 구축하는 데 많은 도움을 준다. 왜냐하면 모델은 ① 소비자 행동에 관련된 중요한 요인들을 확인하고, ② 각 요인의 특징을 설명하며, ③ 이들 요인 간의 관계를 명확히 나타내 주기 때문이다. 소비자 행동모델이 소비자 행동연구에 기여하고 있는 점을 구체적으로 살펴보면 다음과 같다.

첫째, 이론의 개발 및 정립에 유용하다.

이론(theory)이란 어떤 현상이나 활동을 이해하는 데 유용하도록 그 현상에 대한 체계적인 견해나 어떤 신념을 피력하는 것으로서, 현상에 관련된 제 개념, 정의, 그리고 명제의 논리적 관계를 표현한다. 이론이 현실을 바르게 직시하고 현상을 적절하게 표현했을 때 비로소 그 이론은 가치가 있게 된다. 보통 이론과 모델을 동의어로 사용하는 경향이 있지만, 엄밀하게 말하면 모델은 이론을 표현하는 한 방법이다.

소비자 행동모델은 소비자 행동에 관련된 요인들을 식별해서 그들의 상호관계를 나타내 주기 때문에, 이에 준해서 소비자 행동에 관한 이론을 개발하고 정립하는 데 크게 도움이 된다.

둘째, 조사 및 연구를 위한 준거틀을 제공한다.

소비자 행동에 관해 무엇을 조사하고 무엇을 연구해야 할 것인가? 소비자 행동 연구가들이 그들의 연구소재를 파악하는 데 있어 소비자 행동모델은 중요한 길잡이 역할을 수행한다. 즉 소비자 행동을 연구하는 사람들로 하여금 모델의 중요한 국면을 분석 또는 검증하도록 함으로써 연구의 목적 및 방향을 명확하게 제공해준다. 반복되는 정밀한 검증을 통해서 기존의 모델을 수정하고 보완하는 일은 소비자 행동을 연구하는 사람들에게는 무엇보다도 중요한 과업이다.

또한 연구 조사자들은 모델을 관찰하고 분석함으로써 새로운 연구과제에 대한 아이디어도 어렵지 않게 발견할 수 있다. 이런 점들로 비추어 볼 때, 소비자 행동모델은 소비자에 관한 연구에 일종의 좌표와 같은 역할을 수행한다고 볼 수 있다.

셋째, 소비자 행동에 관한 지식의 학습을 용이하게 해준다.

소비자 행동모델은 소비자 행동에 관한 단편적인 지식을 통합할 수 있게 해주고, 그 결과 소비자 행동을 포괄적으로 이해할 수 있도록 도와

준다. 또한 소비자 행동에 관해 현재 알려진 지식을 학습하는 데 있어서
도 많은 도움을 줄 수 있다.

그러나 이와 같은 유용성에도 불구하고 기존의 소비자 행동모델은 소
비자 행동에 관한 실상을 적절히 설명하지 못하고 있다는 점이 항상 문
제점으로 지적되고 있다. 사실 인간행동은 그 본질적 특성이 행동의 미
묘함과 복합성에 있으므로 그것을 완벽하게 모델화한다는 자체가 난제
일 수밖에 없다. 그래서 기존의 소비자 행동모델들이 현상을 지나치게
단순화시키고 있는 것도 사실이다.

하지만 기존의 소비자 행동모델 중에는 소비자 행동에 관한 이론의
개발과 지식의 축적에 크게 기여한 모델도 많이 있으므로, 여기에서는
이들 중 대표적인 몇 가지 모델에 관해서만 검토해 보기로 한다.

2. 전통적 소비자 행동모델

1) 전통적 소비자 행동모델의 유형

전통적인 소비자 행동모델은 일반적으로 소비자 행동의 특정 측면에
대한 체계적인 견해나 신념을 서술적 이론(verbal theory)의 형식으로 표
현하고 있다. 대표적인 전통적 소비자 행동모델로서 〈표 1-4〉에서 보
는 바와 같이 다섯 가지 유형을 확인할 수 있다. 이들 각 모델의 특징을
요약하면 다음과 같다.

〈표 1-4〉 전통적 소비자 행동모델

모델유형	제안자	출생국	제안시기	전공분야
경제적 소비자 (the economic consumer)	A. Marshall	영국	19C 후반	경제학
조직원형 소비자 (the organizational consumer)	T. Hobbes	영국	17C 중반	철학
학습형 소비자 (the conditioned consumer)	I. Pavlov	소련	19C 후반	생리학
정신분석학적 소비자 (the psychoanalytic consumer)	S. Freud	오스트리아	19C 후반	심리학
사회적 소비자 (the social consumer)	T. Veblen	미국	19C 후반	사회·경제학

출처: Kotler(1965)

(1) Marshall의 경제모델

이 모델에서는 소비자를 지극히 '합리적인 경제인'으로 가정하기 때문에 소비자 행동도 '소비자 자신의 효용극대화를 위한 합리적이고 완벽한 의사결정의 산물'로 본다. 일반적으로 소비자 행동에 대한 경제학적 접근은 소비자에 대하여 다음과 같은 가정을 전제로 한다.

첫째, 인간은 합리적 동물이다.
둘째, 소비자는 구매할 제품에서 얻어질 만족이나 효용을 비교적 정확하게 평가할 수 있다.
셋째, 소비자는 제품에 대해 완전한 지식을 가지고 있어 대체안의 비교·평가를 합리적으로 할 수 있다.

이상과 같이 경제학적 소비자모델에서는 소비자를 합리적인 경제인으로 전제하고 개별소비자는 다음과 같은 구매행동상의 특징을 가지고 있는 것으로 본다.

- 소비자는 제품구매에 드는 비용과 제품구매로 얻게 될 이득을 비교한 후, 상대적으로 이득이 가장 높을 것으로 판단되는 제품을 우선적으로 구매한다.
- 소비자는 제품구매에 따라는 비용의 지표로서 주로 제품의 가격을 사용하므로 가격이 낮을수록 그 제품의 구매량은 증가한다.
- 소비자는 주어진 예산으로 효용(또는 만족)을 극대화하기 위해 치밀한 구매결정을 한다. 즉 각 제품의 한계효용과 한계비용(또는 가격)이 일치하도록 각 제품의 구매량을 결정하고, 그 결과 상상 최대의 효용을 기대한다.

이상과 같은 경제학적 소비자모델은 몇 가지 문제점이 있는 것으로 지적되고 있다. 우선, 현실적으로 소비자들은 항상 완벽한 합리성을 추구하지는 않는다는 점이다. 또한 경제학적 소비자모델은 행동동인의 경제적 측면만을 너무 강조한 나머지 복잡미묘한 소비자 행동의 다면적 특성을 완전하게 설명하지 못하고 있다.

그러나 소비자에 대한 경제모델은 소비자 행동의 중요한 측면을 이해하는 데 크게 기여하고 있다. 왜냐하면 소비자는 경제적 자극에 의해서 가장 예민한 반응을 보이는 것이 사실이기 때문이다. 경제학적 소비자이론은 그 동안 소비자 행동연구에 많은 기여를 했으며, 특히 현대적 소비자 행동모델을 이해하는 데에도 많은 도움을 주고 있다.

(2) Hobbes의 조직원모델

이 모델에서는 소비자를 개인으로 인식하지 않고, 가족이나 직장과 같은 조직의 일원으로 인식한다. 그 이유는 일반적으로 소비자는 조직구성원들의 공동사용목적이나 다른 구성원을 위해 제품을 구매하는 경우가 많다고 보기 때문이다. 따라서 앞에서 설명한 경제모델에서처럼 소비자는 항상 개인 입장에서 효용의 극대화를 추구한다고 보지 않으며, 오히려 조직원의 공동목표를 충족시켜 줄 수 있는 제한된 합리성을 추구하는 것으로 본다.

(3) Pavlov의 학습모델

Pavlov가 제안한 것으로 그동안 많은 학자들의 연구를 거쳐 오늘날에는 자극－반응 모델로 알려져 있는 행동모델이다. 이 모델에서는 소비자를 일상생활 속에서 학습(learning)을 통해 외적 자극에 대하여 적절히 반응하는 방법을 자연스럽게 터득하는 하나의 생활인으로 본다. 그리고 소비자들의 행동은 특정 자극에 대하여 그들이 학습한 조건부 반응(conditioned response)이라고 본다.

(4) Freud의 정신분석모델

이 모델은 인간의 심리적 측면을 매우 중요시한다. 즉 인간의 행동은 그들의 본능과 자기자신도 인식하지 못하는 어떤 무의식적 동기에 의해 유발된다고 본다. 따라서 소비자 행동의 동인으로는 실질적(경제적 또는 기능적) 동기도 중요하지만, 그 보다는 인간심층에 내재하는 정신적·심리적 동기가 더 중요하다고 본다.

(5) Veblen의 사회심리모델

이 모델에서는 소비자를 사회적 동물로 인식한다. 따라서 소비자 행동은 타인, 준거집단, 그리고 그가 소속하는 문화권의 관습 등에 의해 많은 영향을 받는 것으로 본다. 또한 소비자의 개인적 특성도 결국은 사회적 요인의 영향을 받아 후천적으로 계발되는 부분이 많다고 보기 때문에 현재뿐만 아니라 과거의 사회적 환경도 소비자의 구매 및 소비행동에 중요한 변수로 작용한다고 본다.

베블렌 효과(Veblen effect)는 비싸다는 이유만으로 물건을 구매하고 이러한 것을 다른 사람에게 보여줌으로써 만족감을 얻는 현상을 의미한다. 남들보다 돋보이거나 뽐내고 싶어서 비싼 물건일수록 사려고 드는 인간의 심리를 나타내는 경제학적 용어이다. 베블렌 효과에 따른 과시가격은 실제가격과 지불가격으로 나타난다. 이때 과시소비의 효용이 나타나는 것이 베블렌 효과이다. 소비자는 실제가격보다 다른 소비자가 선택하는 가격에 더 신뢰를 갖는 심리가 있다는 이론이며, 과시소비는 제품의 내재한 품질뿐만 아니라 가격도 소비에 영향을 준다. 결론적으로 가격이 오를수록 베블렌 효과에 따른 소비량은 늘어난다.

(6) 기타 사회심리모델

① 밴드웨건 효과(bandwagon effect)

소비자가 자신의 구매스타일보다 다른 사람들이 많이 선택하는 소비패턴에 따르는 현상을 말한다. 즉 소비자 자신의 욕구보다 주변 사람들의 소비패턴에 의존하려는 성향으로 다른 사람의 소비성향을 무조건 좇아가는 행동이다. 이런 소비자는 제품 자체가 아니라 군중 속에 합류하려는 도구로써 제품을 소비한다. 서부 개척 시대에 밴드웨건(악대마차)이

요란한 음악과 함께 금광이 발견됐다고 선전하면 무작정 따라가던 사람들을 빗댄 말로 우리말로는 편승효과라고 한다.

예를 들어, 각 수요자가 비슷한 가격조건에서 다른 사람들이 많이 구매하는 상품을 선택하려는 현상이다. 즉 유명연예인이 입고 나온 옷이 불티나게 팔리고 주가나 부동산 가격이 폭등하는 것은 이런 효과로 설명된다. 또한 개인의 욕구와 다양한 개성으로 뚜렷한 자기 스타일을 나타내기보다는 남의 이목과 체면을 중시하는 소비자는 소비에 있어서 행동을 삼가는 습성이 있게 때문에 밴드웨건 효과의 선택을 따르는 경향이 있다. 소비자는 주로 제품의 성능과 질, 기능을 분석하여 구매선택하는 것이 아니라 지출 패턴에 따라 지출한다.

② 스놉 효과(snob effect)

이 효과는 다른 말로 속물 효과라고도 하는데 남들이 많이 사는 것은 구입하기 싫어하는 소비심리로, 남과 다른 특별한 것을 구입함으로써 그 제품을 소유하고 있다는 사실에 가치를 부여하는 것을 의미한다.

다른 사람들이 구입하기 어려운 희소한 상품을 구입해 과시하고 싶어하는 속물(snob)근성에서 비롯된 소비행태에서 유래했는데, 자신을 다른 사람과 다르게 구분 짓고 싶어 하는 심리라는 의미로 백로효과라 불리기도 한다.

이런 심리를 가진 소비자는 제품이 유행하게 되면 처음 구매했을 때 누렸던 만족도가 감소하기 때문에 유행하는 제품의 소비를 줄이게 된다. 즉 유행해서 남들이 많이 구매하면 오히려 구매하지 않는 심리를 말한다.

이는 밴드웨건 효과의 반대 현상으로 희소가치를 구입하여 다른 사람과 차별성을 과시함으로써 스스로의 위신이나 사회적 지위를 높인다고 생각하고 보편화된 제품은 기피하는 현상이다. 최근에는 과시적인 소비현상이라기보다는 구매자의 기호나 개성을 드러내는 경향이 크다는 주장이 나오기도 한다. 꼭 비싼 제품이 아니더라도 한정판의 디자인 제품, 희귀본 책이나 음반 등을 구입하는 사람들도 이런 현상으로 설명되기 때문이다.

③ 터부 효과(taboo effect)

터부 효과는 소비자들에게 아직 보편화되지 않은 상태의 제품이 있을 경우 문화적 습성과 사회적으로 터부시하는 경향 때문에 구매를 보류하는 현상을 말한다. 즉 사회적으로 금하거나 바람직하지 못하다고 여기기 때문에 소비행동을 실행하지 못하는 것이다. 그러다가 그 제품에 대한 터부 경향이 없어지기 시작하면 너나 할 것 없이 구매하게 되는 것이다. 한국 사회에서는 '고급'이나 '사치'의 의미를 갖는 외국 수입품의 소비가 사회적으로 금기시된 적이 있으나, 해외 명품들의 소비가 베블렌 효과에 힘입어 급속히 증가하는 현상을 보였다. 소비의 터부 효과는 소비의 과시적 효과와 서로 상반되는 관계를 가지므로 일반 중산층은 고가의 외국 수입품을 사용하는 데 심적 부담을 느껴 가능한 국산품을 소비하려는 경향을 띠기도 한다.

2) 전통적 소비자 행동모델의 특징

이상에서 전통적 소비자 행동모델의 몇 가지 대표적인 유형에 대해 개략적으로 알아보았지만, 이들 전통적 소비자 행동모델은 다음과 같은 특징을 가지고 있다.

첫째, 전통적 소비자모델은 행동모델이라기보다는 소비자의 특정 측면에 대한 서술적 이론으로서의 특성을 더 많이 지니고 있다. 즉 이들은 소비자 행동이라는 현상을 포괄적으로 모사하고 있지 않으며, 오히려 인간의 본질과 행동의 특정 측면에 대한 하나의 신념을 기술하고 있다.

인간행동에 대한 이론은 인간의 본질을 어떻게 보느냐에 따라 그 성격을 달리한다. 소비자 행동도 인간행동으로서 하나의 하위행동이므로 인간의 본질에 대한 관점의 차이로 인해 전술한 바와 같이 학자에 따라 서로 다른 소비자 행동이론이 제안된 것으로 볼 수 있다.

사실 소비자의 본질은 여러 가지 시각에서 고찰될 수 있다. 즉 경제학자들은 소비자를 합리적인 '경제적 동물'로 인식하지만, 사회심리학자들은 소비자를 다분히 감성적인 '사회적 동물'로 인식한다. 이처럼 소비자 본질에 대한 시각의 차이는 소비자 행동에 대한 접근방법에 영향을 주고, 그 결과 다른 행동과학 분야에서와 마찬가지로 소비자 행동 분야에서도 시각이 서로 다른 다수의 이론들을 탄생시켰다.

둘째, 전통적 소비자 행동모델들은 서로 다른 측면에서 소비자의 본질을 단편적으로 기술함으로써 소비자 행동의 특정 측면만을 배타적으로 강조하고 있다. 다시 말해서 다면적인 소비자 행동의 어느 한 측면만을 강조함으로써 어떤 모델도 총체적인 소비자 행동을 포괄적으로 설명해 주지 못하고 있다. 그러나 전통적 소비자 모델들은 소비자 행동의 특정 측면에 대해서만은 그 본질과 특징을 명확하게 설명해 주고 있기 때문에 그동안 기업 마케팅활동 부분에서의 기여도는 적지 않다. 기업의 가격정책이나 광고전략 등은 거의 대부분 이들 전통적 소비자 행동이론에 기초하고 있다고 보아도 과언이 아니다. 사실 이 이론은 그동안 소비자 행동과 마케팅의 연구발전에 시금석 역할을 해 왔으며, 이 점은 높이 평가되어야 한다.

3. 현대적 소비자 행동모델

1) 현대적 소비자 행동모델의 유형

현대적 소비자 행동모델은 소비자 행동에 관련되는 요인들을 단순히 종속변수와 독립변수의 관계로 표현하고 있는 비교적 간단한 형태로부터, 행동의 현상 전체를 정교하게 설명하고 있는 포괄적인 형태에 이르기까지 그 형태가 매우 다양하다.

(1) Howard-Sheth 모델

이 모델은 개별소비자가 제한된 판단능력과 불완전한 정보하에서 어떻게 합리적인 상표선택행동(brand choice behavior)을 수행할 수 있는가를 설명하기 위해 개발된 것으로 매우 정교한 소비자 행동모델 중의 하나이다. 여기에서는 모델의 개요만 살펴보기로 한다.

■ 투입변수

투입변수(input variables)는 소비자에게 주어지는 기업의 마케팅활동 및 사회환경으로부터의 자극 또는 정보를 말한다. 이를테면, 특정 상표 제품의 품질, 가격, 상표명성, 서비스 등은 소비자에게 하나의 정보로써 투입되는 것을 의미한다.

■ 산출변수

소비자에게 외부자극이 투입되었을 때 이들 자극에 대응하여 나타나는 소비자의 다양한 반응을 산출변수(output variables)로 나타내고 있다,

소비자의 반응은 반드시 '구매행동'으로서만 나타나는 것이 아니며, 이를 테면 새로운 것에 대한 호기심 또는 '주의'의 환기라든가, '이해'의 증진, '태도'의 변화, '구매의도'의 형성과 같은 형태로도 나타나기 때문에, 이 모델에서는 이들을 모두 산출변수 속에 포함시키고 있다[그림 1-1] 참조). 바로 이 점이 중요한 특징 중의 하나이다. 그리고 이 모델에서는 다양한 소비자 반응이 투입변수와 소비자 내적 요인 간의 상호작용에 의한 산출물임을 시사하고 있다.

■ 가설적 구성개념

가설적 구성개념(hypothetical constructs)는 외부에서 투입되는 정보를 해석하고 처리하는 과정에서 작용할 것으로 추정되는 소비자 내적·심리적 요인을 말한다. 이들은 외부에서의 관찰이 불가능하며, 이들의 변화는 오직 판단에 의해 추론할 수밖에 없으므로 이들을 가설적 구성개념이라고 한다.

지각 구성개념(perceptual constructs)은 투입된 정보를 수용하는 과정에서 작용할 것으로 추정되는 소비자의 내적 요인을 말한다. 이에는 소비자의 정보에 대한 민감도, 정보탐색 성향, 지각적 편향 등이 포함된다.

학습 구성개념(learning constructs)은 소비자의 지각 매커니즘을 통과한 정보를 분석·정보·처리하는 과정에 작용하는 개인의 내적 요인을 말한다. 이에는 구매동기, 결정매개요인(또는 선택기준에 대한 신념), 환기세트, 만족 등의 요인이 포함된다.

'동기'란 소비자가 특정 행동수행을 통해 성취하려고 하는 일종의 행동 목표로서, 이 행동동기에 준해서 소비자는 지각된 정보의 가치를 평가한다. '결정매개요인'은 소비자가 경험과 학습을 통해 축적한 제품의 속성이나 평가기준에 대한 신념같은 것을 의미하며, '환기세트'는 소비자가 기억해낼 수 있는 상표대안 및 상품특성에 대한 정보의 조합을 의미한다. '만족'요인은 구매나 사용 후 소비자가 느끼는 심리적 변화로서 차기 구매행동에 중요한 영향을 미치기 때문에 학습변수 중 가장 중요한 변수로 인식되고 있다.

■ 외생변수

Howard−Sheth의 초기모델에서는 찾아볼 수 없으나, 수정된 모델에는 포함되어 있다. 외생변수(exogenous variables)란 특정 구매상황에서 소비자의 상표대안선정에 영향을 미치는 개인의 외적 요인을 말한다. 즉 소비자의 재정상태, 구매의 중요성, 구매의 긴박성과 같은 구매관련 상황요인 및 사회계층, 문화적 관습 등과 같은 사회적 환경요인이 이에 해당한다.

Howard−Sheth 모델의 특징 및 유용성을 요약해 보면, 다음과 같다.

• 소비자에게 주어지는 정보의 의미가 항상 명확하지 않을 뿐만 아니라, 인간의 판단능력은 완벽하지 않다는 전제하에서 경험에 의한 학습의 중요성을 강조함으로써 모델에 이론적인 타당성을 부여하고 있다.

• 이 모델은 구매 및 사용경험의 피드백 효과를 중시함으로써 동태적 모델의 특징을 지니며, 학습모델로 범주화된다.

• 소비자 행동에 영향을 주는 모든 요인들을 확인하고 이들을 체계화하려는 과감한 시도였다는 점이 높이 평가된다. 이 모델은 가시적 행동뿐만 아니라 비가시적인 인지적 활동까지도 모두 모델화함으로써

향후 소비자 행동연구를 위한 중요한 준거틀로서 그 유용성이 높다.

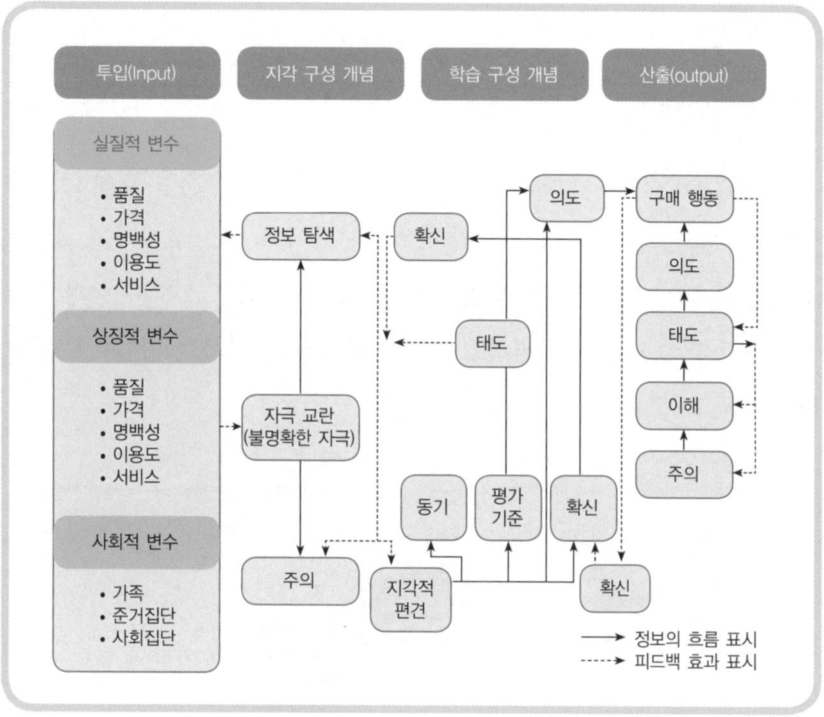

그림 1-1 Howard–Sheth 모델

그러나 이 모델은 다음과 같은 문제점이 있는 것으로 지적되고 있다.

- 가설적 구성개념에 대한 조작적 정의를 명확히 하고 있지 않다. 따라서 모델의 검증이 어렵고 변수들의 관계가 실증되지 않아, 이 모델은 너무 이론적(또는 공론적)이라는 평가를 받고 있다.

- 이 모델뿐만 아니라 포괄적 행동모델(comprehensive models)의 공통적인 문제점이긴 하지만, 변수들의 상대적 비중은 고려하지 않고 변수간의 상호관계만 중시함으로써 이 모델은 소비자 행동에 대한 예측능력이 낮다는 점이다.

- 모델이 난해하고, 변수 간의 관계가 복합적이어서 마케팅 실무자에 게는 실용적 가치가 낮다는 점이다.

(2) Nicosia 모델

이 모델은 기업과 잠재 고객 사이의 상호작용에 초점을 맞춘 것으로 기업은 광고를 통해 소비자와 의사소통하며, 소비자는 구매라는 반응으로 기업과 의사소통한다고 보았다. 이 모델은 기업과 소비자 간의 상호 작용과 순환적 과정을 설명하고, 의사 결정과정을 4개의 영역으로 분류 한다([그림 1-2] 참조).

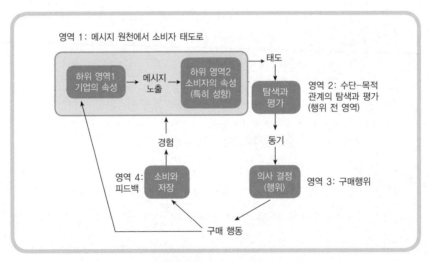

그림 1-2 Nicosia 모델

- 영역 1은 기업의 메시지에 기초한 소비자의 태도이다. 하위 영역 1 은 소비자 태도에 영향을 미치는 기업의 마케팅 환경과 의사 전달 노력으로 제품 특성, 경쟁 환경, 대상 매체의 성격, 메시지 추구, 목

표시장의 특성을 나타낸다. 하위 영역 2는 기업 메시지에 대한 개인의 수용을 중재하는 소비자의 선입견을 나타낸다. 영역 1의 산출은 메시지에 대한 소비자의 제품에 대한 태도이다.

- 영역 2는 탐색과 평가로 소비자는 정보의 탐색과 그에 따른 대안을 생각하며 해당 기업의 브랜드를 평가한다. 영역 2의 산출은 해당 기업의 브랜드를 구입하려는 동기이다.
- 영역 3은 구매행동으로 소비자의 동기에 따라 해당 기업의 브랜드를 실제 구입하는 단계이다.
- 영역 4는 구매 경험으로 나온 피드백이다. 여기에는 판매 자료 형태의 기업에 대한 피드백과 경험으로서의 소비자에 대한 피드백이 있다. 제품에 대한 소비자의 경험은 개인의 태도 및 기업의 미래의 메시지에 영향을 미친다.

Nicosia 모델의 특징 및 유용성을 요약해 보면, 다음과 같다.

- 소비자는 소비자 목적이고, 최적의 만족을 주는 방향으로 의사결정 과정을 거쳐 구매행동을 하는 존재로 정의한다.
- 처음 개괄적인 범주에서 시작한 상품이 탐색과 평가 과정을 거치면서 특별한 브랜드에 이르기까지 선택하는 소비자 성향에 중점을 둔다.
- 소비자 행동으로부터의 피드백으로, 이 피드백은 마케팅 활동에 영향을 주고 시장에서의 반응에 따라 조절된다. 피드백은 소비자 성향에도 영향을 주는데, 구매 활동 경험을 통해 강화되거나 수정된다.

그러나 이 모델은 다음과 같은 문제점이 있는 것으로 지적되고 있다.

- 소비자가 제품에 대해 사전 지식이 없다는 가정을 하고 있는데 이는 비현실적이다.
- 태도나 동기 및 경험이 실제 반드시 모델이 제시하는 연속 관계로 발생하지 않는 다는 점이다.
- 구매행동 과정에서 환경요인을 무시하고 있다.

(3) Engel-Kollat-Miniard(EKM) 모델

이 모델은 1968년에 개발된 아주 정교한 소비자 행동모델이다. 그러나 이 모델은 처음 개발된 이래 여러 차례에 걸쳐 수정되었다. 그중 1978년에 3차 수정된 Engel-Kollat-Blackwell(EKB) 모델은 소비자 행동연구를 위한 준거틀로서 가장 많이 각광을 받았다.

1982년 Engel과 Blackwell(Kollat는 불참)은 제3차 EKB모델을 다시 수정하여 고관여 행동모델(EKB₁)과 저관여 행동모델(EKB₂)로 구분된 두 개의 모델을 제안하였다. 이 4차 수정모델은 고관여하의 소비자 행동과 저관여하의 소비자 행동을 비교·이해하는 데 많은 기여를 하였다.

1986년 Engel과 Blackwell은 Miniard 교수와 공동으로 4차 EKB 모델을 개정하였다. 이들은 고관여 모델과 저관여 모델으로 구분하지 않고 다시 단일모델로 통합하였는데, 그 이유로는 소비자의 구매 행동은 고관여형과 저관여형 이외에도 다양성 추구형, 습관적 반복구매형 등 그 유형이 다양하며, 이들을 융통성 있게 설명하기 위해서는 편차(varations)를 허용하는 단일모델이 오히려 합리적이기 때문이라고 밝혔다. [그림 1-3]은 이들의 제5차 개정된 모델(EKM 모델이라 칭함)이다.

이 모델은 소비자 행동에 한 기존의 연구결과를 잘 반영한 것으로서 이전의 모델에 비해 간결하고 이해하기 쉬우며, 소비자 행동에 대한 설명력을 크게 향상시켰다. 이 모델의 특징을 간단히 살펴보기로 한다.

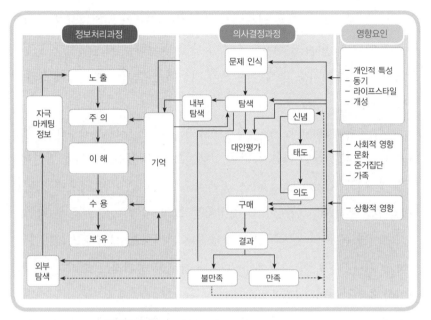

그림 1-3 Engel-Kollat-Miniard(EKM) 모델

이 모델은 ① 자극의 투입, ② 정보처리과정, ③ 의사결정과정, ④ 영향요인 등 4개 범주의 요인들로 구성되어 있다.

■ 자극의 투입(inputs)

제품·상표·가격·광고 등 마케팅 자극뿐만 아니라, 기후·유행·친구의 구전 등 제반 환경요인도 소비자에게는 모두 자극으로써 투입된다.

■ 정보처리과정(information processing)

투입된 자극을 소비자가 해석하고 처리하는 과정을 다섯 단계로 구분하여 설명하고 있다.

첫째, 노출(exposure)은 외부에서 주어지는 정보가 소비자에게 도달되는 단계이다. 소비자는 적극적으로 정보를 탐색하는 과정에서 의도적으로 정보에 노출되기도 하지만 우연히 외부에서 주어지는 자극에 노출되기도 한다.

둘째, 주의(attention)는 소비자가 자신에 노출된 수많은 자극이나 정보 가운데서 특히 관심이 가는 것만을 선택적으로 식별하는 단계를 말한다.

셋째, 이해(comprehension)는 선택적으로 받아들여진 정보에 소비자가 의미를 부여하는 단계이다. 소비자는 그의 기억 속에 보유된 경험·지식·신념 등에 의해서 투입된 정보를 주관적으로 해석하고 의미를 부여하게 된다. 바로 이 과정에서 동일한 정보라 하더라도 소비자에 따라 상이하게 지각될 수 있다.

넷째, 수용(acceptance)은 소비자에 의해 주관적으로 해석된 정보의 효과가 실제로 발생되는 단계이다. 즉 소비자는 자신이 주관적으로 해석한 정보를 기존의 신념과 비교한 후 이를 수용하거나 파기한다. 만일 소비자가 투입된 정보를 가치있는 것으로 수용하게 되면 이 새로운 정보에 의해 기존의 신념이나 태도는 강화, 수정 또는 변경된다.

다섯째, 보유(retention)는 이전 단계에서 소비자가 수용한 정보가 그의 기억 속에 보유되는 단계이다. 그리고 기억 속에 보유되는 새로운 정보는 소비자의 구매의사결정과정에 다음과 같은 영향을 끼친다. ① 새로운 정보는 문제 인식을 야기시키는 동인으로 작용한다. ② 새로 수용된 정보가 기존의 신념을 수정 또는 변경시킨 경우에는 상표대안을 평가하는 기준에 영향을 주게 된다.

■ 의사결정과정(decision processing)

소비자의 구매의사결정과정을 다섯 단계로 구분하고 있다.

첫째, 문제 인식은 소비자의 욕망수준이 높아지면 이 욕망을 충족시키려는 동기가 '문제 인식'을 야기시킨다. 이 모델에서는 문제 인식을 야기시키는 자극요인으로 크게 두 가지를 들고 있다. 우선 기업의 광고와 같은 외적 자극이 문제 인식을 야기시킨다. 또한 문제 인식은 개인적 특성, 사회·문화적 영향, 상황적 요인 등에 의해서도 야기된다.

둘째, 정보탐색은 의사결정의 두 번째 단계로 인식된 문제를 해결하기 위해 필요한 정보와 대안을 탐색하는 단계이다. 소비자는 우선 기억 속에 저장된 정보를 검색하게 되는데, 이를 내부탐색(internal search)이라 한다. 만일 기억 속의 정보가 충분하지 않다고 생각되면 외부탐색(external search)을 하게 된다.

셋째, 대안평가는 정보탐색과정을 통해 수집된 정보를 기초로 하여 여러 상표 대안을 비교·평가하는 단계이다. 이 모델에 의하면, 우선 소비자는 수집된 정보를 기초로 하여 특정 상표에 대한 '신념'을 형성하게 된다. 이렇게 형성된 신념은 특정 상표를 선택하는 데 대한 그의 '태도'에 영향을 주게 되고, 그 결과 만일 그의 태도가 호의적(또는 긍정적)이라면 그 상표에 대한 '구매의도'가 높아질 것이다. 이 모델에서는 구매의도가 있어야만 실제로 구매할 가능성이 높아진다고 본다.

넷째, 구매는 실제로 제품을 구매하는 단계이다. 원칙적으로는 대안평가과정에서 구매의도가 가장 높았던 상표의 제품이 구매된다. 그러나 다른 영향 요인이 강하게 작용하면 실제로는 다른 상표가 구매되기도 한다. 소비자가 실제 구매행동에 영향을 미칠 수 있는 요인으로는 준거집단의 규범, 갑작스런 재정상태의 변화, 선호제품의 품절 등을 들 수 있다.

다섯째, 구매결과(또는 구매 후 평가)는 의사결정행동에서 제품의 구매 및 사용결과를 피드백하는 마지막 단계를 거치게 된다. 소비자가 구매제품의 사용결과에 만족한 경우에는 그 상표에 대한 그의 긍정적인 태도나 신념이 더욱 강화된다. 그러나 만일 만족하지 못한 경우에는 차기 구매 결정에 부정적 영향을 주게 된다.

■ 의사결정 영향요인

수정 전의 EKB 모델에서는 소비자의 개인적 특성을 의사결정에 직접적인 영향을 주는 일차적인 의사결정 변수로 보았다. 그리고 사회적 · 문화적 요인과 같은 외적 영향요인(external influences)은 이들 일차적 의사결정변수에 영향을 끼침으로써 의사결정과정에는 간접적인 영향을 주는 것으로 보았다.

그러나 마지막으로 수정된 EKM 모델에서는 소비자의 개인적 특성뿐만 아니라 환경적 영향요인도 의사결정과정의 모든 단계에 직접적으로 영향을 주는 의사결정의 영향변수로 보고 있다.

이 모델에서는 구매의사결정의 영향요인으로 ① 동기, 라이프스타일, 성격과 같은 개인적 특성 ② 문화, 준거집단, 가족과 같은 사회적 요인 ③ 구매결정의 긴박성, 점포 내의 분위기 등과 같은 상황적 요인을 들고 있다.

여러 차례 수정과정을 거친 EKB(또는 EKM) 모델의 특징을 요약해 보면 다음과 같다.

첫째, 이 모델은 소비자의 특정 구매행동이 '어떻게' 형성되는가를 설명하는 데 초점을 맞춘 일종의 행동과정모델이다. 따라서 이 모델은 소비자의 특정 행동이 '왜' 발생하는가를 설명하려는 다른 모델들과는 달리 그 접근방법에 있어서 차이가 있다. 즉 이 모델은 소비자가 외부로부터 자극을 받았을 때 그의 마음 속에서 무엇이 일어날 것인가를 설명하기 위하여 암흑상자법(black-box model)[1] 대신 정보처리적 접근방법(information processing approach)[2]을 이용하고 있다.

둘째, 이 모델은 여러 행동과학 분야에서 이미 검증된 연구결과를 기초로 하여 소비자의 구매의사결정행동을 설명하고 있다. 이를테면, Fishbein의 행동의도모델(a behavior intention model)의 검증된 가설을 응용하여 소비자의 태도와 행동 사이를 매개하는 구매의도개념을 도입하였다.

또한 신념이 태도에, 태도가 의도에, 의도는 행동에 단계적 영향을 준다는 효과단계모델(a hierachy of effects model)을 가설을 적용함으로써, 신념→태도→의도→행동 간의 관계를 명확히 하고 있다.

셋째, 이 모델은 포괄적 의사결정모델의 성격을 가진다.

넷째, 인간행동에 관한 여러 연구분야에서 이미 부분적으로 검증된 변수들의 관계를 통합·모델화했기 때문에 소비자 행동에 대한 설명력이 매우 높다. 이 모델이 가장 우수한 소비자 행동모델로 인정받고 있는 이유도 이 때문이다.

그러나, 이 모델은 특정변수가 언제 다른 변수에 영향을 미치는지와

---

1) 소비자 행동 연구를 위한 전통적인 암흑상자 접근법에서는 소비자의 마음속에서 일어나는 심리적 변화는 관찰불능이라는 전제하에 일단 그것을 암흑상자 속에 넣어두고, 우선 외부로 표출되는 행동들을 관찰함으로써 이를 통해 암흑상자 속의 심리적 변화에 대해 추론하는 연구방법을 택하고 있다.

2) 소비자의 심리적 행동(또는 변화)은 소비자의 내적 활동시스템인 감각시스템(sensory system)과 관념시스템(conceptual system)에 의해 결정된다. 감각시스템이란 인간의 다섯 가지 감각기관(즉, 미각, 후각, 청각, 시각, 촉각)의 활동체계를 의미하며, 관념시스템은 지적 사고를 위한 활동체계를 의미한다. 소비자들은 외적 세계에 존재하는 다양한 자극과 정보를 자신의 내적 감각시스템과 관념시스템에 의해서 지각하고 처리한다는 가정 하에, 소비자들의 정보처리행동을 주 연구대상으로 하고 있다.

그 영향력이 어떻게 발생하고 영향력의 강도는 얼마인지를 설명하지 못
하며, 본질적으로 개별 소비자의 구매 상황에만 적용된다는 한계가 있다.

2) 현대적 소비자 행동모델의 특징

현대적 소비자 행동모델은 소비자의 행동과정을 포괄적으로 묘사하
고, 행동과정에 관련되는 제 요인들의 관계를 체계적으로 설명하고 있
다. 또한 전통적 모델에서와는 달리, 소비자 행동의 여러 측면, 즉 경제
적, 심리적, 정신분석적, 사회심리적, 사회적 측면에서 모든 관련 요인들
을 한 모델 속에 유기적으로 연계시키고 있다. 포괄적 소비자 행동모델
(the comprehensive models of consumer behavior)의 특징을 요약해 보면
다음과 같다.

- 소비자 행동의 특정 측면에 대해서가 아니라, 개별소비자의 전반적
  인 행동과정에 초점을 맞추고 있다.
- 소비자 행동에 영향을 미치는 요인들의 본질이나 그들 요인 간의 관
  계에 대해서는 여러 행동과학분야에서 이미 개발된 이론에 기초를
  두고 있다.
- 소비자 행동에 관련되는 요인들 간의 상호관계를 일목요연하게 표
  현하기 위해서 주로 도형이나 흐름도표(flow chart)를 이용하고 있다.
- 소비자 행동변수 간의 상대적 비중은 크게 고려하고 있지 않다.

이와 같은 특징을 가진 포괄적 소비자 행동모델에 대해서는 다음과
같은 문제점이 있는 것으로 지적되고 있다.

- 각 행동변수들의 비중을 고려하지 않고, 주로 흐름도표를 이용하고
  있어서 소비자 행동에 대한 예측능력이 낮다.

- 전통적 모델과는 달리, 너무 많은 요인들을 포함시켜 그들의 관계를 복합적으로 설명하고 있기 때문에 현실적으로 마케팅 실무에의 응용력이 낮다.
- 모델에 대한 실증적 검증이 용이하지 않다.

그러나 이러한 문제점들이 있음에도 불구하고, 포괄적 행동모델은 유용한 점이 더 많은 것으로 평가되고 있다. 포괄적 행동모델의 유용성을 살펴보면 다음과 같다.

소비자 행동에 관련되는 요인들을 개념화하는 데 있어 체계적 사고를 할 수 있도록 도와줌으로써 소비자 행동 이론의 개발을 용이하게 해준다.

영향요인들의 관계를 명확히 해주기 때문에 소비자 행동을 사실적으로 설명해 준다.

모델로부터 유추되는 가설을 검증하는 데 필요한 연구조사의 틀을 제공한다. 그리고 연구결과로 얻어지는 새로운 사실을 모델의 수정 및 보완에 쉽게 적용할 수 있다.

3) 최근 소비자 행동모델의 특징

1980년 이후 소비자 행동 연구는 소비자의 쾌락적 · 경험적 관점의 연구가 주를 이루었다. 이 연구에서는 소비자는 정서적 동기에서 구매 행동을 하며, 소비과정에서 즐거움과 환상을 경험하고자 한다. 즉 제품은 사랑, 긍지, 지위 등을 표현하는 주관적 상징물로서 자아 연출의 도구가 된다.

최근 소비자 행동 연구의 패러다임은 논리 경험주의와 해석주의의 바탕위에서 이루어지고 있다. 논리 경험주의는 인간의 이성이 모든 것을 지배하고, 과학에 의해 발견될 수 있는 단일의 객관적 진리가 존재한다고 주장한다. 또한 관심 대상의 기능적 측면을 강조하고, 제품의 가치는 삶의 질서를 창출하는 데 도움이 되는 도구일 때 발생한다고 본다. 소비자 행동 분석은 주로 설문지나 실험과 같은 정량적 조사 기법을 활용한다. 반면에, 해석주의는 상징적이고 주관적인 경험을 강조한다. 여기서 개개인은 자신의 독특한 경험 및 다른 사회 구성원과의 공유된 문화적 경험을 토대로 자신만의 의미를 구성하고, 제품의 가치는 소비 과정에서 다양한 경험을 제공하는지의 여부에 의해 결정된다.

해석주의 접근방식의 하나인 자연주의 연구는 소비 경험에 대한 조사자의 직접 관찰이나 심층 면접을 통해 소비자 행동을 연구한다. 이 연구는 특정 현상이 존재하는 현장에서 직접 의미를 찾고자 하고, 특정 상황 속에서 일어나는 현상을 계속 추적해 나가므로 조사 자체가 미결정된 상태에서 진행된다. 현장에서 감지될 수 있는 암묵적 지식, 즉 동작, 상징물, 분위기, 감정적 표현 등이 최대한 활용되며, 관찰 또는 심층 면접과 같은 정성적인 방법이 주로 사용된다. 또한 표본의 대표성 보다는 표본의 분산성을 추구하고, 귀납적 분석 방법을 사용하며, 조사가 진행되면서 조사 설계가 더욱 정교해지고 구체적이 된다.

4) 보이스 쇼핑 시대 소비자 행동 모델 변화

스마트 스피커의 확산은 보이스 쇼핑의 대중화를 의미한다. 이는 결국 삶의 양식 변화로 이어진다. 그런데 흥미로운 점은 보이스 쇼핑시대에는 소비자 의사결정 단계가 달라진다는 사실이다.

예를 들어, 주로 쓰는 ○○ 샴푸를 구매하고자 할 때, 구매를 원하는 상품이 정해져 있고 보이스 쇼핑이 가능하다면 스마트 스피커를 통한 음성 비서로 쇼핑이 완성된다. 오프라인이나 온라인 매장에서 정보를 접할 필요도 없고 어떤 프로모션이 있는지 찾아볼 필요도 없이 나를 도와주는 음성비서가 알아서 처리한다.

브랜드 선호가 없는 상품군이라면, "ㅁㅁㅁ, 건조한 두피에 필요한 샴푸를 추천해줘"라고 말하면 된다. 그러면 음성비서는 원하는 기능이 있는 상품을 추천해줄 것이다. 소비자가 직접 정보를 찾아 비교해보지 않아도 몇 가지 브랜드가 추려지고, 소비자는 그중 하나를 살 가능성이 크다. 결국 소비자는 개인 정보탐색, 대안평가(비교 결정)단계를 생략하고, 필요 인지에서 구입으로 바로 건너뛸 가능성이 크다.

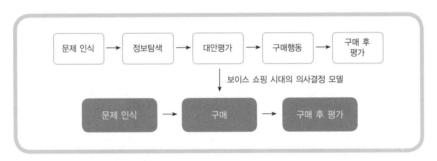

출처 : 황지영(2019)

그림 1-4 보이스 쇼핑 시대 소비자 행동 모델

이러한 변화는 무엇을 의미하는 것일까?

이것이 소비자의 의사결정 과정이 변하면서 브랜드 인식과 브랜드 역할에 결정적 변화가 일어나고 있다는 점이다. 소비자가 의사결정 과정의 변화는 브랜드 인식과 브랜드 역할에도 결정적 변화를 만든다.

스마트폰의 등장으로 언제든 정보검색이 가능해지면서 소비자는 정보를 '대충' 기억해왔다. 언제 어디서든 알고 싶은 것이 생기면 즉각 네이버나 구글에 검색하면 되기에 특별히 기억할 필요를 못 느끼는 것이다.

똑같은 이유로 소비자들은 브랜드를 '대충' 기억할 수밖에 없게 된다.

이런 상황에서 보이스 쇼핑 시대에는 어떤 브랜드나 상품을 선택할지에 대한 정보탐색과 비교 결정을 음성비서가 대신 수행한다. 음성비서가 마치 교통경찰처럼 선택 방향을 제시할 것이다. 과거보다 짧아진 소비 결정 과정에서 음성비서가 결정적 역할을 하게 된다는 의미이다.

보이스 쇼핑에서 특정 브랜드나 구체적 모델명으로 주문 명령을 내리는 비율은 생각보다 높지 않다. 결국 음성비서의 결정 알고리즘이 우리의 소비에 결정적인 역할을 담당하게 된다는 의미이다(황지영, 2019).

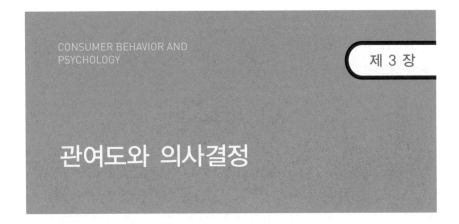

제 3 장

관여도와 의사결정

1. 관여도에 대한 개념

1) 관여도의 정의

관여도(involvement)란 주어진 상황에서 특정 대상에 대한 개인의 중요성 지각 정도(perceived personal importance) 또는 관심도(interest)를 말한다. 즉 주어진 상황에서 특정 대상에 대하여 개인이 가지고 있는 지각의 정도(perceived personal relevance)로서 특정 상황하의 자극에 의한 개인적인 중요성이나 관심도의 수준이다.

관여도는 사람, 대상, 그리고 상황의 함수로써 이해된다. 출발시점은 항상 사람의 자아를 반영하는 욕구와 가치의 형태 속에 내재된 동기이다. 관여도는 특정 대상(제품, 서비스 등)이 욕구, 목표 그리고 가치를 만족시킬 수 있다고 인식될 때 활성화된다. 그러나 한 대상의 욕구를 충족시킬 수 있는 정도는 상황에 따라 변하게 된다. 그러므로 사람, 대상, 상황의 세 요인들은 모두 고려되어야 하는 것들이다.

관여도는 소비자의 관심 정도에 따라서 고관여(high involvement)와 저관여(low involvement)로 나눈다. 고관여 소비자는 어떤 제품군에서 선택할 상표를 결정하기 위하여 제품 정보를 충분히 탐색하고, 제품 평가 시에 그 제품에 대하여 보다 많은 노력을 하는 소비자이다. 이들 상표들 간의 차이에 보다 관심이 많고, 광고에 상당한 주의를 기울이는데, 이러한 관심은 개인의 지각과 신념, 태도 등에 따라 정도가 다르다. 저관여 소비자는 상표에 대한 정보가 수동적이어서 반복 노출과 수동적 학습을 통해 비로소 상표 친숙도가 형성되는 소비자이다.

제품의 관여도가 높으면, 의사결정에 많은 노력을 기울이고, 관련 제품 정보에 많은 주의를 기울이며 깊이 생각한다. 관여도 수준은 제품과 서비스의 구매와 사용을 위한 의사결정에서 소비자가 위험을 보이는 정도이며, 인지된 위험은 관여의 정도에 영향을 미친다. 관여도는 소비자의 정보탐색, 정보처리, 구매의사결정과정, 태도형성과정, 촉진 자극의 수용 등 소비자 행동 전반에 걸쳐 커다란 영향을 미치기 때문에 매우 중요하다.

2) 관여도의 결정 요인

관여도는 개인의 욕구 수준이나 동기 부여 정도에 따라 다르며, 개성이나 라이프스타일에 따라 다르다. 또한 관심의 대상에 따라, 어떤 제품인지에 따라 다르고, 동일한 제품이라도 가격이나 디자인 등에 따라 다르다. 즉 관여도는 절대적이 아닌 상대적인 개념으로 개인, 제품, 상황에 따라 다르게 나타난다.

관여도의 결정요인에는 개인적 요인, 제품 요인, 상황적 요인이 있는데, 각각 다르게 구매의사결정과정에 영향을 미친다.

(1) 개인적 요인

개인적 요인은 개인이 어떤 제품군에 대하여 지속적으로 가지는 관여로, 한 제품에 대한 관여도는 개인에 따라 다르기 때문에 제품에 따라 영향을 주는 정도에도 차이가 있다. 즉 개인이 가지는 가치관, 이미지, 목표나 욕구 등이 제품의 관여에 영향을 미치는 요인이다. 개인적 요인은 욕구와 동기가 활성화되지 않으면 관여도가 존재하지 않으며, 제품이나 서비스가 자아(self)상(像)을 격상시킨다고 생각될 때 관여도는 높아진다. 그러한 경우 그것은 상황적이거나 일시적인 것이 아닌 지속적 성격을 보인다.

(2) 제품 요인

제품 요인은 소비자가 자신이 중요하게 생각하는 가치와 욕구를 충족시켜 주는 제품에 높은 관여도를 보이는 것으로 제품이 자신의 중요한 가치와 관련되거나 자아와 관련될수록 크게 영향을 미친다. 즉 제품에 대해 소비자 자신이 즐거움과 쾌락적 가치를 부여하거나, 제품과 관련해 높은 수준의 지각된 위험을 가질 때 높게 관여된다. 이때 지각된 위험(perceived risks)은 제품 구매와 사용에 의해 유발되는 부정적 결과에 대한 불안감으로 지각된 위험이 높을수록 관여도는 높아진다. 기각된 위험의 유형은 성능 위험, 신체적 위험, 심리적 위험, 사회적 위험, 재무적 위험, 시간 손실 위험으로 나눌 수 있다. 성능 위험은 제대로 성능을 발휘하지 못할 것에 대한 염려로서 중고차와 새 차 사이의 관여이다. 신체적 위험은 제품의 사용 결과 소비자가 해를 입을 가능성에 대한 불안감으로서 약품과 같은 제품의 관여이다. 심리적 위험은 자신의 이미지에 부정적 영향을 미칠 수 있는 위험으로 외출복과 내의 사의 갈등이다. 사회적 위험은 준거집단으로부터 부정적 평가를 받을 위험으로 고가 외제품 구입에 따른 사람들의 비난 등이다. 재무적 위험은 비용 손실의 부담에 따른 위험으로 주식 투자 등이다. 시간 손실 위험은 잘못된 경우 다시 구매하는 데 필요한 시간에 대한 염려이다.

(3) 상황적 요인

상황적 요인에서의 상황적 관여는 상황에 따라 변화하는 관여도이다. 상황적 관여도는 단기적으로 작동하며 일단 구매결과가 결정되면 쇠퇴한다. 예를 들면, 유행하는 의류항목과 같이 때에 따라 급변하는 경우 처음에는 관여도가 높게 나타나지만, 그 제품이 유행이 지나가기 시작하면 급격히 쇠퇴하게 된다.

제품이 사용되는 상황으로 인하여 저관여 제품이 높은 수준의 관련성을 갖는 경우가 생기는데, 예를 들어 가정용으로 구매하는 보디클렌저와 선물하기 위해 사는 보디클렌저의 중요성은 큰 차이를 보일 수 있다.

관여도는 또한 사회적 압력이 감지될 때 높아진다. 예로서 소비자가 와인을 살 때 자기가 마시기 위한 것인지, 저녁 파티에 제공하기 위한 것인지에 따라 매우 다르게 행동하는 것으로 나타났다.

2. 관여도와 수단-목적 사슬

소비자들은 자신이 중요하다고 생각하는 것에 입각하여 제품과 상표의 속성을 지각하는 경향이 있다. 이러한 의미는 제품지식의 수단-목적 사슬(means—end chain)로 표현될 수 있다. 수단—목적 사슬은 또한 제품과 상표에 대한 소비자의 관여도를 분석하는 데 유용하다. 수단—목적의 관점에서 제품과 상표에 대한 관여도는 소비자의 제품지식이 그들이 추구하는 가치와 목적에 대하여 얼마나 관련되어 있는가를 나타낸다. 그러므로 속성과 기능적 결과에 대한 제품지식이 사회심리적 가치와 가까이 관련될수록 소비자는 그 제품과 상표에 더욱 관여되는 것이다.

여기에서 소비자의 제품지식 중 일부분만이 사회심리적 결과와 가치에 강하게 연결된다는 사실은 중요하다. 대부분의 소비자들에 있어 자동차, 거실 가구 등과 같은 적은 수의 제품만이 고관여되어 있으며, 샴푸, 구두, 운동장비와 같은 많은 제품이 관여에 있어 보통 수준이며, 치약, 화장지와 같은 일부 제품은 저관여 상황에 있다는 것이다. 물론 소비자들은 주어진 제품과의 관계에 따라 매우 다양한 형태를 나타낸다. 어떤 이들은 한 제품이나 상표를 그들의 가치와 목적에 매우 밀접하게 연결된 것으로 생각할 수 있는 반면, 또 다른 이들은 그렇지 않을 수 있다.

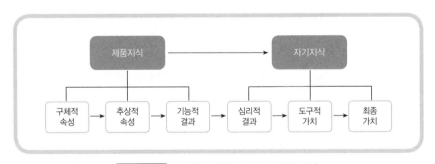

그림 1-5 소비자 지식과 수단-목적 사슬

3. 관여도의 대상

1) 제품과 관여도

마케팅 관리자들은 그들이 팔고자 하는 제품이나 서비스에 대한 소비자의 관여도에 관심을 가진다. 대개 소비자들은 제품부류(product class), 제품형태(product form), 상표(brand) 그리고 모델(model)의 네 가지 수준에 대한 제품 지식을 가진다. 그러므로 소비자들은 이러한 네 가지 수준 가운데 일부 또는 전체에 있어 관여될 수 있다.

〈표 1-5〉 제품부류와 상표에 대한 관여도에 따른 소비자 구분

		제품부류에 대한 관여도	
		고	저
상품에 대한 관여도	고	상표충성자 • 최고를 추구 • 제품과 상표에 관심 • 좋아하는 상표를 가짐 • 타 상표를 사용하지 않음	일상적인 상표구매자 • 최고를 요구하지 않음 • 낮은 감정 결부 • 제품목록이 아닌 상표에 관심 • 좋아하는 상표를 가짐
	저	정보탐색자 • 최고를 추구 • 상표가 아닌 제품에 관심 • 다양한 상표의 사용 • 정보탐색	상표전환자 • 최고를 요구하지 않음 • 감정결부 없음 • 다양한 상표구매 • 상표나 제품에 관심 없음 • 가격에 반응

자동차를 예를 들어보면, 어떤 소비자들은 자동차라는 제품부류에 관여될 수 있다. 그러한 소비자들에 있어서 자동차는 대체로 심리적 결과(친구들의 선망과 부러움)나 가치(자아존중)와 연결된다. 소비자들은 스포츠카나 SUV와 같은 특정 제품 형태에 관여될 수 있고, 현대, 기아와 같은

특정 상표에 관여될 수도 있다. 나아가 제네시스, K9 같은 특정 모델에 관여될 수도 있다. 제품부류와 상표에 대한 관여도의 여러 조합은 마케팅 전략 수립에 유용한 정보를 제공해 준다. 〈표 1-5〉는 이러한 관계를 요약한 것이다. 즉 마케팅 관리자들은 제품과 상표관여도의 정도와 수준에 따라 소비자를 구분한 후 각기 다른 전략을 개발할 수 있다.

2) 기타 대상과 관여도

소비자는 제품과 상표 이외에 마케팅 전략의 다른 측면에 관여될 수 있다. 예를 들어, 소비자는 광고 캠페인이나 특정 광고에 관여된다. 많은 소비자들은 실제로 그들이 특별히 가고 싶어하는 가게나 그들의 취향에 맞는 음식점과 같은 특정한 상점에 대해 관여된다.

제품의 관계와 마찬가지로 다른 대상에 대한 소비자의 관여도는 그들의 목적과 가치를 성취하기 위한 도구로써 이러한 대상들의 특성을 감지하고 있음을 의미한다. 소비자들은 이러한 대상들과 감정적인 접촉을 형성하며 상호작용을 할 수 있는 것이다.

3) 행동과 관여도

소비자는 또한 특별한 활동이나 특정한 행동에 관여될 수 있다. 예를 들어 어떤 이들은 그림 그리기와 같이 주로 앉아서 하는 활동에 관여되는 반면, 또 다른 이들은 스키나, 골프와 같은 보다 활동적인 행동에 관여되어 있다.

4. 관여도의 모델

한 상황에서 소비자가 느끼는 관여수준은 관여도의 두 가지 형태인 지속적 관여도와 상황적 관여도로 나타난다. [그림 1-6]은 관여도의 한 모델로서 이러한 두 요소가 결합하여 어떻게 소비자가 특정 상황에서 관여도를 형성하는지를 나타내 보여준다.

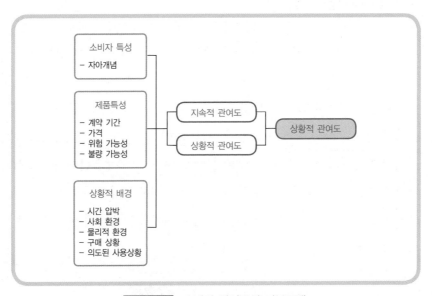

그림 1-6 소비자 관여도의 기본모델

1) 지속적 관여도

지속적 관여도(enduring involvement)란 제품이나 활동에 대한 개인적 관련성을 말한다. 즉 지속적 관여와 상황적 관여는 관찰 시간과 장소 등 현재 행동에 설명이 가능하고 체계적으로 영향을 미치는 요소를 기준으로 분류한다. 이것은 수단-목적 사슬에서 제품이나 활동의 속성이나 특성을 중요성과 가치 및 목적으로 연결시킨다. 이러한 목적-수단의 관계는 소비자가 제품이나 활동을 어떤 중요성과 가치만족을 얻는 도구로 보는 과거의 경험으로부터 얻어진다.

지속적 관여도는 제품에 개인적 관련성이 지속되는 경우로, 과거 경험을 기억한 후 개인적으로 관련된 수단이나 방법을 사용한다. 예를 들어, 어떤 소비자는 오랜 기간에 걸쳐 고품질의 스테레오를 소유하고 사용하는 것을 매우 가치 있는 것으로 여기기 때문에 중요성과 연결시킬수 있다. 이러한 지속적 관여도를 나타내는 지식구조는 여러 상황에서 활성화될 수 있으며 인지과정에 중대한 영향을 미칠 수 있다.

그러나 한 제품과 상표에 대한 지속적 관여도의 수준은 고정적이지 않으며, 시간의 흐름에 따라 제품사용의 중요성에 대한 소비자의 인식과 평가가 변할 수 있다. 즉 소비자는 과거에 한번 관여된 제품에 대해 흥미를 잃을 수 있고, 다른 제품에 점차적으로 관심을 가질 수도 있다.

2) 상황적 관여도

소비자가 느끼는 중요성과 가치는 상황적인 배경에 매우 민감하다. 특정 상황과 환경에서 관련된 지각은 장기기억으로부터 활성화되고 그러한 상황에 적합한 제품지식과 연계된다. 수단-목적 사슬에서 나타나는 지식은 상황과 즉각적인 배경의 특정한 양상에 좌우되므로 이것을 상황적 관여도(situational involvement)라 부른다.

(1) 상황적 영향의 정의

소비자 행동에 영향을 미치는 상황은 개인의 내적 지식과 선택할 수 있는 대안의 속성과는 그리 깊은 상관관계가 있지 않다고 보는 견해가 지배적이다. 그에 따라 Belk(1975)는 상황을 소비자의 현재 행동을 설명하면서 의사결정에 체계적인 영향을 미치고 관찰하는 시간과 장소에 따라 독특하게 나타나는 모든 요소를 포함하는 개념으로 설명한다. 또한 상황을 개인이나 자극 대상과 구별된 객관적 관점으로 고려하면서 개인이 인지하는 것이 아닌 관찰에 의해 측정되는 것으로 간주한다. 다시 말해, 상황을 개인의 지식과 대상의 자극 속성에서 비롯된 것이 아닌 외부적인 관찰에 의해 측정되는 외생적인 변수로 소비자 행동에 영향을 주는 요소로 인식한다.

이에 반해 심리적 상황은 개인적 심리적 과정과 표출된 행동에 의해서 설명이 가능하고 의사결정에 체계적인 영향을 미친다. Lutz와 Kakkar(1975)는 심리적 상황을 관찰의 시간과 장소에 따라서 독특하게 나타나는 모든 요소에 대한 개인의 내적 반응 또는 해석으로 정의한다. 그들은 상황을 개인의 심리적 혹은 주관적 관점뿐 아니라 객관적으로도 정의한다. 따라서 상황이 행동에 영향을 주는 방법을 알기 위해서는 개인의 내적 심리적 과정을 잘 관찰해야 한다. 즉 객관적 상황이 소비자 행동을 보다 잘 설명한다고 하더라도 개인이 어떻게 상황을 행동으로 변화시키는지를 규명할 필요가 있기 때문에 주관적 관점에서 상황을 정의할 필요가 있다고 본다.

소비자 행동에서는 이러한 상황과 함께 상황 변수가 행동에 미치는 다른 심리적 반응이나 의사결정과정 행동으로 이행하는 과정을 고려해야 한다.

상황적 요인은 어떤 특정 대상물에 대해 일시적으로 나타났다가 사라지는 요인이다. 즉 특정한 상황으로 인해 순간적으로 나타나는 현상으로 예를 들어 졸업이나 입학 선물에 고가의 선물을 사 주는 등의 특별한 순간이 해당된다. 상황적 영향력은 소비자의 상황적 요인이 일관되게 의사결정과정에 상당한 영향력을 행사하는 것을 말한다. 소비자는 동일한 제품이라도 구매 상황이나 소비 상황에 따라 전혀 다른 의사결정과정이나 형태를 취한다. 예를 들어 가족이 마시는 포도주와 손님 대접을 위한 포도주를 선택하는 경우에 브랜드나 가격에 차이가 있다. 그리고 소비자가 의류를 구입할 때 시간에 제약이 있는 경우 평소에 사용 경험이 있어서 충성도가 형성된 브랜드를 집중 쇼핑하는 것 역시 상황적 영향 사례이다. 특수한 상황변수에 따른 상황적 영향력이 있는데, 여기에는 문제 인식 없이 구매를 하는 충동구매(impulse buying)와 지출이 목적인 중독구매(addictive purchase)가 있다.

(2) 상황적 영향의 유형

물리적 환경요인(physical surrounding)은 소비자 활동을 둘러싸고 있는 환경 중 구체적인 물리적 공간의 상황적 영향으로서 점포와 관련된 요인이 해당된다. 즉 소비자 행동에 영향을 미치는 모든 형태의 비인적인 요소이며, 점포의 지리적 위치, 실내 장식, 음향, 조명, 냄새, 진열 등이 포함된다. 점포 이미지는 소비자에 의해 지각된 점포의 전반적인 인상으로서 점포의 객관적 속성과 주관적 속성의 상호작용으로 형성된다. 객관적 속성은 관찰 가능한 기능적인 속성으로 상품 구색, 가격과 신용정책 등이며, 주관적 속성은 소비자의 심리와 관련된 속성으로 쾌적한 분위기, 매장에서 느끼는 즐거움, 편안함 등이다. 점포 이미지에 영향을 미치는 요소에는 취급하는 상품의 패키지와 품질, 가격, 서비스, 점포 시설물의 특성, 편의성, 광고 및 판촉, 점포 분위기, 고객의 특성, 판매원 등이 있다.

사회적 환경요인(social surrounding)은 소비자 행동에 영향을 미치는 인적인 요소로서 타인의 존재 여부, 타인의 특성이나 역할, 사람 간의 상호작용 등이다. 즉 다른 사람들이 소비자의 구매 상황에 미치는 영향으로서 판매 사원, 쇼핑 동반자 등이 해당된다.

시간적 관점(temporal perspective)은 계절, 시간 제약, 소요 시간 등 시간과 관련된 요인이다. 특정 시간, 계절적 요소, 구입 시점으로부터의 시간 간격, 주어진 시간 압박 등이 소비자의 구매 행동에 영향을 준다. 예를 들어, 소비자는 시간이 촉박하고 바쁠수록 정보 탐색 시간이 줄어든다.

과업의 성격(task definition)은 특정 제품을 구매하고 소비하고 싶은 욕구가 일어나도록 하는 특성과 관련된 요인이다. 소비자가 제품에 대해 구매동기를 얻기 위해서나 특정한 구매를 선택하기 위해 관련된 정보를 획득하려는 의도나 욕구이다. 예를 들어, 자신이 사용하기 위한 것인지 선물인지를 결정하는 기분, 신체적 느낌, 현금 소유 등이 소비자 행동에 영향을 미친다.

선행 상태(antecedent states)는 소비자가 경험하게 되는 생리적, 인지적, 감정적 상태로서 소비자가 구매나 소비를 할 때의 순간적인 기분이다. 과업의 성격과 마찬가지로 구매 목적이 선물인지 본인이 쓸 것인지의 여부에 따라 다르게 소비자 행동에 영향을 미친다.

(3) 상황적 영향의 형태

상황은 반응하게 되는 자극 대상의 특성이나 개인의 내면적 특성과는 무관하게 발생하는 외부적 요인의 집합이다. 이 상황에는 소비 상황

(consumption situation), 구매 상황(purchase situation), 커뮤니케이션 상황 (communication situation)이 있다.

소비상황은 제품을 사용하는 과정에서 영향을 미치는 사회적, 물리적 요인으로서 소비자가 실제로 제품을 사용하거나 소비하는 시점에서의 환경이다. 소비 상황은 다시 예상되는 단 한 번의 소비 상황에 적용하기 위해 제품을 구매하는 단일 사용 소비 상황과 기대되는 소비 상황에 따라 다양한 소비자 욕구를 만족시킬 수 있는 구매 상황인 복수 사용 소비 상황으로 나눌 수 있다.

구매 상황은 제품을 구매하는 과정에 영향을 미치는 환경요인으로서 점포 내 환경, 구매 목적, 소비자의 기분 상태, 예기치 않은 사태의 발생 등이 해당된다. 이 상황에서는 제품 구입 가능성, 가격 변화, 경쟁적 할인 및 쇼핑의 편리성 등과 같은 상황적 요인이 소비자 선택과 깊은 관계가 있다. 소비자는 점포 내의 환경적 영향을 많이 받으므로, 마케터는 가격 변경, 진열, 판매원의 영향력의 효과 등을 고려해야 한다.

커뮤니케이션 상황은 소비자가 인적·비인적 매체를 통해 제품 정보에 노출되는 상황이다. 이 상황에는 소비자가 주고받는 커뮤니케이션 메시지의 내용, 커뮤니케이션의 맥락, 소비자의 구매 상황에서의 분위기 상태의 세 가지 유형이 있다. 커뮤니케이션의 광고 메시지가 모호할 경우, 소비자는 인지적으로 반응하게 된다.

커뮤니케이션 맥락은 소비자의 인지와 감정에 영향을 미친다. 예를 들면 슬픈 내용보다는 즐거운 내용의 광고가 소비자에게 더 호감을 준다. 소비자의 분위기는 기분이 좋을 때 커뮤니케이션 메시지가 더 긍정적으로 인지되는 경향이 있다.

5. 관여도의 측정

관여도의 측정에서 학자들은 여러 가지 방법을 사용하고 있는데 그 대표적인 방법들을 살펴보고자 한다.

1) Zaichkowsky의 PII

관여도의 측정도구들 중 잘 알려진 한 가지는 Zaichkowsky에 의하여 개발된 PII (Personal Involvement Inventory)이다. PII는 '중요하다 − 중요하지 않다, 관심이 있다 − 관심이 없다' 등과 같이 7점 의미차별화 척도(semantic differential scale)로 만들어진 20개 항목으로 구성되는데, 각 항목에 대한 응답자의 점수를 집계한 것이 그 대상에 대한 응답자의 관여도이다. 한 제품에 대한 관여도를 PII로 측정한 경우 개인별 점수는 20~140(20×1~20×7)의 분포로 나타난다. 그러므로 20에 가까울수록 그 소비자는 저관여 소비자로, 그리고 140에 가까울수록 고관여 소비자로 분류된다. Zaichkovsky는 PII를 이용하여 여러 가지 제품에 대한 소비자들의 관여도를 측정하였는데, 조사대상 제품들 중 자동차와 전자계산기가 가장 높은 것으로, 커피와 시리얼이 가장 낮은 것으로 나타났다.

이학식(1990)의 연구에서는 관여도를 측정하기 위하여 Zaichkowsky의 PII를 이용하였다. PII 항목들 중 영어로는 다른 단어이나 의미가 매우 유사하여 우리말로는 적절하게 달리 번역할 수 없는 것들이 여러 개 있다. 이 경우 두 개의 다른 항목도 하나의 항목으로 간주하여 12개를 번역하였는데 이는 〈표 1−6〉에 나타나 있다. 이 연구에서는 원래 미국에서 개발된 관여도 측정항목들을 우리말로 번역하여 사용하는 것이 타당한지를 검증하기 위하여 타당성과 신뢰성을 조사하였는데 두 가지 모두 상당히 만족스러운 것으로 나타났다.

〈표 1-6〉 Zaichkowsky의 PII 항목들의 우리말 적용

중요하다	1	2	3	4	5	6	7	중요하지 않다
관련이 크다	1	2	3	4	5	6	7	무관하다
의미가 크다	1	2	3	4	5	6	7	의미가 작다
유용하다	1	2	3	4	5	6	7	유용하지 않다
가치가 크다	1	2	3	4	5	6	7	가치가 작다
중대한 것이다	1	2	3	4	5	6	7	하찮은 것이다
유익하다	1	2	3	4	5	6	7	유익하지 않다
관심이 많다	1	2	3	4	5	6	7	관심이 없다
매력적인 것이다	1	2	3	4	5	6	7	매력적인 것이 아니다
원한다	1	2	3	4	5	6	7	원하지 않는다
바람직하다	1	2	3	4	5	6	7	바람직하지않다
필요하다	1	2	3	4	5	6	7	필요하지 않다

2) Laurent and Kapferer의 관여도 측정도구

대부분의 관여도 측정도구는 관여도를 단일 차원에 입각하여 측정하는 데 비해 Laurent and Kapferer는 한 제품에 대해 관여도가 높아지는 이유는 여러 가지가 있으므로 관여도를 단일 차원에 의해 측정하는 것은 부적절하다고 주장하였다. 예를 들어, 한 소비자가 담배를 구매하면서 담배의 맛과 니코틴의 함유량에 큰 관심을 가질 수도 있지만, 또 다른 소비자는 자신이 피우는 담배 브랜드를 보고 남들이 자신을 판단할지도 모른다는 점에 마음을 쓸 수도 있는 것이다. 전자는 제품의 실용적 동기와 관련되는 데 비해, 후자는 상징적 혹은 가치-표현적 동기와 관련된다.

이와 관련하여 관여를 인지적 관여와 감정적 관여로 구분할 수 있다.

인지적 관여(cognitive involvement)는 실용적 동기와 관련되는 것으로 소비자가 브랜드를 선택할 때 제품의 실용적인 면을 크게 의식한다면 인지적 관여도가 높아진다. 반면에 감정적 관여(affective/emotional involvement)는 쾌락적 혹은 상징적 동기와 관련되는 것으로, 소비자가 브랜드를 선택할 때 그 브랜드를 소비·사용함에 따라 얼마나 즐거움을 누릴 수 있는가 혹은 타인들이 자신을 어떻게 볼까 하는 점을 중요시한다면 감정적 관여도가 높아진다. 이러한 관점에서 Laurent and Kapferer는 관여도를 측정할 때 관여도의 정도만 측정해서는 안 되며, 어떤 종류의 관여도 인지를 측정해야 한다고 주장하였다. 그리하여 관여도를 다음의 네 가지 차원들(dimensions)에 의하여 측정할 수 있는 것으로 제안하였다.

① 제품의 중요성과 잘못된 선택에 따른 부정적 결과의 중요성
② 잘못된 선택을 할 가능성
③ 제품이 쾌락적 가치와 즐거움을 줄 수 있는 능력(pleasure value)
④ 소비자가 제품에 부여하는 상징적 혹은 표시 가치(symbolic or sign value)

위와 같은 네 가지 차원들 각각을 측정할 수 있는 항목들을 응답자에게 제시하고 각 항목에 대한 응답자의 동의 정도를 각 차원의 관여도로 가름하는 것이다. 각각의 차원을 측정할 수 있는 항목은 다음과 같다.

① 부정적 결과의 중요성 : 이 척도의 항목은 제품의 중요성과 부정적 결과의 위험에 대한 지각을 평가한 것이다. 예를 들면, "○○○은/는 나에게 중요하다.", "○○○을/를 잘못 선택한다는 것은 나에게

커다란 문제이다.”

② 잘못된 구매 가능성 : 바람직하지 않은 선택을 할 가능성을 뜻한 다. 예를 들면, “ㅇㅇㅇ을/를 잘못 선택할 가능성은 매우 높다.”

③ 쾌락 가치 : 제품의 구매와 사용으로 인한 쾌락적인 가치를 뜻한 다. 예를 들면, “ㅇㅇㅇ은/는 내게 큰 즐거움을 준다.”

④ 표시 가치 : 제품의 구매와 사용이 그 사람에 대하여 사회심리적 사실을 표출하는 정도를 말한다. 예를 들면, “나는 다른 사람이 선 택하는 ㅇㅇㅇ을/를 보고 그 사람을 진실로 판단할 수 있다.”

3) 두 가지 측정도구의 비교

Zaichkowsky의 PII는 비교적 유사한 20개의 항목들로 구성되는 데 비해, Laurent and Kapferer의 관여도 척도는 서로 다른 네 가지 차원들 로 구성된다. Zaichkowsky의 PII는 상대적으로 인지적 관여를 측정하 는 면이 가해 수 있으며, 20개의 항목들로 측정함으로써 타당성과 신뢰 성을 높일 수 있는 장점이 있다. 이에 비해 Laurent and Kapferer의 척 도는 관여도를 여러 측면에서 측정하므로 소비자가 어떤 면에서 특정 제 품군에 높게 혹은 낮게 관여되는지를 알 수 있다. 이들의 연구에 의하면 소비자의 관여도가 어떤 차원에서 높은지 혹은 낮은지에 따라 소비자 행 동이 달라지는 것으로 나타났다. 예를 들 어, 중요성 정도는 포괄적 의사 결정 정도에 정(+)의 영향을 미치지만, 즐거움 가치는 포괄적 의사결정 정도에 영향을 미치지 않는 것으로 나타났다.

6. 관여도와 광고전략

소비자가 형성하고 있는 관여도에 따라서 기업의 실행하는 다양한 마케팅 믹스에 대한 소비자의 정보처리과정이나 방식이 달라질 것이며 개별 소비자들에게 적극적으로 소구(appeal)할 수 있는 마케팅 프로모션 및 광고전략을 수립하기 위해서는 관여도를 잘 고려한 소비자의 정보처리과정을 숙지해야 한다. 소비자의 관여수준은 마케팅 자극을 받은 소비자가 구매의사결정의 다음 단계로 진입할 수 있을 것인가를 결정하는 핵심요소이다.

관여도라는 개념을 실질적인 광고전략에 적용한 사람으로 Foote, Cone & Belding(FCB) 광고대행사의 Richard Vaughn이 있다. 그는 자신이 적용한 모델을 회사명의 앞글자를 따서 'FCB 격자(grid)'라는 이름을 붙였다. FCB 격자에서는 소비자의 관여 정도에 따라 구매의사결정에서 나타나는 소비자의 사고와 느낌이 다른 형태로 표출되면 그에 따라 기업이 기획하는 광고전략도 달라야 함을 주장했다. 구체적인 내용은 〈표 1−7〉과 같다.

다음의 격자를 통해 크게 네 가지의 광고전략을 제시했는데 관여도가 높고 합리적 사고가 요구될 경우에는 정보지향적 광고전략을, 관여도가 높으면서 소비자의 감정과 느낌을 중요하게 고려해야 할 경우는 감정유발적인 광고전략을, 저관여 제품군이면서 소비자의 사고가 어느 정도 요구되는 경우에는 습관형성 광고전략을, 마지막으로 저관여 제품군이면서 소비자의 감정과 느낌이 중요시될 경우에는 자아만족을 유발할 수 있는 광고전략을 제시했다.

〈표 1-7〉 FCB 격자

	사고(Thinking)	느낌(Feeling)
고관여	1. 정보제공적 광고(Informative) •승용차, 집, 가구, 신제품 등 •소비자 반응 모형 : 인지(Learn) → 감정(Feel) → 행동(Do) •시사점 −광고효과 측정 : 회상(Recall) −매체 : 긴 카피, 사고를 유발하는 매체수단 −크리에이티브 : 구체적 정보, 증명	2. 감정유발 광고(Affective) •보석, 화장품, 패션의류, 오토바이 •소비자 반응 모형 : 감정(Feel) → 인지(Learn) → 행동(Do) •시사점 −광고효과 측정 : 태도변화, 정서적 환기 −매체 : 넓은 지면, 이미지 창출형 매체수단 −크리에이티브 : 광고실행적 요소, 임팩트
저관여	3. 습관형성 광고(Habit formation) •식품 가정용품 •소비자 반응 모형 : 행동(Do) → 인지(Learn) → 감정(Feel) •시사점 −광고효과 측정 : 매출 −매체 : 작은 광고지면, 10초 광고, 라디오, POS −크리에이티브 : 상기광고	4. 자아만족 광고(Self-satisfaction) •담배, 술, 캔디 •소비자 반응 모형 : 행동(Do) → 감정(Feel) → 인지(Learn) •시사점 −광고효과 측정 : 매출 −매체 : 입간판, 신문, POS −크리에이티브 : 주의유발

첫째, 정보 제공(informative) 광고와 관련된 제품에는 고가의 신제품 자동차, 주택, 중고가의 전자제품 등이 포함되며, 소비자는 제품에 주목하는 인지적 단계, 관심 시에 제품을 갖고 싶어 하는 감정적 단계, 실제적 구매와 관련된 행동적 단계를 토해 최종 구매의사결정을 내리게 된다. 브랜드인지도를 구성하는 브랜드재인과 브랜드회상 모두를 달성해야 하며 광고를 통해 구체적인 정보나 그에 따른 증거와 정황을 제시하는 것이 필요하다. 광고카피도 많은 정보를 담아 비교적 길게 구성되어야 하며 사고를 유발하는 방향의 매체가 적절하다고 할 수 있다.

둘째, 감정 유발(affective) 광고전략이 합당한 제품군에는 패션지향 의류, 보석과 화장품 등이 포함되며 정보제공 광고전략과 확연히 구분되는 점은 의사결정 과정에서 우선적으로 제품과 서비스에 대한 감정이 형성된 이후 그 제품에 주목하는 인지 단계를 거치게 되며 이후 최종적인 구매의사결정을 내리게 된다. 소비자에게 소구하는 과정에서 감정이 중요한 만큼 넓은 지면을 통해 이미지를 창출하는 매체를 활용해야 할 것이며 광고효과의 측정 역시 정서적 환기를 통해 태도변화가 어떻게 이루어졌는지로 평가해 볼 수 있다.

셋째, 습관 형성(habit formation) 광고전략은 일반 소비용품이나 가정용품과 주로 관련이 있다. 이 경우 감정과 인지와 같은 과정을 거치기 이전에 일단 먼저 구매하는 경향이 있으며 사용해 보면서 인지와 감정을 느끼지만 제품구매 자체에 대한 위험성이 거의 없음으로 인해서 많은 관심을 가지지 않으며 단순한 습관에 의해서 주로 구매를 한다. 이 경우 기존 제품의 경우는 상기광고를 통해 지속적 노출을 유도해야 하며 새롭게 진출하는 제품의 경우 소비자에게 익숙하고 자연스럽게 기억될 수 있도록 반복적인 지면광고 및 10초 광고를 행하는 것이 바람직하다.

마지막으로, 자아 만족(self satisfaction) 광고는 기호식품이나 충동제품과 주로 관련되어 있는 경우가 많은데, 캔디, 술, 담배, 초콜릿 등이 해당된다. 이러한 제품군에서는 소비자의 사용경험이 학습과정의 중요한 부분을 차지하므로 구매행동이 우선적으로 발생하고 이후 감정이나 인지가 이루어진다. 광고효과는 주로 매출로 측정되며 입간판이나 신문 및 구매시점 광고를 통해서 주의유발을 강화하는 광고전략이 유효하다.

소·비·자
행·동·과
심·리

제 **2** 부

소비자
구매의사결정
과정

소비자 행동과 심리

CONSUMER BEHAVIOR AND
PSYCHOLOGY

제 1 장

문제 인식

1. 문제 인식의 정의와 영향요인

1) 문제 인식의 정의

소비자의 의사결정의 첫 번째 단계는 의사 결정의 문제를 확인하고 규정짓는 단계이다. 즉 소비자에게 발생되는 의사결정 문제를 올바르게 인식하고, 목표에 따른 결정의 기준이 무엇인가를 계획하며, 원하는 목표를 효과적으로 달성하는 단계이다. 이 단계에서 소비자는 문제에 대한 올바른 인식을 위하여 현상을 정확히 파악하는 것이 필요하다. 문제 인식은 실제 상태(actual state)와 바람직한 상태(desired state) 간의 차이를 소비자가 깨닫는 소비자의 욕구 환기(need arousal)이다. 이를 위해서는 소비자는 자신이 인지한 욕구에 대하여 정확한 문제 정의가 필요하다.

종합하자면, 문제 인식(problem recognition)이란 소비자가 구매의 필요성을 느끼게 되는 심리적 불안상태를 말한다. 소비자는 그가 기대하는 이상적 상황과 실제 상황 사이에 격차가 있음을 지각할 때 문제를 인식하게 된다([그림 2-1] 참조).

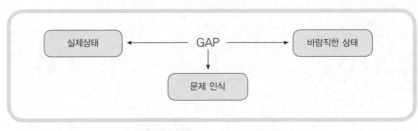

그림 2-1 문제 인식의 과정

문제를 인식한다고 해서 반드시 다음 단계의 구매결정행동으로 이어
지는 것은 아니다. 대체로 다음과 같은 경우에는 문제를 인식한다 하더
라도 실제로 더 이상의 구매결정행동은 유발되지 않는다.

첫째, 두 상태 간의 지각된 차이가 별로 크지 않을 때
둘째, 두 상태 간의 지각된 차이가 크더라도 문제를 해결할 수 있는 시
간적 · 경제적 · 환경적 제반 여건이 갖추어져 있지 않다고 지각
될 때

2) 문제 인식의 영향요인

소비자가 문제를 인식하는 데 영향을 주는 요인은 바람직한 상태에
영향을 주는 요인과 실제 상태에 영향을 주는 요인으로 나눌 수 있다. 바
람직한 상태에 영향을 주는 요인으로는 문화, 사회계층, 준거집단, 가족
특성, 동기, 감정, 상황, 재정상태, 이전의 결정, 개인의 학습 정도 등이
있다. 실제 상태에 영향을 주는 요인으로는 욕구 환기 정도, 과거 구매결
정, 상품의 유용성, 규범, 제품(브랜드)의 성능, 개인의 학습 정도, 소비자

그룹의 노력, 제도적 노력 등이 있다.

소비자의 문제 인식은 낮은 단계의 욕구가 충족되면 보다 높은 단계의 욕구가 활성화되는 내적인 요구 변화로 일어난다. 또한 기업이 제공한 광고를 통한 자극 또는 가족이나 친구, 직장 동료 등의 준거집단의 자극을 통해서 문제에 대한 인식이 일어난다. 그리고 사용 중의 제품이 고장나거나 사용하는 제품의 기능에 대하여 불만족한 경우에 욕구 인식이 일어난다.

(1) 문제 인식을 야기하는 상황적 요인

소비자의 문제 인식을 야기하는 상황적 요인들은 크게 두 가지 범주로 나누어 생각해볼 수 있다. 하나는 소비자의 현 상태에 불만을 초래하는 상황들이고, 다른 하나는 소비자의 이상적 상태에 변화를 초래하는 상황들이다.

① 현 상태에 불만을 초래하는 요인

소비자는 현 상태에 불만을 느끼면 문제를 인식한다. 현 상태에 불만을 초래할 수 있는 몇 가지 상황을 예시하면 다음과 같다.
- 사용하고 있는 물건이 완전히 소모되거나 재고가 불충분하면 재구매에 대한 문제를 인식하게 된다.
- 사용하고 있는 제품이 자주 고장 나거나 성능이 저하되면 다른 상표의 제품과 교체하는 문제를 인식하게 된다.
- 유행의 변화는 현재 사용하고 있는 상품의 디자인이나 스타일에 불만을 초래함으로써 문제 인식을 유발한다.

- 주거환경이 변화하면 기존의 소유상품이 새로운 환경에 적합하지 않아 문제 인식을 야기한다.

② 이상적 상태에 불만을 초래하는 요인

소비자는 현 상태에 대한 직접적인 불만이 없어도 그가 바라는 이상적 상태에 변화가 오면 문제를 인식하게 된다.

- 본인의 직위가 향상되거나 자금 사정이 양호해지면 그동안 잠재되어 있던 욕구가 활성화되어 문제 인식을 하게 된다.
- 주거환경의 변화는 많은 문제 인식을 야기한다.

2. 문제 인식의 유형

소비자가 인식하고 있는 문제의 성격에 따라 의사결정과정은 많은 차이가 있다. 이는 문제의 성격여하에 따라 의사결정에 투입될 시간과 노력에 차이가 있기 때문이다.

소비자들이 인식하는 문제의 유형은 4가지로 나눌 수 있다.

〈표 2-1〉 문제 인식의 유형

해결의 긴급성 사전발생 가능성	즉각적 해결	점진적 해결
가능	일상적 문제	계획성 문제
불가능	긴급성 문제	발현성 문제

- 일상적 문제(routine problem)는 실제 상태와 바람직한 상태 간의 차이로 일어나는, 예상되고 즉각적으로 해결할 필요가 있는 문제이다. 예를 들면, 생활용품 부족에 관련된 문제들이다.
- 계획성 문제(planning problem)는 예상은 되나 즉각적으로 해결할 필요가 없는 문제이다. 예를 들면, 오래된 가전제품을 신제품으로 교체하거나 재구매에 대한 문제들이다.
- 긴급성 문제(emergency problem)는 갑자기 발생한 예상치 못한 문제로서 즉각적으로 해결해야 할 문제이다. 예를 들어, 갑자기 내린 폭설로 인해서 스노우 체인을 장착해야 하는 문제들이다.
- 발현성 문제(evolving problem)는 예상하지 않고, 즉각적으로 해결할 필요가 없는 문제로 집단의 가전제품의 기능적인 업그레이드에 대한 고민 등이다.

소비자가 문제를 인식하는 유형에는 본원적 문제 인식과 선택적 문제 인식이 있다. 특정한 제품의 범주 전체에 대한 일차적인 수요를 자극해서 한 제품에 대한 전체 시장의 규모를 확대하려고 하는 것은 본원적 문제 인식이다. 어떠한 제품 범주 내에서 특정한 브랜드에 대한 선택적 수요인 욕구의 자극으로 나타나는 것은 선택적 문제 인식이다. 선택적 문제 인식은 이성적 문제 인식과 감성적 문제 인식으로 나뉜다. 이성적 문제 인식은 소비자의 이성적인 구매동기를 자극해서 기능적이고 실용적인 욕구를 환기시키는 것으로 직접적인 비교 광고가 효과적이다. 감성적 문제 인식은 감성적 구매동기, 즉 사랑·성·두려움·놀라움 등의 감성적인 소구 방법을 이용해서 소비자의 감성을 환기시키는 것이다.

선택적 문제 인식은 특정한 제품의 범주 내에서 자사 제품이나 브랜드의 시장점유율을 유지하고 상승시키는 데 초점을 두고 있는 반면에 본원적 문제 인식은 특정한 제품의 전체 시장 자체를 확대하기 위한 것이다.

3. 문제 인식의 측정법

소비자가 문제를 인식하기 위한 측정방법에는 문제 우선순위 분석기법(problem priority analysis), 가치나무 기법(value tree analysis), Why-Method 기법, 던커(Dunker) 기법, 문제 재정의(진술-재진술) 기법 등이 있다.

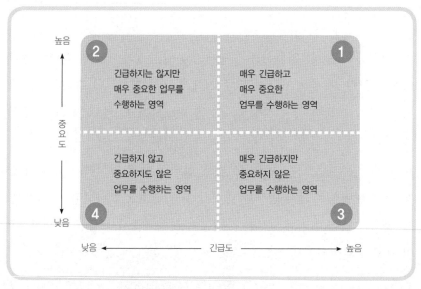

그림 2-2 문제 우선순위 분석 기법

　문제 우선순위 분석 기법은 의사결정자에게 당면한 문제의 중요도와 긴급 정도를 고려하여 우선적으로 해결해야 할 문제를 선정하는 방법이다. 이 방법에서는 의사 결정자가 당면한 문제 중 중요도와 긴급한 정도를 기준으로 우선적으로 해결해야 할 중요 문제들을 선정한다. 일상적으로 발생하는 많은 문제들을 해결할 때 의사결정자는 당면한 문제 중 어떤 문제를 우선적으로 해결해야 하는지에 대하여 [그림 2-2]와 같은 순서로 판단의 기준을 삼는다.

　가치나무 기법은 의사결정 목표를 의사결정자의 총만족도로 설정하고, 관련 속성을 찾아 의사결정 목표와 수단을 탐색하는 과정을 통해 얻어진 객관적인 평가 기준으로 문제를 선정하는 방법이다. 대부분의 의사결정에서 의사결정자의 목표는 주관적인 경우가 많으며 정확하게 객관적으로 정의하기가 어렵다. 이 기법은 총만족도, 대항목, 목표, 측정 가능한 수단으로 단계적으로 분해하면서 다중 목표를 객관적으로 찾을 수 있는 기법을 말한다.

　이 방법은 의사 결정의 문제 진단 과정에서 문제를 분석하거나 정의하는 데 사용되고, 대안을 선택하고 비교할 때에도 이용된다. 가치나무 기법에는 총만족도, 속성, 목표, 측정 수단의 순서로 접근하는 하향식(top-down) 방식과 반대로 접근하는 상향식(bottom up) 방식이 있다.

　Why-Method 기법은 초기에 정의된 문제를 Why라는 형태로 질문하고, 그에 대한 답을 하면서 문제를 이해하고 영역을 넓히는데, 재정의를 통하여 다양한 측면에서 문제에 접근하는 방법이다. 즉 처음에 정의한 문제를 문제의 영역(Scope)을 넓혀 가면서 재정의하면서 문제에 대한 이해를 넓히고, 다양한 측면에서 문제를 정의해 볼 수 있는 기법을 말한다.

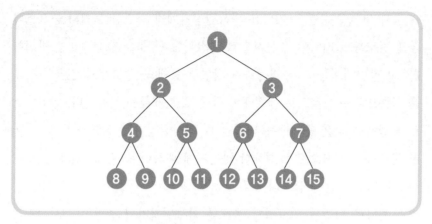

그림 2-3 가치나무 기법(하향식)

던커 기법은 현재 상태와 희망 상태에 대한 진술을 만족하는 해결책을 얻기 위한 방법이다. 이를 위하여 현재 상태에서 희망상태, 즉 수용할 만한 문제를 해결하는 과정을 통해 문제를 정의한다.

문제 재정의(진술-재진술) 기법은 문제를 재정의하며 해결하고자 하는 문제를 다양한 각도와 혁신적인 방법으로 진술하거나 재진술함으로써 문제를 정확히 찾아내는 방법이다.

CONSUMER BEHAVIOR AND
PSYCHOLOGY

제 2 장

정보 탐색

1. 정보 탐색의 정의와 영향요인

1) 정보 탐색의 정의

소비자가 구매의 필요성을 인식하게 되면 구매에 관한 구체적인 결정을 하기 위하여 많은 정보가 필요하게 된다. 정보 탐색(information search)은 소비자가 욕구를 인식하면 다음으로 행해지는 단계로 구매하려는 대상의 판매 점포나 제품, 구매에 대해 더 많은 것을 알고자 하는 의도적인 노력이며 행동이다. 소비자가 제품 구매에 관해 문제를 인식하면, 합리적이고 만족스러운 구매를 위해 충분한 양의 신뢰할 수 있는 구매와 관련된 정보의 탐색이 필요하다.

소비자가 정보 탐색을 하는 이유는 문제 해결을 위해 이용할 수 있는 대안이 되는 제품, 서비스에 관한 정보를 획득하거나 각 제품이나 서비스를 평가하기 위한 기준을 알기 위해서이다. 즉 평가기준의 중요성에 관한 정보와 각 제품이나 서비스의 평가 기준 및 평가 점수에 관한 정보

를 인지하고, 각 제품이나 서비스의 구매장소와 구매가능시간 등 구매와
관련된 정보를 획득하기 위해서이다.

소비자는 구매행동을 위한 문제를 인식하면 자신의 기억에 저장되어
있는 정보를 내적 탐색을 통하여 검색하고, 이 정보가 의사결정에 충분
할 경우에는 선택이라는 행동으로 바로 연결한다. 그렇지 않은 경우, 즉
의사결정을 하기에 정보가 부족하다고 판단되면, 외적인 탐색을 통하여
부족한 정보를 보충한다. 이 과정에서 소비자가 구매 행동에 적절하다고
판단되면 제품 구매를 위한 의사결정을 한다([그림 2-4] 참조).

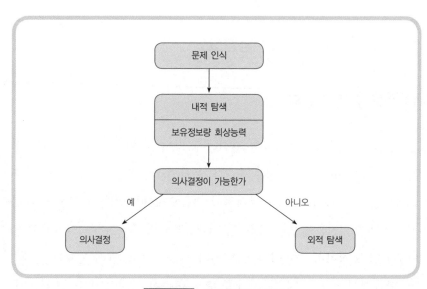

그림 2-4 정보 탐색의 과정

2) 정보 탐색의 원천

소비자가 정보를 탐색하는 정도에 따라서 탐색재와 경험재가 있다.

자동차나 주택과 같은 비싼 제품의 경우에는 다양한 정보의 원천으로부터 많은 양의 정보를 수집하는데, 이러한 특징을 가진 것을 탐색재라고 한다. 반면에 소비자가 정보를 탐색하기 전 제품을 사용해 보고 평가를 내리는 생활용품과 같은 것을 경험재라고 한다. 어떤 소비자는 한 브랜드만 지속적으로 구매하는데, 이는 소비자가 정보 탐색과정에서 다양성을 추구하지 못해 정보 탐색의 정도가 낮기 때문이다.

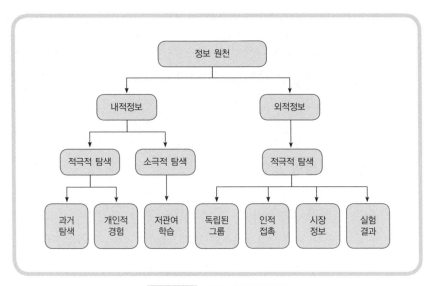

그림 2-5 정보 원천의 분류

정보 원천은 소비자의 기억 속에서 탐색이 이루어지는 정도에 따라서 내적 정보와 외적 정보로 나뉜다. 또 내적 정보는 과거 개인의 관심과 경험의 정도에 따라서 적극적 탐색과 소극적 탐색으로 나뉘며, 소극적 탐색은 제품에 대한 관여가 낮은 경우에 일어난다. 외적 정보는 소비자가 적극적 정보 탐색을 하는 것으로 탐색의 대상이 무엇이냐에 따라 독립된 그룹, 인적 접촉, 시장 정보, 실험 결과 등으로 나뉜다.

이러한 기본적인 분류 외에도 정보 원천은 기업이 정보의 원천을 통제하는지 여부에 따라서 비인적 정보와 인적 정보로 나눌 수 있다. 기업이 통제할 수 있는 비인적 정보로는 광고, 소매점 정보, 포장, 온라인 검색엔진, 판매 촉진, 점포 내 전시 등이 해당되는데, 매우 단편적이며 신뢰성이 낮다. 반면에 인적 정보는 판매원, 텔레마케터, 전시회 상담원 등 고객과 상호작용을 통하여 이루어지는 정보로서 비용이 많이 든다.

기업이 통제할 수 없는 비인적 정보로는 뉴스, 온라인 커뮤니티, TV 프로그램, 정부 보고서, 연구기관 간행물 등으로 소비자의 신뢰성이 매우 높다. 반면에 인적 정보는 소비자 스스로 제품을 사용한 경험이나 구전에 의한 정보, 준거집단, 사회적 영향에 의한 정보 등으로, 제한적인 정보이지만 신뢰성이 높다.

3) 정보 탐색의 영향 요인

소비자에게 전달되는 동일한 메시지라도 누가 전달하는가에 따라 소비자가 수용하거나 해석하는 데에 많은 차이가 있다. 소비자 행동에 영향을 미치는 정보 원천과 관련된 대표적인 변수는 신뢰성과 매력도이다.

정보 원천의 신뢰성(source credibility)은 소비자가 메시지 전달자에게서 느끼는 전문성과 진실성이다. 전문성은 의사 전달자가 상품의 특징이나 성능에 대해 타당성 있는 평가를 내릴 수 있는 능력이고, 진실성은 메시지의 전달자가 수신자에게 어느 정도 객관적이고 정직하게 보이는 정도이다. 신뢰성에 의한 효과는 해당 이슈에 대한 수용자의 초기 의견에 따라 달라지는데, 어떤 이슈에 대해 원래 호의적인 의견을 가지고 있는 사람에게는 높은 신뢰성을 가진 정보 원천보다는 중간 정도의 신뢰성을 가진 정보 원천이 더 효과적이다. 반면, 비호의적인 의견을 가지고 있는 사람에게는 높은 신뢰성을 가진 정보 원천이 더 효과적이다. 정보 원천의 매력도(source attractive)는 정보 전달자가 소비자에게 호감을 주는 정도와 소비자가 정보 전달자를 얼마나 자신과 비슷하게 느끼는가에 의해 결정된다. 정보 원천의 매력도가 높을수록 메시지의 수용도가 높다.

정보 원천의 신뢰성을 확보하기 위한 방법으로는 양면적 메시지가 있는데, 이 전문성을 갖추고 믿을 만한 의사전달자의 경우 활용한다. 정보 원천의 매력도를 높이기 위한 방법은 소비자의 메시지 처리와 연관된 관여도에 따라 정보 원천의 성격을 달리하여 커뮤니케이션 효과를 증대시키는 것이다.

4) 정보 탐색의 방식

소비자가 정보를 탐색하는 방식에는 상표별 처리, 속성별 처리, 혼합식 처리 등이 있다(그림 2-6) 참조).

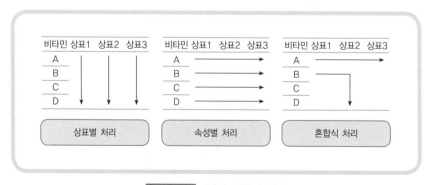

그림 2-6 정보 탐색의 방식

상표별 처리는 소비자가 한 가지 상표를 선택하여 그 상표의 속성과 특성에 관한 정보를 처리한 후 다른 상표를 처리하는 방식이다. 속성별 처리는 한 가지 속성에 대하여 각 상표의 정보를 획득하고 처리한 후 다른 속성에 대하여 상표별로 비교 평가하는 방식이다. 혼합식 처리는 처음에는 상표별로 정보처리를 하고 다른 속성에서는 특정 상표에 집중하는 방식이다.

일반적으로 소비자는 의사결정 초기에는 속성별 탐색을 실시하고, 후반부에는 상표별로 정보를 탐색한다. 따라서 소비자는 선택할 수 있는 대안의 수가 많지 않으면 상표별로 정보를 처리하고, 대안의 수가 많을 때에는 속성별 정보를 처리한다. 속성별 정보탐색이 지난 이후에는 상표별로 정보를 처리하는 경향이 있다.

2. 정보 탐색의 유형

1) 내적 탐색

소비자가 자신의 기억 속에 저장되어 있는 정보 중 의사결정을 하는 데 도움이 되는 정보를 꺼내는 과정이 내적탐색이다. 소비자는 탐색의 결과가 만족스러우면 구매행동의 다음 단계로 넘어간다. 다시 말해, 당면한 문제를 해결해 줄 수 있는 제품이나 서비스에 대한 직접 경험, 기업광고, 언론기관의 간행물, 타인으로부터 기존에 수집되어 소비자의 기억 속에 저장된 정보를 회상하는 과정이 내적 탐색이다.

소비자가 특정한 제품군에 대하여 인식하거나 회상할 수 있는 정도를 브랜드 인지도라고 한다. 소비자가 기억하는 특정한 브랜드에 대한 인지는 무인지 → 상표 재인 → 상표 회상 → 최초 상기의 과정을 거친다. 무인지(unaware of brand)는 상표에 대하여 전혀 알지 못하는 상태이고, 상표 재인(brand recognition)은 상표에 대한 다양한 단서를 이용하여 상기하는 대로 떠올리는 비보조 회상이다. 상표 회상(brand recall)은 상표 재인보다 좀 더 소비자에게 깊이 인지된 형태로, 해당 제품의 단서를 이용하여 보기 중에서 해당 정보를 기억해 내는 보조 회상이다. 최초 상기(top of recall)는 제품에 대해서 제일 먼저 떠오른 브랜드를 의미한다. 기업은 자신들의 제품이나 서비스를 소비자가 최초로 상기할 수 있도록 하기 위하여 노력하며, 이에 적합한 마케팅 전략을 실행하고 있다.

내적 탐색은 소비자의 기억 속에서 해당 제품이나 서비스의 브랜드, 속성, 평가결과나 태도, 경험 등을 탐색하는 것이다. 이러한 내적 정보탐색에 영향을 주는 요인은 소비자의 제품에 대한 지식의 수준이나 기억 속에 저장된 유용한 정보의 양, 제품이나 서비스의 중요성 등이다.

2) 외적 탐색

외적 탐색은 소비자가 자신의 기억 이외의 원천으로부터 정보를 탐색하는 활동이다. 정보 원천으로는 개인적 원천(personal source), 상업적 원천(commercial source), 공공의 원천(public source), 경험적 원천(experiential source) 등이 있다. 개인적 원천은 가족, 친구, 이웃, 아는 사람으로부터 정보를 탐색하는 것이고, 상업적 원천은 광고, 판매원, 진열, 포장, 대리점으로부터 정보를 얻는 것이다. 공공의 원천은 대중매체나 소비자 보호기관 등을 통해서 정보를 얻는 것이며, 경험적 원천은 제품의 시험 구매와 과거에 경험했던 정보를 토대로 정보를 탐색하는 것이다. 외적 탐색은 당면한 특정 문제를 해결하기 위하여 평소에 관심을 두고 비교적 지속적으로 정보를 탐색한다. 소비자의 지식과 외적 탐색 간의 관계는 다음과 같다(그림 2-7 참조).

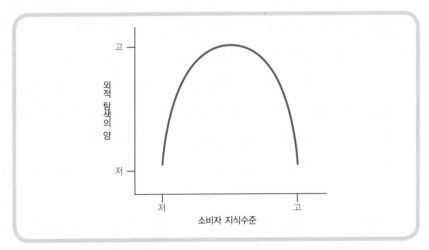

그림 2-7 소비자 지식과 외적 탐색 관계

소비자의 지식수준이 중간 정도일 때 외적 탐색의 양이 가장 높다. 왜냐하면 중간 정보의 지식을 보유한 소비자는 선택 대안이 다양하기 때문이다. 지식이 낮은 사람과 높은 사람은 이미 보유한 지식수준으로 선택을 하거나 그렇지 않은 의사 결정의 방향을 가지고 있다. 하지만 중간 수준의 사람은 선택할 수 있는 대안이 양방향에서 다양하므로 가능한 많은 정보를 수집하여 자신들의 선택 방향성을 결정하려는 의도가 높다.

외적탐색에 영향을 주는 요인은 제품의 특성, 소비자의 특성, 구매 상황 등이다.

- 구매하고자 하는 제품의 특성에 따라서 정보 탐색의 정도가 다르다. 즉 가격이 높을수록 외적 탐색의 정도가 높으며, 상표 대안들 간의

차별화 정도가 높을수록 외적 탐색의 정도도 높아진다. 또한 상표 대안들의 수가 많을수록 외적 탐색의 정도가 높아진다.

- 동일한 상품이라도 소비자 관점에서 관여도가 다른데, 고관여 소비자일수록 정보 탐색에 적극적이다. 즉 구매하고자 하는 제품의 관련 지식으로서 제품에 대한 소비자의 관여와 인지된 위험 등 소비자의 특성에 따라 외적 탐색의 정도가 다르기 때문이다. 또한 연령이나 소득이 높고 교육 수준이 높을수록 외적 탐색의 정도가 높게 나타난다.

- 구매상황은 상황적 특성으로서 소비자 욕구의 긴급성, 점포까지의 거리, 점포의 혼잡 등으로 충동구매의 경우는 정보 탐색이 거의 일어나지 않는다. 하지만 충분한 시간을 두고 계획을 세워서 구매하는 경우는 정보의 양과 탐색이 적극적이다.

소비자의 의사결정문제의 유형과 정보 탐색은 긴밀한 관련이 있다. 일반적으로 의사결정의 문제유형은 일상적(habitual) 문제, 제한적인(limited) 문제, 포괄적인(extended) 문제로 나눈다.

- 일상적 문제는 소비자의 저관여 상품으로 생활필수품 등의 의사결정 문제이고, 평소에 습관적이고 반복적으로 구매하는 상품으로서 위험이 상대적으로 적은 구매 상황에서 내부 정보만으로 의사결정이 가능하다. 보통 구매빈도가 빈번하고 저가격 제품이나 서비스에 대한 구매의사결정이 이루어지는 저관여 제품의 의사결정 문제이다.

- 제한적인 문제는 새로운 상표나 건강식품 등의 의사결정 문제이다. 기존에 구매하던 제품에 새로운 상품을 추가적으로 고려한 의사결

105

정 문제이고, 일상적 문제 상황보다 많은 정보 탐색이 요구된다. 즉 소비자가 예전에 제품을 구매해 본 경험이 있으나, 이용가능한 브랜드와 친숙하지 않은 경우에 발생하고 감성적이거나 상황적인 요구로 인하여 일어날 수 있다.

- 포괄적인 문제는 고관여 제품이면서 새로운 제품인 경우의 의사결정 문제이다. 이전에 구매해 본 경험이 없는 새로운 상품을 구매하는 경우에 제품과 상품에 대한 비교 평가 자료가 요구되는 의사결정 문제로 주로 외부 탐색을 한다. 즉 친숙하지 못한 제품, 고가 제품, 빈번하게 구매하지 않는 제품 등을 구매할 경우에 발생하며, 가장 복잡한 고관여 제품의 의사결정 문제이다.

이 외에도 정보 탐색 유형으로 우연적 학습이나 계획된 정보 탐색이 있다. 우연적 학습은 광고를 보거나 친구 또는 신문 기사나 SNS, TV 프로그램에서 제품에 대한 정보를 얻는 것이고, 계획된 정보 탐색은 특정한 제품을 구매하고자 의적으로 정보를 탐색하는 것이다.

3. 정보탐색수준의 결정요인

1) 정보가치에의 영향요인

정보의 탐색에 의해 물질적으로나 심리적으로 상당한 혜택을 얻을 수 있을 것으로 기대된다면 정보의 가치는 높게 판단될 것이다. 대체로 정보가치에 대한 소비자의 지각에 가장 크게 영향을 주는 요인으로는 구매결정의 중요성을 들 수 있다.

소비자는 중요한 구매결정, 즉 개인몰입이 높거나 구매 후 결과가 불확실한 제품에 대한 구매결정을 하려고 할 때에는 정보의 가치를 높게 지각하는 경향이 있다. 이는 정보가 구매에 관련된 불확실성을 제거해 주리라 믿기 때문이다. 소비자가 정보의 가치를 크게 지각하면 할수록 탐색활동에 적극성을 보이게 되며 그 범위도 확대한다.

소비자는 대체로 다음과 같은 구매결정을 할 때 구매결과에 대한 불확실성을 크게 지각하게 되고, 그 결과 중요한 구매결정이라 여겨 정보의 외부탐색활동을 적극적으로 수행한다.

- 고가품의 구매 : 구매 시 비용이 많이 소요되는 제품일수록 재정적 위험(financial risks)이 크게 지각되므로 정보탐색활동이 활발해진다.

- 내구재의 구매 : 사용기간이 긴 제품일수록 내용연수 동안 제대로 사용될 수 있을지, 그 제품의 성능위험(performance risks)이 크게 지각되므로 적극적으로 외부탐색을 하게 된다.

- 가시적 제품의 구매 : 제품이 가시적일수록 사회적으로 인정받는 선택을 해야 하는 데 대한 심리적 압박이 커 정보탐색의 필요성을 크게 인식하게 된다.

- 안전성이 요구되는 제품의 구매 : 제품사용방법이 복잡하거나 고장이 자주 나고, 또 건강에 해를 줄 수 있는 제품은 물리적 위험(physical risks)이 크게 지각되므로 구매결정 전에 정보탐색을 신중히 하게 된다.

- 연쇄결정을 유발하는 구매 : 후속결정에 영향을 주는 구매를 할 때에는 첫 번째 결정에 신중을 기하기 위해 외부탐색수준이 높아지게 된다.

2) 정보탐색 비용

정보탐색과 관련해서 여러 가지 비용이 발생할 수 있다. 이들 비용은 탐색 활동을 저해하는 요인으로 작용하게 된다.

- 탐색활동에 소요되는 직접경비 : 정보탐색을 위해 소요되는 교통비, 전화료, 전문서적 구입비 등이 이에 해당된다.
- 기회비용: 정보탐색을 하는 동안 다른 것을 하지 못한 것에 대한 손실을 말한다. 흔히 시간가치를 높게 평가하는 소비자일수록 정보탐색 활동을 적게 하는 이유가 시간에 대한 기회비용을 크게 지각하기 때문이다.
- 결정지연으로 인한 심리적 비용 : 이에는 두 가지 심리적 비용이 포함된다. 하나는 결정과정에서 받는 스트레스이다. 아무리 쉬운 결정이라 하더라도 대안을 취사선택해야 하는 과정에서 심리적 갈등을 겪게 된다. 그런데 정보를 탐색하는 동안 결정이 지연되면, 그 기간 동안 스트레스는 더욱 많아질 것이다. 다른 하나는 결정이 지연되는 동안 제품사용의 혜택을 받지 못하는 데 대한 심리적 부담비용이다.
- 정보의 과부하로 인한 심리적 비용 : 정보가 구매결정을 오히려 어렵게 만들기 때문에 겪는 심리적 갈등을 말한다. 과도한 정보는 대체안을 증가시키고, 구매결과에 대한 불확실성을 증가시켜 오히려 혼란을 초래하는 경우가 허다하다. 이는 정보가 많아질수록 완전한 제품, 완벽한 결정 이 있을 수 없다는 사실을 더 분명히 인식하게 되기 때문이라고 볼 수 있다.
- 탐색활동의 심리적 비용 : 정보를 얻기 위해 상점을 방문하는 경우 혼잡, 판매원의 불친절 등으로 인한 욕구불만, 심리적 갈등 등이 해

당된다.

이상과 같은 탐색활동 관련 비용이 크게 발생할 것으로 지각되면 소비자는 탐색활동을 생략하거나 지극히 낮은 수준의 탐색활동을 하게 된다.

3) 개인적 및 심리적 요인

탐색 활동수준은 개인 내적 요인에 의해서도 영향을 받는다. 다른 조건이 같다 하더라도 어떤 소비자는 탐색활동에 적극성을 보이는가 하면 그렇지 않은 소비자도 있다. 탐색활동과 관련되는 개인 내적 요인을 살펴보면 다음과 같다.

(1) 구매경험 및 학습

다양한 상표에 대하여 구매경험이나 지식이 풍부한 소비자는 외부정보탐색을 별로 하지 않는다. 이들은 과거경험을 통해 축적한 지식을 구매결정에 활용할 수 있기 때문이다. 한 연구보고에 의하면 구매경험이 적고 교육 수준이 높은 젊은 층이 외부정보탐색을 많이 한다고 한다.

(2) 현재 상표에 대한 만족 정도와 상표충성

소비자는 현 상표에 만족할수록 정보탐색을 적게 하는 경향이 있다. 이는 만족한 상표의 제품은 재구매될 가능성이 높다는 것을 시사한다.

또한 특정한 단일 상표에 충성을 보이지 않고 여러 상표와 여러 상점에 호의적 태도를 가지고 있는 소비자는 정보탐색을 많이 하는 경향이 있다.

(3) 기타

- 쇼핑을 즐기는 소비자는 그렇지 않은 소비자에 비해 정보의 외부탐색을 많이 한다.
- 호기심이 많고 정보민감도가 높은 소비자는 정보탐색활동이 활발하다.
- 교육수준이 높고, 잡지 또는 신문의 구독수준이 높은 소비자는 외부탐색성향이 높다.
- 특히 내구재 구매결정 시 여성은 남성에 비해 정보탐색 성향이 높은 편이다.

4) 상황적 요인

다양한 구매상황 및 여러 가지 환경요인에 의해서 소비자의 정보탐색 활동은 영향을 받는다.

- 준거집단 : 친구나 동료들이 특정 상표의 구매를 권유 추종할 의사가 있다면 정보탐색은 진행되지 않을 것이다. 한편 배우자나 가족의 다른 구성원이 신중한 구매결정을 위해 정보탐색을 권유 또는 강요한다면, 자신의 의사와 관계없이 정보탐색을 하지 않을 것이다.
- 구매의 긴급성 : 구매결정을 신속히 해야 할 상황에서는 충분한 정보탐색을 할 수 없다.

- 마케팅 자극 : 특정 마케팅주체가 특별가격할인이나 경품판매 등을 실시하는 경우 소비자들은 정보탐색범위를 축소하는 경향이 있다. 또한 판매원이 높은 설득력을 가지고 효과 있는 판매활동을 하는 경우 소비자들은 추가적 정보탐색을 위해 시간과 노력을 절약하게 된다.
- 정보의 접근가능성 : 정보를 쉽게 획득할 수 있으리라 지각할 때 소비자는 정보탐색에 적극성을 보이게 된다. 즉 정보원이 많을 때 소비자의 탐색활동은 활발해진다.
- 시장의 경쟁 및 기술혁신 상황 : 품질 및 가격 면에서 시장경쟁이 치열할 때 소비자들의 정보탐색 수준은 높아진다. 또한 제품의 기술혁신 속도가 빠르고, 새로운 제품이 많이 개발되고 있는 상황에서는 소비자들의 신중한 탐색활동이 요구된다.

5) 제품유형

구매할 제품의 성격에 따라 소비자의 정보탐색 활동은 달라진다.

첫째, 주택, 자가용 승용차, 가구 및 가전제품과 같은 내구성 고가품의 경우 소비자들의 정보탐색수준은 매우 높다. 그 이유는 다음과 같다.
- 지각위험이 커 소비자의 구매관여도가 높기 때문이다.
- 구매빈도가 높지 않아 최근의 구매경험이 없기 때문이다.
- 정보탐색에 조금만 더 신중을 기해 좀 더 좋은 제품을 구매할 수 있다면, 사용기간이 긴 제품이므로 총체적인 혜택이 클 것으로 생각하기 때문이다.
- 제품의 품질개선이 지속적으로 이루어지고 있는 제품부류이기 때문이다.

둘째, 의류 또는 보석 및 장신구와 같은 선매품(shopping goods)의 경우 소비자들의 탐색활동은 적극성을 보이는 경향이 있다. 선매품은 사회적 가시성이 높고, 자아개념을 표현하는 제품이기 때문에 소비자는 자아개념과 일치하는 상표를 결정하기 위하여 많은 정보를 탐색하게 된다.

6) 기타

소비자는 이상에서 설명한 요인들 이외에도 다른 많은 요인에 의해서 그들의 탐색활동에 차이를 보인다. 이를테면 정보처리능력이 낮은 소비자는 정보탐색을 즐겨하지 않지만, 제품속성에 대해 알고 싶은 욕구가 강한 소비자는 정보탐색을 즐겨하게 된다. 또한 희소가치가 있는 정보탐색에 대해서는 일반적으로 강한 의욕을 보이지만, 상식적인 정보탐색에 대해서는 흥미를 보이지 않는 경향이 있다.

반품교환을 잘해 주는 상점을 거래하는 소비자는 정보탐색에 소극성을 보이게 되며, 품질보증이 잘 되어 있는 제품을 구매할 때에도 소비자는 정보탐색에 소홀해지기 쉽다.

4. 정보 탐색의 측정

1) 회고적 질문법

회고적 질문법(retrospective questioning)은 소비자가 의사결정 과정에서 수행한 정보 탐색 활동을 기억해 내도록 질문하는 것으로 심층면접과 설문 조사법이 있다.

(1) 심층면접

심층면접(depth interview)은 소비자가 제품에 관련된 정보를 탐색하는 과정을 조사하는 것으로서 제품에 대하여 인지한 계기, 제품을 구매하는데 가장 중요하게 고려할 점, 제품의 구매 이유 등을 인터뷰를 통하여 측정하는 질적 측정법이다. 잘 훈련된 질문자와 응답자를 비구조화된 인터뷰를 사용하여 조사하는 현장 조사의 한 방법이다. 이 방법이 성공하기 위해서는 질문자와 응답자 사이의 친밀한 관계(rapport)형성이 중요하며, 일정 정도의 참여 관찰이 필요하다.

인터뷰는 특정한 임무를 수행가 위하여 연구자가 만든 것으로 자연스러운 일상과는 다르게 인위적이다. 일상적 대화는 참여 관찰을 통하여 현지민의 라포 형성이 중요하고, 인터뷰를 필요로 하는 정보나 인터뷰에 나오지 않는 정보는 대화를 통하여 대체할 수 있다. 따라서 인터뷰나 일상적인 대화 둘 중에 하나를 선택하거나 두 가지 모두를 사용할 수 있다. 인터뷰는 질문자가 알고자 하는 모든 주제에 대해서 알려 주기보다는 일부 정보만을 제공하는 한계가 있다. 이를 해결하기 위해서는 다른 응답자나 자료를 통하여 정보를 비교하고 검토하여야 한다.

심층면접의 장점은 심층적인 자료 수집과 보충 자료의 수집이 용이하다는 점이다. 자료 조사의 융통성과 신축성을 발휘할 수 있고, 응답자의 이해를 도울 수 있으며, 조사자와 응답자 간에 상호작용이 용이하다. 반면에 단점은 조사자의 편견이 개입될 수 있고, 자료를 통합하거나 분석하기 곤란한 경우가 있으며, 자료를 수집하는 데 많은 시간이 소요된다는 점이다.

한편, 표적집단면접법(Focus Group Interview)은 집단 심층 면접으로 대부분 6~10명의 참석자들이 사회자의 진행에 따라 정해진 주제에 대해 이야기를 나누고, 이를 통해 정보나 아이디어를 수집한다. 집단 심층 면접은 구조화된 설문지를 사용하지 않는다는 점에서 양적 조사인 설문지법과 다르다. 이 방법은 질적 조사 방법으로 광고에서 활용도가 매우 높은데, 집단적 역동성을 활용해 보다 다양하고 심층적인 정보를 수집하며, 예기치 않았던 사실의 발견과 아이디어의 도출이 가능하다.

(2) 설문 조사법

설문 조사법은 소비자가 제품을 결정하는 데 노출된 정보의 여러 원천들이 얼마나 효과가 있었는지를 설문 조사하는 것이다. 이 방법은 그 원천들이 의사 결정에 중요한 영향을 미쳤거나 지배적인 영향을 주는 결정적 효과였는지를 파악할 수 있다. 또한 정보의 원천에 대하여 더 알게 되는 데 도움은 주었지만 결정적인 영향을 미치지 않은 공헌적 효과와 정보에 노출되기는 했으나 결정에 영향을 미치지 않은 무효과 등도 알 수 있다.

기업은 정보 원천이 되는 부분에 적절한 마케팅활동을 통해 소비자의 자사 상표에 대한 정보 탐색을 지원해야 한다. 방법으로는 광고, 판매원,

포장지 및 설명서, 무료 샘플 등과 관련된 지원이다. 정보 탐색 과정에서 소비자가 사용하는 정보 원천을 파악하기 위하여 회송 엽서, 심층면접, 설문 조사법을 활용한다.

설문 조사법은 짧은 시간에 많은 자료를 수집할 수 있고, 비용이 적게 들며, 수집된 자료의 분류와 해석이 용이하고, 표준화된 지표를 수집할 수 있다. 하지만 응답자가 질문을 잘못 이해할 소지가 크고, 질문지 구성에 전문적인 기술이 요구되며, 일방적인 의사소통이 이루어지고, 낮은 회수율로 자료의 정확성의 문제가 있으며, 서술식 질문인 경우 자료를 분석하고 조직화하기가 어렵다. 또한 소비자가 구매의사결정을 하고 경과된 시간이 길수록 정보 탐색 활동에 대한 기억도 상실되는 부분이 많아서 구체적인 정보를 획득하기 어려울 가능성이 크다.

(3) 관찰법

관찰법(observation)은 점포 내에서 소비자가 정보를 선택하고 사용하는 것을 직접 관찰함으로써 탐색 활동을 측정하는 방법이다. 이 방법은 조사 대상과 조사자 간에 의사소통이 전혀 이루어지지 않은 상태에서 조사자의 일방적인 관찰에 의해서 자료를 수집하는 방법이다. 실제 현상에서 나타난 사실을 근거로 객관적으로 자료를 얻는 방식으로 대상을 관찰하는 현상이 일어날 때까지 기다려야 하므로 시간이 많이 소요된다. 더욱이 겉으로 드러나지 않는 심리적 특성, 소비자 욕구·동기·태도·의견과 사생활 침해와 관련된 현상은 관찰하기 어렵고, 관찰자의 관점이나 해석에 따라서 결과가 달라질 수 있다.

관찰법은 일상생활 중에서 지식을 학습하는 방법 중 하나로서 주관적 관찰 내용을 양적으로 객관화시킬 수 있는 자료 수집법이다. 계량적인 기준 측정치가 없어 주관적인 판단이 가능하므로, 타당도와 신뢰도를 확보하는 데 주의를 기울여야 하고, 체계적인 관찰 절차가 필요하다. 이 방법은 실험 연구와 사례 연구에서 많이 사용하고, 자료 수집상 부적합한 상황이 많기 때문에 단독으로 사용되기보다는 면접이나 설문지법과 같이 사용되는 경우가 많다. 현장에서 필요한 자료를 직접 관찰할 수 있고, 집단 역학, 조직 문화, 분위기 파악에 유리하며, 다른 조사 방법(면접, 설문지법)을 통해 얻어진 정보를 확인할 수 있다는 장점이 있다. 반면에 한 사람이 많은 수의 관찰을 할 수 없고, 관찰 명세서 작성이 어려우며, 관찰자의 편견이 개입되어 관찰자에 따라 동일한 문제를 달리 해석할 수 있고, 시간이 많이 소모되며 피관찰자가 불편함을 가질 수 있다는 단점이 있다.

관찰 조사는 공개 관찰과 비공개 관찰, 참여 관찰과 비참여 관찰, 현장 관찰과 실험실 관찰, 인간 관찰과 기계 관찰, 현재 관찰과 과거 관찰 등으로 다양하다.

CONSUMER BEHAVIOR AND
PSYCHOLOGY

제 3 장

대안 평가

1. 대안 평가 기준의 정의와 영향요인

1) 대안 평가 기준의 정의

대안 평가 기준(evaluation criteria)은 소비자가 대안을 비교하고 평가하는 데 사용하는 표준과 명세를 말한다. 대안 평가 기준에는 대부분 소비자의 내면적 구매 목적과 동기가 반영된다. 소비자의 구매동기에는 실용적 동기(utilitarian motive)와 쾌락적 동기(hedonic motive)가 있다. 실용적 동기는 실용적인 효용을 얻기 위하여 구매하는 경우이고, 쾌락적 동기는 즐거움을 얻고자 구매하는 경우이다. 대안 평가 기준은 구매 상황이나 구매 목적에 따라 달라지고, 객관적일 수도 있고 주관적일 수도 있다. 또한 구매 선택할 제품 속성의 중요도를 소비자가 어떻게 인지하느냐에 따라서 달라진다. 대안 평가 기준은 여러 개가 있고 중요성에도 상이한 차이가 있는데, 그 중 한두 개가 결정적 평가 기준이 된다. 대안 평가 기준의 수는 제품의 따라 다양한데 고관여 제품에 비하여 저관여 제품의 수가 상대적으로 적다.

대안 평가 기준에는 내재적 정보와 외재적 정보가 있다. 내재적 정보는 제품이 제공하는 구체적인 혜택을 직접적인 속성 정보에서 찾는다. 예를 들어, 자동차의 경우 연비, 엔진의 마력 수, 실내 공간, 주요 부품의 성능, 디자인 등이 내재적 정보에 해당한다. 외재적 정보는 제품의 품질을 나타내지만 제품의 혜택과 직접적인 관련이 없는 정보이다. 제품의 전반적인 품질을 나타내는 가격수준, 제조국, 취급 점포 등이 외재적 정보에 해당되는데, 소비자는 구입하려는 대상의 평가가 어렵거나 제품에 대한 지식이 부족한 경우에는 외재적 정보에 의존하는 경향이 높다.

2) 대안 평가 기준의 영향요인

대안 평가 기준에 영향을 미치는 요인으로는 구매 목적과 욕구, 제품의 구매 동기, 소비나 구매 상황, 객관적 평가, 주관적 평가 등이 있다.

구매 목적과 욕구는 기능적, 심미적, 사회적, 호기심 동기에 의하여 소비자에게 발생되는 욕구를 말한다. 소비나 구매 상황이란 제품이나 서비스를 스스로 사용하느냐, 다른 사람에게 선물하느냐 등 어떤 상황에서 소비자가 사용하는지를 말한다. 객관적 평가란 소비자가 구입하려는 제품에 대하여 경쟁 브랜드 대비 품질, 기능, 마케팅 상황 등을 말하고, 주관적 평가란 객관적 평가가 어려운 경우에 소비자가 마음속에 자리잡고 있는 제품 포지셔닝을 기초로 결정하는 것을 말한다.

소비자는 개인별로 신념을 가지고 대상의 속성에 대해 차이를 비교하고, 상품의 효능 등을 평가한다. 대상에 대한 평가 기준의 중요도가 높을수록 태도 형성과 선택에 미치는 영향력 또한 높아진다. 따라서 각 대안에 대한 신념의 강도와 속성의 중요도에 가중치를 반영하여 주관적인 평가를 하게 된다. 이때 대안 평가 기준의 인지적 반응과 감성적 반응은 소비자가 특정 문제를 해결하기 위하여 찾고 있는 제품이나 서비스와 관련된 여러 차원의 혜택과 특징 등을 의미한다.

제품의 평가는 흔히 제품의 품질, 가격, 크기 등 효용적인 특성을 중심으로 이루어진다. 하지만 감성적인 구매동기에 의하여 구매될 수 있는데, 이때의 평가 기준은 스타일, 맛, 브랜드 이미지, 성적 소구 등이다.

편의품은 대안 평가 기준의 수가 극소수이거나 거의 없지만 전문적인 제품으로 갈수록 제품이나 상황적인 특성까지도 평가에 영향을 미쳐서 대안 평가 기준의 수가 많아진다. 대안 평가 기준은 중요시하는 제품의 속성과 각 제품의 속성을 평가하는 소비자에 따라 달라진다. 특히, 상황적 특성은 사용 목적에 따라 달라지는데, 소비자의 자신이 사용하기 위한 구매와 타인에게 선물하기 위한 구매는 대안 평가 기준이 크게 다르다.

2. 대안 평가 기준 측정

1) 직접 질문법과 간접 질문법

소비자에게 제품이나 서비스와 관련된 대안 평가 기준에 대한 조사방법으로 직접 질문법과 간접 질문법이 있다.

- 직접 질문법(direct approach)은 가장 많이 이용되고 있는 방법으로서 소비자들에게 구매결정 시 제품의 어떤 속성들을 고려하는지 직접 질문함으로써 평가기준을 알아내는 방법이다. 소비자들에 의해

가장 많이 언급되거나, 가장 중요한 것으로 언급된 제품속성들을 중요한 평가기준으로 간주한다.

- 간접 질문법(indirect approach)은 소비자에게 직접 본인의 의사를 질문하면 대답을 회피하거나 왜곡하는 경우가 있다. 이런 경우에는 객관적인 회답을 유도하는 우회적 질문조사기법을 이용하는 것이 바람직하다. 이를테면 "일반적으로 소비자들은(또는 귀하의 가족은, 친구들은 등등) ○○○을 구매할 때, 어떤 요인을 가장 중요시 여기는 것으로 보이는가"와 같은 간접화법을 이용한다면, 보다 객관적이고 편향되지 않은 회답을 얻을 수 있다. 그러나 이렇게 얻은 회답은 지극히 상식적이거나 일반적인 내용일 가능성이 매우 높다는 문제점이 있다. 응답자가 회답하는 과정에서 자신의 견해나 신념을 반영한다고는 하지만 자신의 신념을 완전하게 표현한 것은 분명히 아니기 때문에 응답내용을 해석하는 과정에서 전문적인 기술과 신중성이 요구된다.

2) 척도법

소비자에게 제품이나 서비스와 관련된 속성들에 관해서 중요하게 생각되는 척도를 직접 표시하게 하는 조사 방법이다. 즉 제품의 어떠한 속성을 중요한 대안 평가 기준으로 고려하는지를 척도에 의하여 측정하는 방법이다.

척도법에는 중요성 척도, 고정 총합법, 리커트 척도가 있다.

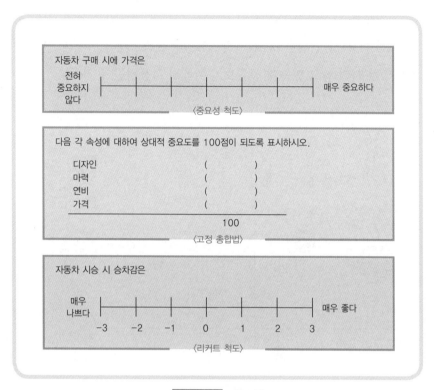

자동차 구매 시에 가격은

전혀
중요하지   ├────┼────┼────┼────┼────┤   매우 중요하다
않다

〈중요성 척도〉

다음 각 속성에 대하여 상대적 중요도를 100점이 되도록 표시하시오.

디자인   (   )
마력   (   )
연비   (   )
가격   (   )

100

〈고정 총합법〉

자동차 시승 시 승차감은

매우
나쁘다   ├────┼────┼────┼────┼────┤   매우 좋다

-3   -2   -1   0   1   2   3

〈리커트 척도〉

그림 2-8 척도법

3) 지각도 기법

지각도(perceptual map)는 소비자가 제품이나 서비스의 대안 평가 기준을 결정하기 위하여 사용하는 간접법으로, 속성의 유사성을 측정해서 좌표상에 나타내는 방법이다. 지각도는 요인 분석(factor analysis), 다차원 척도법(Multi Dimensional Scaling: MDS), 대응 분석(correspondence analysis) 등으로 나타낼 수 있다. 지각도를 통해 어떠한 대상이 소비자의 마음속에 차지하는 상대적 위치를 살펴볼 수 있는데, 이를 포지셔닝 맵이라고 한다.

지각도를 표현하는 대표적인 방법인 다차원 척도법은 객체 간의 근접성을 시각화하기 위한 통계 기법으로, 각 브랜드가 소비자의 인식 속에 어떻게 자리 잡고 있는지 알아보기 위해서 사용하는 방식이다.

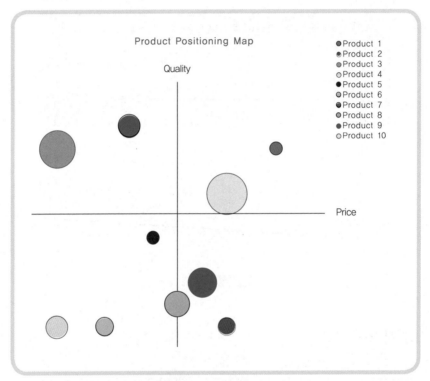

그림 2-9 다차원 척도법 예시

또한 지각도는 자사의 브랜드와 상품이 어디에 위치하는지를 분석할 수 있고, 이를 통해서 다른 경쟁 제품이 진출하지 않은 곳에 포지셔닝하거나 현재 경쟁 제품과 가장 가깝게 포지셔닝할 수 있다.

4) 컨조인트 분석법

컨조인트 분석법(conjoint analysis)은 목표시장에 가장 적합한 제품을 설계하기 위하여 사용되는 방법이다. 이를 위해 마케터는 응답자에게 각 속성에 있어서 서로 다른 수준의 값을 갖는 여러 제품 대안을 제시하고 그들로 하여금 각 대안에 대한 선호 순서를 표시하도록 한다. 마케터는 이를 바탕으로 각 속성의 중요성 정도와 가장 이상적인 속성 조합을 찾아낼 수 있다. 이처럼 소비자가 제품 선택에서 가장 중요하게 생각하는 요소를 분석하고, 이를 토대로 소비자에게 질의하는 방식으로 대안 평가 기준을 측정한다. 애플社는 자사의 특허 침해 현황을 조사할 때 이 방법을 활용한다.

3. 대안 평가 결정 방식

1) 보상적 방식

소비자는 반복적인 구매 경험이 있는 경우에는 기억 속에 저장되어 있는 평가 형식을 따르기 때문에 선택 대안들을 주저하지 않고 단번에 평가하는 의사 결정을 한다. 그러지 않을 경우 소비자는 내·외적 탐색을 통하여 취득한 정보를 바탕으로 새로운 평가 방법을 구성하고, 상표의 평가와 선택에 사용하는 의사 결정 규칙을 대안의 평가에 활용한다.

보상적 방식(compensatory rules)은 한 속성에 대하여 소비자에게 인지된 약점은 다른 속성의 강점으로 상쇄되거나 보상된다는 전제를 바탕으로 대안을 평가하는 방법이다. 즉 각 상표에 있어서 약점인 속성을 다른 강점의 속성으로 보완하여 전반적인 평가를 한다. 이 방식은 선택할 대안의 수가 적고, 평가 기준이 많은 고관여 상황에서 주로 이용된다. 모든 대안에 대하여 평가 기준이 고려되는 방법으로 속성의 중요도와 그 속성에서의 각 대안의 평가치 곱으로 산출된 점수로 대안을 비교하고 평가한다. 하지만 이 방식은 의사 결정을 치밀하게 수행할 수 있으나 시간이 많이 걸리는 단점이 있다.

(1) Fishbein 모델

피시바인 모델(Fishbein model)은 다속성 태도 모델(multi−attribute attitude model)로서 소비자가 여러 대체적인 상표를 평가할 때 각 상표에 대하여 여러 개의 속성을 평가하고, 속성별로 중요도를 가중하여 합산하는 선형적 보상 모델이다. 이 모델에서는 태도 점수가 가장 높은 상표를 선택하게 된다.

확장된 피시바인 모델(Extended Fishbein Ajzen attitude model)은 기존의 모델을 수정한 것으로 신념의 측정을 상표 자체가 아니라 해당 상표를 구매했을 때 나타날 것으로 예상되는 결과에 대한 신념, 즉 바람직함으로 측정한다. 이 측정은 구매 의도에 영향을 미치는 중요한 요소로서 사회적 영향을 포함한다.

(2) 이상적 모델

이상적 모델(ideal point model)은 소비자가 여러 가지 속성들에 대하여 이상적 수준을 확인하고, 각 상표가 가지고 있는 속성과 이상적 수준과의 차이에 따른 점수를 산정하여 최적의 대안을 선택하는 방법이다.

즉 소비자가 각 브랜드에 대하여 어떠한 대안 평가 기준의 약점을 다른 대안 평가 기준의 강점으로 보완하여 전반적인 평가를 하는 것이다. 각 브랜드는 모든 차원 또는 속성들에 대하여 평가되며, 전체적인 평가는 각 속성들에 대한 가중 평점의 총합이 된다. 가장 높은 총합 점수를 취득한 브랜드가 구매된다.

보상적 방식을 이용하여 스마트폰을 평가하는 과정을 예시로 살펴보면 다음과 같다. 우선 소비자가 스마트폰에 대하여 중요하게 생각하는 속성인 가격, 디자인, 성능, 무게, 크기를 기준으로 속성의 가중치를 설정한다. 스마트폰 브랜드별로 각 속성에 대한 평가를 한 후 결괏값을 계산한다.

〈표 2-2〉 보상적 방식에 의한 스마트폰 평가 사례

구분	가격	디자인	성능	무게	크기	평가결과
중요도	0.2	0.2	0.3	0.2	0.1	
A브랜드	9	8	9	9	9	8.8
B브랜드	8	10	8	8	8	8.4
C브랜드	8	7	8	9	7	7.9
D브랜드	10	6	7	5	6	6.9

스마트폰의 평가 결과는

- A브랜드($0.2×9+0.2×8+0.3×9+0.2×9+0.1×9=8.8$)

- B브랜드($0.2×8+0.2×10+0.3×8+0.2×8+0.1×8=8.4$)

- C브랜드($0.2×8+0.2×7+0.3×8+0.2×9+0.1×7=7.9$)

- D브랜드($0.2×10+0.2×6+0.3×7+0.2×5+0.1×6=6.9$)

2) 비보상적 방식

비보상적 방식(non-compensatory rules)은 높은 속성 점수가 낮은 속성 점수를 보상할 수 없는 방식으로 어떤 결정적인 속성들에 의해 태도가 결정되는 방식이다. 즉 소비자는 매우 좋은 대안 평가 기준과 좀 덜한 대안 평가 기준을 평균한 기준으로 브랜드를 선택하는 것이다. 이 방식은 저관여 조건에서 많이 사용되고, 보상적 방법보다 다소 비합리적이지만 소비자가 의사 결정을 신속하게 할 수 있다는 장점이 있다.

(1) 사전식 모델

사전식 모델(lexicigraphic model)은 소비자가 제품의 속성을 가장 중요한 것부터 우선순위를 매기고, 그 기준으로 대안들을 비교하여 가장 우수한 대안을 선택하는 방식이다. 속성의 중요도에 따라서 우선순위를 부여하고, 1순위의 속성을 가진 가장 뛰어난 대안의 상표를 선택한다. 즉 가장 중요시하는 대안 평가 기준에서 최상으로 평가되는 상표를 선택한다. 하지만 이 방식은 아주 작은 차이에 의해서 의사결정이 종료되는 단점이 있다.

(2) 속성 제거식 모델

속성 제거식 모델(elimination by aspects model)은 사전식 모델과 함께 사용하는데, 각 속성에 대하여 수용 가능한 최소 수준을 설정하여 평가하는 방식이다. 이 방식은 사전식 모델처럼 가장 중요한 속성부터 차례로 덜 중요한 속성에 이르기까지 우선순위를 매기고, 각 속성에 대하여 허용할 수 있는 최소 수용 기준을 설정하여 평가한다. 즉 중요하게 생각하는 특정한 속성의 수용 기준을 설정하고, 이 기준을 만족시키지 못하면 속성의 중요도에 따라서 순차적으로 상표를 제거하는 평가방식이다. 사전식 모델보다 많은 노력과 시간이 요구된다.

(3) 분리모델

분리모델(disjunctive model)은 고려 중인 모든 결정적 속성 가운데 하나의 속성이라도 수용 가능한 최소 수준을 넘어선다면, 다른 속성에 대한 평가에 관계없이 고려 상표군에 포함하여 평가하는 방식이다. 소비자는 각 상표가 충족할 수 있는 최소 수용 기준을 설정하는데, 중요한 1~2가지 속성에서 최소한의 수용기준을 정하여 그 기준을 만족시키는 대안을 모두 선택하는 방식이다. 이전의 방식들은 속성값 결합이 그리고(and)의 관계인 데 비하여 분리 방식은 또는(or)의 관계이다. 즉 고려 대상이 되는 모든 대안들이 어느 정도 만족할 만한 수준이거나 몇 가지 평가 기준에서 상당한 약점이 있어도 한 가지만이라도 특별하게 뛰어난 대안을 추출하고자 할 때 사용한다.

(4) 결합모델

결합모델(conjunctive model)은 각 대안의 속성을 평가하는 데 최소 수준(cut-off level)을 설정하고, 이 수준을 초과하는 대안만 선택하는(and-and) 이전 방식과는 다르다. 이 방식은 각 대안들의 속성을 평가하는 데 있어서 모든 제품 속성에서 모두 최소 수용 기준을 만족시키는지에 따라 평가하는 방식이다. 따라서 이 모델의 최소 수용 기준은 비교적 낮게 설정된다. 즉 최소한의 수용 기준을 모두 속성에 적용하여 평가하기 때문에 상표별로 평가한다. 대안 평가 기준별로 각각의 최소치를 정하고 모든 대안 평가 기준에서 최저 기준을 넘는 대안을 선택하기 때문에 한 가지라도 커다란 문제가 없는 것을 선별하고자 할 경우에 유리하다.

비보상적 방식에서 저관여 제품의 경우, 소비자가 대체 상표들을 비교·평가하는 경향이 있다. 따라서 사전식 모델에서는 다수의 소비자가 중요시하는 속성을 조사하여 이를 강조하고, 결합 모델이나 속성 제거식 모델에서는 소비자가 대체로 수용하는 정도를 파악하여 이를 만족시키는 방향으로 마케팅 전략을 수립하는 것이 효과적이다.

〈표 2-3〉 화장품의 비보상적 평가 사례

대안평가기준	브랜드			
	A브랜드	B브랜드	C브랜드	D브랜드
가격	1	3	4	4
품질	5	4	3	2
보습	4	3	2	2

비보상적 방식을 이용하여 화장품을 평가하는 과정을 예시로 살펴보면 다음과 같다.

- 사전식 모델에서는 대안 평가 기준 중에 가격을 가장 중요시하고, 품질을 그 다음으로 중요하게 고려하므로 C브랜드가 선택된다.
- 속성 제거식 모델에서는 수용 기준을 각 속성 점수가 3점 이상으로 가정할 경우, B브랜드가 선택된다.
- 분리식 모델에서는 보습을 가장 중요시하고, 최소 수용기준을 4점으로 가정한다면, A브랜드가 선택된다.

• 결합식 모델에서는 각 대안 평가 기준에 대한 최소 수용 기준을 2점으로 가정한다면, B브랜드와 C브랜드가 선택 대안으로 고려된다.

4. 대안 선택과 평가에 관련된 이론

1) 전망 이론

2002년, 심리학자인 Daniel Kahneman은 행동경제학(behavioral economics) 분야로 노벨 경제학상을 받았다. 본래 주류 경제학에서의 제1가정은 "인간은 합리적·이성적 존재"라는 것인데, 행동경제학은 이 가정에 의문을 제기했다. 인간이 비합리적 존재라고 극단적으로 주장하는 것은 아니지만, '인간이 온전히 합리적인 것은 아니며 때로 감정적인 선택을 한다'는 것을 다양한 실험을 통해 증명하였다. 그 가운데, 전망 이론(prospect theory)는 위험을 수반하는 대안들 간에 의사결정을 어떻게 내리는지를 설명하고자 하는 이론이다. 전망이론이 만들어 내는 이론적 모델은 실생활의 의사결정을 설명하고자 하는 것이지 최적화된 결정을 내고자 하는 것은 아니다. 이 이론은 심리학적 연구를 토대로 하여 행동경제학의 발전에 중요한 역할을 하였다.

이 이론은 위험이 수반된 상황에서 제시되는 대안들을 어떻게 사람들이 결정하는지를 설명하고 있다. 실험에 의한 증거에 기반하여 이 이론은 어떻게 잠재적 이득과 손해를 개인이 평가하는지 설명하고 있다.

이 이론은 두 가지 단계의 의사결정을 보여주고 있다. 첫째로 어떤 발견법에 의해 얻어진 경험에 의해 가능한 의사결정의 결과가 순서대로 정리되었다. 특히 사람들은 기본적으로 이득과 손해가 같을 것이라고 생각되는 점을 준거점으로 잡고 이보다 낮은 경우 손해 높은 경우 이득이라고 보고 있다. 다음의 평가 단계에서 사람들은 어떤 결정에 대한 효용이 어떠할 것인가를 평가하게 되는데 이것은 그들의 전망에 따른 확률에 따라 행동한다. 그리고 여기서 높은 효용을 가진 대안을 선택하게 된다.

다음과 같은 문제를 주고 A, B 중 선택을 하고 그 다음 문제에서 C, D 중 선택하게 하였다.

문제 1: [A] 400만 원을 받을 확률 0.8 VS
　　　　[B] 300만 원을 다 받기
문제 2: [C] 400만 원을 잃을 확률 0.2 VS
　　　　[D] 300만 원을 잃을 확률 0.25

실험의 결과는 문제 1에서는 B를 택한 사람이 80% 그리고 문제 2에서는 C를 택한 사람이 65%였다. 이 결과는 기대효용이론과 맞지 않는데, 이것은 사람들이 결정할 때 이득의 경우 위험을 회피하려고 하고 손해가 될 경우 위험을 받아들이려는 경향이 있기 때문이다.

다시 같은 방식으로 선택하면,

문제 3: [A] 600만 원을 받을 확률 0.45 VS
　　　　[B] 300만 원을 받을 확률 0.9
문제 4: [C] 600만 원을 잃을 확률 0.001 VS
　　　　[D] 300만 원을 잃을 확률 0.002

실험의 결과는 86%가 B를 선택하고 73%가 C를 선택하였다. 이 결과 또한 기대효용이론과 맞지 않는데 수익보다는 확률이 높을 경우 좀 더 이길 수 있을 것이라고 생각하고 확률이 작은 경우(1%, 2%)는 수익이 큰 쪽을 선호하였다. 이것은 "확정효과"라고 한다.

위의 문제 1, 2, 3, 4의 경우에서 음의 전망일 때와 양의 전망일 때가 서로 거울처럼 반사된 이미지를 가진다. 이를 "반사효과"라고 한다.

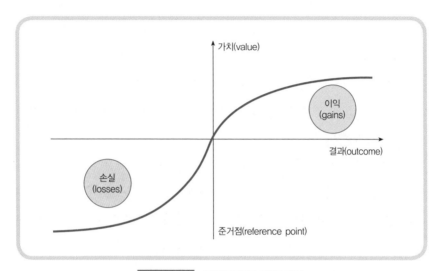

그림 2-10 전망이론의 가치 함수

소비자가 인식하는 가치 함수는 이득을 본 경우에 지속적으로 증가하는 것이 아니라, 어느 정도 시점에서 완만한 느낌을 가지게 된다. 손실을 본 경우에도 계속해서 감소하는 것이 아니라 어느 정도의 지점에서 완만해진다. 즉 소비자는 이득이나 손해에 대한 체감이 일정 수준이 되면 완만해져서 무덤덤해진다.

2) 심적 회계

심적 회계(mental accouting)는 소비자의 일련의 인지적 운영 활동으로 동시에 시간적인 차이를 두고 발생하는 다양한 이득과 손실을 조직화하고 평가하는 것이다. 즉 심적 회계는 소비자가 일상생활에서 심리적으로 지각하는 회계 장부를 말한다. 동일한 금액의 돈이라도 심리적으로 어떠한 계정에 포함하느냐에 따라서 이익과 손실을 다르게 평가한다. 예를 들어, 월 30만 원 용돈을 쓰는 소비자가 용돈의 지출을 식비 10만 원, 교통비 10만 원, 문화생활 10만 원 등으로 마음 속에 계정을 만들어 놓고는 문화생활에 15만 원을 쓰게 되면 심리적으로 갈등을 일으키는 것이다.

기업은 소비자의 이러한 심리적 측면을 활용하여 마음의 부담감을 줄여 구매를 유도하는 전략을 쓰고 있다. 소비자는 여러 개의 손실과 이득에 관한 쾌락적인 편집 규칙을 가지고 있다. 즉 이득은 분리하고 손실은 통합하여, 큰 이득과 작은 손실은 합하고 큰 손실과 작은 이득은 분리하는 방법이다. 소비자의 제한된 합리성을 보다 적극적으로 마케팅에 활용하는 방법으로, 소비자에게 제시하면 소비자의 심리적인 부담을 줄일 수 있다. 예를 들면, 1+1 행사나 할인, 쿠폰, 총 금액을 월납으로 분할하는 등의 방법으로 소비자의 마음 속 심적 회계의 부담을 줄이는 방법을 활용할 수 있다.

3) 휴리스틱

휴리스틱(heuristic)은 대안의 선택과정에서 고려해야 하는 수많은 요인들을 동시에 고려하지 않고 경험, 직관 혹은 논리적 사고에 의하여 문제해결의 과정을 단순화시킬 수 있는 규칙 혹은 지침이라고 할 수 있다. 본격적이고 광범위한 정보처리를 하는 대신 간단한 규칙 등을 이용해 의사 결정에 지름길을 제공한다.

휴리스틱은 많은 양의 정보를 필요로 하지 않기 때문에 특정 상황에 적응도가 높으며 사람의 인지용량을 초과하지도 않는다. 하지만 종종 불완전하고 비이성적인 의사 결정을 하는 수가 있다.

휴리스틱은 대안의 선택과정에서 고려해야 하는 수많은 요인들을 동시에 고려하지 않고, 경험이나 직관 또는 논리적 사고에 의하여 단순화된 문제해결 규칙 또는 지침이라 할 수 있다. 휴리스틱은 의사 결정 과정을 단순화시키고 변화하는 의사 결정 상황에 유연하게 대응할 수 있다는 장점이 있다.

(1) 가용성 휴리스틱

가용성 휴리스틱은, 소비자가 어떤 사건의 확률을 추정할 때 가장 쉽게 떠올리는 예들을 기준으로 판단하는 것이다. 비행기 사고를 자동차 사고보다 위험하다고 판단하는 것이나 2002년 월드컵의 공식후원사로 K사가 아니라 S사라고 생각하는 것이 그렇다.

가용성 휴리스틱을 마케팅에 이용하는 방법으로 강력한 브랜드를 구축하는 방법이 있다. 강력한 브랜드를 구축하기 위해서는 한두 가지의 효과적이고 강력한 메시지(볼보 의 안전)를 전달하거나 어떤 대표적인 이미지(담배갑의 사진)를 제시하는 것을 들 수 있다.

(2) 대표성 휴리스틱

대표성 휴리스틱은 쉽게 접할 수 있는 몇 가지 정보를 바탕으로 전체를 성급하게 판단하는 것을 말한다. 이는 대표성 휴리스틱으로 활용되는 속성이 겉으로 두드러진 나머지 이후 사건의 빈도와 확률을 잘못 판단해서 생기는 경우이다. 미국 애플의 CEO 스티브 잡스가 병에 걸렸을 때 애플의 주가가 급락한 사례나 최저 가격 보상제를 실시한 이마트의 상품가격이 가장 싸다고 생각하는 것이 그 예이다. 이런 대표성 휴리스틱을 마케팅에 활용하는 방법은 대표성을 가진 브랜드를 구축하는 것이다. 어떤 부류에서 가장 일반적이고 본질적인 특성을 가진 전형성 높은 브랜드를 가질 경우, 높은 시장 점유율을 가지게 되는데, 신라면, 박카스, 코웨이 정수기 등이 그런 예이다.

(3) 준거점 및 조정 휴리스틱

준거점과 조정 휴리스틱은, 정확하지 않은 정보를 판단할 때 어떠한 기준점을 설정하고 이 기준점으로부터 조정하여 추정치를 구하는 것을 말한다. 사람들은 불확실한 사건에 대해 예측이나 판단을 할 때 미리 제시된 기준점(anchor)에 1차적으로 영향을 받는다. 이후 이러한 예측이나 판단이 잘못됐다는 것을 깨닫고 조정을 거치지만 그런 조정 과정이 불완전해 오류나 편향이 나타나는데 이를 준거점과 조정이라고 한다. 조정 휴리스틱을 활용한 사례는, 최초의 희망판매 가격을 높게 책정하거나, 정찰가격을 제시하고 이 가격에서 얼마를 할인하여 판매가를 정하는 방법이 있다. 반대로 상대방이 제시한 기준점에 대하여 면밀하게 검토하거나 확증편향성을 줄이기 위한 대변자를 활용하여 잘못된 판단을 줄일 수 있다.

(4) 보유 효과 휴리스틱

제품이든 사회적 지위이든 일단 소유하고 나면 그 제품을 가지고 있지 않을 때보다 그 가치를 주관적으로 훨씬 높게 평가하는 성향이다. 예를 들면, 동일한 스마트폰도 자신이 소유한 스마트폰의 가치를 높게 평가하여 중고품을 거래할 경우에 시세보다 높게 책정하는 것을 말한다.

5. 선택의 정당화와 맥락 효과

1) 유인 효과와 타협 효과

유인 효과(attraction effect)는 기존 대안보다 열등한 대안이 새로이 도입됨으로써 기존 대안의 선택 확률이 증가되는 현상이다. 다시 말해, 기존 제품에 비해서 비대칭적으로 열등한 새로운 대안이 등장했을 때 새로 진입한 대안보다 유사한 기존 대안의 선택 확률이 오히려 증가하는 현상을 말한다. 예를 들어, 품질 면에서 열등한 대안이라고 생각되던 대안 B보다 더 열악한 대안 C가 동시에 동일한 가격에 출시되면, 소비자는 대안 B의 품질에 대해 과거보다 덜 극단적인 평가를 갖게 된다.

타협 효과(compromise effect)는 한 대안이 다른 대안에 지배되는 것이 아니라, 어느 한 가지 속성에 있어 극단적인 값을 가진 선택 대안군의 대안인 B의 상대 점유율이 증가하는 현상이다. 이 경우 소비자는 중간 대안을 선택한다. 이 효과를 제품 포지셔닝에 활용할 수 있는데, 극단을 피하고 다른 경쟁자들의 중간적인 위치에 자리 잡으면 상대적으로 유리하게 된다. 예를 들어, 식당의 음식 값이 소(2만 원), 중(3만 원), 대(6만 원)라면 대부분의 소비자가 중간 값인 "중"을 선택한다.

2) 빈도 효과와 범위 효과

기업에서 자신의 브랜드가 상대적으로 우위에 있을 경우에 새로운 브랜드가 추가되면 해당 속성에 대한 빈도가 증가하여 중요도를 증가시킨다. 이로 인해 소비자는 해당 제품에 보다 많은 주의를 기울여서 선택의 가능성을 증가하게 되는데, 이를 빈도 효과(frequency effect)라고 한다.

기존의 시장에서 자신의 브랜드가 비대칭적으로 지배되는 경우에 새로운 브랜드를 추가하면 경쟁사가 상대적으로 우위에 있는 속성 차원의 경우 그 범위가 증가한다. 이에 따라 두 브랜드 사이의 속성의 차이에 대한 중요성을 감소시켜서 소비자가 기존 브랜드와 경쟁 브랜드 간의 심리적 차이를 감소시키게 된다. 이를 범위 효과(range effect)라고 한다. 예를 들어, 소비자에게 선택받고자 하는 대안을 중간으로 보이도록 미끼 제품의 평가를 아주 높거나 낮게 책정한다.

3) 후광 효과와 프레이밍 효과

후광 효과(halo effect)란 소비자가 상품을 평가하는 경우 상품과 관련된 일부 속성에 의해 형성된 전체적인 인상이 직접적으로 관련이 없는 다른 부분의 해석에 영향을 미치는 현상이다. 이러한 후광효과에는 긍정적인 효과와 부정적인 효과가 있는데, 예를 들어, "이 제품은 디자인이 훌륭하기 때문에 품질도 좋을 거야"라고 생각하는 것은 긍정적인 후광 효과에 해당하고, "이 제품은 디자인이 형편없기 때문에 품질도 좋지 않을 거야"라고 생각하는 것은 부정적인 후광 효과에 해당한다고 할 수 있다.

프레이밍 효과(framing effect)는 같은 내용의 정보라 할지라도 그 정보를 소비자에게 어떻게 보여 주느냐, 즉 프레이밍하느냐에 따라 다르게 소비자가 지각하여 그에 다라 대안 평가도 달라지는 현상이다. 즉, 동일 사안을 어떠한 시각으로 보게 하느냐에 따라 평가를 다르게 할 수 있다는 것으로 전망 이론의 준거점 설정 개념과도 밀접한 연관이 있다.

한편, 기업 입장에서는 이러한 프로스펙트 이론과 프레이밍 효과를 다음과 같이 활용할 수 있다.

(1) 이득은 나누고 손실은 합하라!

예를 들어, 같은 양의 사은품을 제공하더라도 한 번에 제공하는 것보다는 여러 번에 나누어서 제공하는 것이 더 효과적이다. 반면, 같은 액수의 계산서를 청구하더라도 여러 번 나누어서 청구하는 것보다는 한 번에 묶어서 청구하는 것이 소비자의 지각된 손실을 줄여줄 수 있다.

(2) 권장 소비자가격을 활용하라!

권장 소비자가격은 소비자에게 준거점의 역할을 한다. 따라서 권장 소비자가격보다 할인된 가격에 구입하는 경우 소비자들은 싸게 구입했다고 느끼게 되므로 이러한 점을 활용하여 권장 소비자가격을 책정하는 것이 좋다.

(3) '할증'보다는 '할인'으로 표시하라!

같은 가격이라도 '할증'보다는 '할인'이라고 적혀있으면 이득을 본 것 같은 느낌이 든다.

소비자 행동과 심리

CONSUMER BEHAVIOR AND
PSYCHOLOGY

제 4 장

구매 행동

1. 구매 행동의 소개

1) 소비자의 관여와 구매 행동

소비자가 인지적 자원을 활용하는 데 영향을 미치는 요소에는 제품 관여도, 구매 관여도, 상황 관여도가 있다. 이들 요소를 고려하고 소비자의 제품에 대한 관여의 수준과 과거 제품 구매 경험의 정도에 따라 소비자의 구매 의사결정 유형을 분류하면 다음과 같다.

분석 의사 결정은 소비자가 구매 행동을 하기 위하여 필요하거나 활용 가능한 인지적 자원이 높은 수준인 고관여 제품을 최초 구매할 때 나타난다. 이때의 소비자는 체계적인 정보처리 방식에 따라서 구매 행동을 결정하고, 포괄적인 문제 해결을 하면서 보상적인 평가 방식으로 대안을 선택한다.

습관적 의사 결정은 필요한 인지적 자원과 활용 가능한 인지적 자원이 낮은 경우로 구매 노력을 덜기 위하여 이전에 구매한 브랜드를 반복

구매하는 비체계적 정보처리 방식을 사용한다. 이때의 소비자는 경험에 의한 휴리스틱을 활용하여 구매 행동을 결정하고, 비보상적 평가 방식으로 대안을 선택한다.

정당화하기 쉬운 의사 결정을 하는 소비자는 체계적인 전략에 의한 구매 행동을 하는데, 필요한 인지적 자원이 낮은 반복 구매의 경우에는 자기만족을 극대화하는 방향으로 구매 행동을 한다. 이때 나타나는 것이 브랜드 충성도이며, 소비자는 대안을 평가하거나 신념 형성 등의 인지적 과정 없이 구매 욕구가 일어나면 바로 선호하는 특정 브랜드를 구매하는 반복 구매의 상황을 띤다. 또한 소비자는 적정 수준의 활성화를 계속 유지하기 위하여 새로운 대안을 지속적으로 추구하게 되는데, 구매 후에 발생할 인지 부조화를 최소화시키는 방향으로 구매 행동을 하려는 의도를 갖는다. 저관여 제품이면서 최초 구매 상황일 때 소비자는 정당화하기 쉬운 의사 결정을 한다.

2) 구매 형태

소비자의 구매 형태는 구매 계획을 점포에 가기 전에 미리 정했는지의 여부에 따라서 계획적 구매(fully planned decisions), 부분 계획적 구매(partially planned decisions), 비계획적 구매(unplanned decisions)로 나눈다.

계획적 구매는 소비자가 제품을 구매하기 이전에 구매해야 할 상품이나 브랜드를 미리 결정하고 실제로 구입 행동에서도 사전에 결정한 제품을 그대로 구매하는 것이다.

부분 계획적 구매는 계획적 구매와 비계획적 구매의 중간 형태로서 사전 계획에는 있었지만 당장 구입할 의사가 없는 제품을 점포에서 구매하는 경우이다.

비계획적 구매는 문제 의식이 없거나, 점포를 방문하기 전까지도 구매 의도가 없는 상황에서 발생되는 구매행동이다. 이와 유사한 충동구매는 제품이 주는 신기함이나 자극에 의하여 즉흥적으로구매 행동을 하는 것이다. 비계획적 구매의 유형에는 다양성이나 새로움에 대한 단순한 충동구매, 상기 효과에 의한 구매, 암시 효과에 의한 구매, 계획적 충동구매가 있다.

충동구매에는 제품에 대하여 강한 호의적 감정이 발생되는 순간에 즉각적인 구매를 하는 즉시성이 있다. 이때의 소비자는 심리적 충동이 강하고, 저항하기 어려운 강박성이 있으며, 흥분이나 즐거움 또는 긴장감 등의 정서를 갖는다. 또한 인지적 요소가 구매하려는 제품의 평가에 반영되지 않아서 구매 후에 후회나 경제적 부담 등을 겪기도 한다.

3) 구매 결정 순서

소비자가 구매 행동을 하기 위하여 의사 결정을 하는 순서에는 3가지 형태가 있다.

우선, 점포를 선택하고 브랜드를 선택하는 경우이다. 이때 소비자는 첫 번째 방문하려는 점포를 결정하고 난 후에 그 점포 내에서 구매하고자 하는 브랜드를 선택한다. 다음으로는 먼저 브랜드를 선택하고 점포를 선택하는 경우이다. 이때의 소비자는 구매하려는 브랜드를 정해 놓고 그 브랜드를 판매하는 점포를 찾아간다. 마지막으로 두 가지가 동시에 일어나는 경우이다.

4) 구매 장소

소비자가 제품을 구매하기 위한 구매장소로 점포와 무점포가 있다. 점포는 소매점과 같이 유형의 공간을 말하며, 소비자의 점포 선택 과정은 [그림 2-11]과 같다.

소비자는 라이프스타일, 역할, 개성, 현재의 경제적 변수들을 고려하여 점포 선택을 하는데, 구매 욕구가 생기면 구매 장소에 대한 지각을 하게 된다. 이때 소매점들이 제고하는 마케팅 전략에 영향을 받아 점포에 대한 중요성과 판단을 가지고 점포를 방문하여 제품에 대한 구매 행동을 한다.

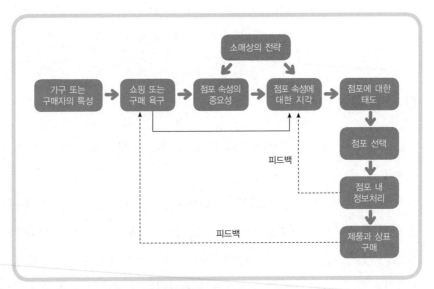

그림 2-11 점포 선택의 과정

무점포 구매 행동은 카탈로그나 우편, 전화를 통하여 소매점에서 직접 주문을 하는 행동으로서 우리나라에서는 1976년 11월 신세계 백화점이 카드 소지자를 대상으로 주문 엽서를 통한 상품 판매를 한 것이 시작이다. 미국의 경우는 1985년에 아메리칸 익스프레스가 신용카드 사업 개시와 함께 회원을 대상으로 무점포 판매를 시작하였고, 신용카드가 활성화되면서 무점포를 통한 소비자의 구매 행동이 본격화되었다.

최근에는 가정에서 이루어지는 구매 행동으로 인터넷 쇼핑, TV 홈쇼핑이 대중화되고 있는데, 인터넷이나 SNS, 전단지, 카탈로그 우편 등의 직접적 마케팅 방법에 영향을 받고 있다.

2. 점포 선택에 영향을 주는 요소

1) 점포 방문 동기

점포 방문 동기는 제품의 구매동기에 따라서 개인적 동기와 사회적 동기로 나눌 수 있다.

개인적 동기로는 개인의 역할 수행, 기분 전환 추구, 욕구 불만 해소, 새로운 경향에 대한 학습, 신체적 활동, 감각적 자극 등이 있다. 역할 수행은 사회생활에서의 다양한 역할을 의미하고, 기분 전환 추구는 일상의 단조로움을 벗어나 점포를 거닐면서 느끼는 기분이며, 욕구불만 해소는 마음에 드는 상품을 구매함으로써 불만을 해소하는 것이다. 새로운 경향에 대한 학습은 유행이나 신제품의 최신 경향에 대한 정보 취득이고, 신체적 활동은 운동 부족을 해소하기 위한 수단으로 쇼핑을 하면서 가벼운 운동을 즐기는 것이다. 감각적 자극은 다양한 상품을 구경하고, 만져 보거나 입어 보면서 즐기는 것이다.

사회적 동기는 사회적 경험, 동호인과의 의사소통, 동료 집단과의 일체감, 자신의 지위와 권위의 추구, 가격 흥정의 즐거움 등이 있다. 사회적 경험은 새로운 사람을 사귀거나 이웃, 친구를 만나기도 하며, 단순히 사람들을 구경하면서 겪게 되는 간접적 사회 접촉이다. 동호인과의 의사소통은 전문 점포에서 비슷한 관심을 가진 사람들과 대화를 나누거나 정보를 교환하는 것이며, 동료 집단과의 일체감 형성은 청소년이 특정 점포를 선호하며 또래 문화를 형성하는 것과 같이 동료 집단과의 구성원이 되고 싶어 하는 것이다. 자신의 지위와 권위의 추구는 하이패션, 구두 등 비교 쇼핑에 의해 구매가 이루어지는 경우로서 판매원으로부터 친절한 대우를 받음으로써 자신의 권위가 인정되는 느낌을 받는 것이다. 가격 흥정의 즐거움은 흥정을 통한 구매가 다른 사람보다 현명한 구매를 하였다는 사실에 자부심을 느끼는 것이다.

2) 점포 이미지

점포 이미지는 소비자가 특정한 점포에 대하여 인식하는 전반적인 인상으로, 객관적 속성과 주관적 속성이 있다. 객관적 속성은 관찰할 수 있는 기능적인 특성으로 상품의 구색이나 가격, 신용 정책 등이고, 주관적 속성은 소비자가 느낄 수 있는 쾌적한 분위기 등이다. 점포 이미지를 구성하는 요소에는 상품의 구색과 질, 상품의 가격, 서비스, 점포 시설물의 특징, 편의성, 광고 및 판촉, 점포 분위기, 고객의 특성, 점포의 평판, 판매원, 과거의 구매의 만족도 등이 있다.

점포 분위기는 주로 점포의 물리적인 특성으로 건물의 디자인, 복도의 레이아웃, 내부 인테리어나 색상 등 소비자가 보고 느낀 점포의 모습이다. 점포 분위기는 소비자 행동에 긍정 또는 부정의 영향을 미치고 정서적 반응을 유발한다. 점포의 구매 환경은 소비자의 정서에 영향을 주고 그에 따라 쇼핑 행동을 하기 때문이다. 즉 유쾌하고 기분이 고조된 소비자는 오랜 쇼핑 시간을 즐기고 판매원과의 대화를 통해서 구매가 증가된다. 점포 분위기는 배치, 음악, 향기, 소재 등에 따라 좌우되고, 그에 따라 유쾌나 불쾌, 기분 고조나 단조로움 등의 소비자의 정서 반응이 나타난다. 소비자가 보여 주는 행동은 점포 내 쇼핑시간, 점원과의 대화 정도, 구매량으로 측정할 수 있다.

점포가 경쟁력을 가지기 위해서는 소비자의 라이프스타일이나 개성 측면에서 접근한 점포 이미지이어야 한다. 소비자의 라이프스타일에 의한 점포 이미지는 상징성이 있어야 하고 소비자가 느끼는 이미지와도 일치성을 유지해야 한다. 즉 소비자가 특정한 점포에 대하여 가지고 있는 고정관념을 상징적 점포 이미지 형성에 고려해야 함을 의미한다. 소비자는 자신이 생각하는 이미지와 일치하는 점포 이미지를 선호한다.

3) 점포 내 자극

소비자의 구매 결정이 사전에 계획되어 있지 않을 경우에 진열, 선반위치, 포장, 가격 등과 같은 점포 내의 자극은 더 중요한 영향을 미친다. 점포 내에 자극을 주는 물리적인 요소에는 상품의 위치, 점포 내 배치 등이 있다.

상품의 위치는 중요한 구매 상황으로 소비자 행동에 많은 영향을 주는데, 상점의 유형에 따라 달라진다. 점포 내 배치는 제품의 위치, 제품의 진열 등을 의미한다. 제품의 위치는 소비자가 제품과 접할 수 있도록 하는 것으로, 편의점 계산대 옆에 껌, 사탕 등의 충동구매 물품을 배치하는 경우가 대표적이다. 제품의 진열은 소비자가 쉽게 원하는 제품을 찾을 수 있도록 하는 것으로, 소비자가 깜빡 잊거나 찾기 어려워 그냥 가는 것을 예방하기 위해 유사허가나 관련된 제품끼리 진열하는 경우가 대표적이다.

점포 내에서 제품의 배치에는 격자식 배치와 자유 흐름식 배치가 있다. 격자식 배치는 소비자의 움직임을 막기 위하여 모든 진열대나 선반 등을 서로 직각으로 배치하는 방식이다. 이 방식에서는 소비자가 다양한 상품을 보고 지나가도록 하기 위해 빈번하게 구매하는 제품을 맨 뒤쪽에 나열한다. 자유 흐름식 배치는 소비자가 점포 내 어디서든지 모든 곳을 볼 수 있도록 배치하는 방식이다. 점포 내 의자는 소비자가 편안하게 대화를 나눌 수 없도록 설계하여 소비자를 휴게실이나 식당으로 유도하도록 한다.

진열 공간의 높이가 매출 증대에 미치는 영향은 눈높이, 허리 높이, 무릎 높이 순이다. 우유와 같은 목적 구매 제품은 선반 진열의 높이가 매출에 크게 영향을 미치지 않고, 충동 구매 제품은 선반 진열 높이가 매출에 크게 영향을 미친다. 눈높이 라인이 가장 높은 매출을 유도하고, 신제품과 재고 회전율이 높은 제품은 진열대의 넓이가 매출에 중요한 영향을 미친다.

점포 내 부착된 POP(Point of Purchase) 사인과 가격 정보는 특정 상품에 대한 소비자의 주의를 환기시키는데, 제품의 편익을 제공하는 유용한 수단이다. 일반적으로 정상 가격을 표시한 사인의 부착은 매출 증대에 영향을 미치지 않고, 제품의 편익을 표시한 사인은 약간의 긍정적인 영향을 준다. 세일 중인 품목의 경우에는 세일 가격을 표시한 사인의 부착이 매출 증대에 커다란 기여를 한다.

진열 공간의 넓이와 디스플레이는 제품 구매에 영향을 미치는데, 일반적으로 진열 공간의 확대나 통로 끝 특별 전시 등이 매출을 증가시킨다.

점포 혼잡성은 실내 공간의 제약으로 소비자가 이동하는 데 불편함을 느끼는 정도이다. 일반적으로 점포 혼잡성이 높으면 쇼핑 시간이 줄고, 부정적 점포 이미지를 형성한다. 더욱이 상황에 대한 통제력이 없다고 소비자가 인지할 경우에는 더 혼잡하다고 느껴서 부정적 감정을 고조시킨다. 혼잡성은 밀도가 너무 높다고 소비자가 느끼는 것이기 때문에 어떤 상황이든 최적 수준의 밀도를 유지하여야 소비자의 구매를 유도할 수 있다.

판매원은 유일하게 양방향 커뮤니케이션을 가능하게 하는 중요 요소이다. 판매원은 구매 시점의 소비자의 구매 목적, 심리 상태, 특징 등을 파악하여 소비자의 상황에 맞는 적절한 메시지를 전달할 수 있어야 한다.

소비자 행동과 심리

CONSUMER BEHAVIOR AND
PSYCHOLOGY

제 5 장

구매 후 평가

1. 구매 후 평가 단계

1) 구매 후 평가 단계의 이해

구매 후 평가란 소비자가 제품을 구매한 후에 가지는 느낌이나 그에 대한 평가를 말한다. 이 행동은 제품의 재구매 의도나 타인의 구매에 영향을 주는 중요한 요소이다. 구매 후 행동은 3개의 과정으로 구성되는데, 만족 또는 불만족을 비교하여 평가하는 과정, 만족 또는 불만족의 원인을 추론하는 과정, 재구매 의도를 형성하는 과정 등이다.

소비자는 제품을 구매하기 전에 그 제품의 성과에 대한 기대를 하고 제품을 소비한 후에 결과를 인지한다. 이러한 기대와 지각된 성과는 소비자의 만족이나 불만족에 영향을 미치고, 소비자는 구매 이후에 자신의 의사 결정에 대한 불안감을 가지게 된다. 왜냐하면 자신이 구매한 상품이 구매 의사 결정 과정에서 제시된 다른 대안들보다 나은 것인지에 대한 심리적인 갈등 때문이다. 이를 소비자의 구매 후 부조화라고 한다. 구

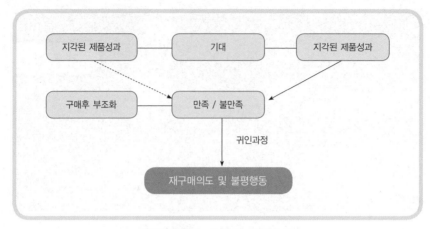

그림 2-12 구매 후 행동과정

매 후 부조화가 감소되면 만족으로 이어지고, 그렇지 못한 경우는 불만
족으로 이어진다. 만족과 불만족은 재구매 의도에 영향을 미친다. 소비
자는 자신의 선택에 대한 만족과 불만족의 원인과 결과를 생각하는 인과
추론인 귀인이라는 심리적인 과정을 거친다. 이 결과에 따라서 소비자의
재구매 의도와 불평 행동은 다르게 나타난다.

2) 소비자의 기대 수준

기대는 소비자의 욕구 수준이고, 소비자가 예상하는 제품의 성과 수
준이다. 과거에 구매했던 사용 경험이 있는 경우나 유사한 타사의 제품
구매 사용 경험이 있을 때는 만족과 기대 수준이 높다.

소비자의 기대 수준은 [그림 2-13]에서처럼 이상적인 기대에서 참을
수 없는 기대까지 나눌 수 있다. 소비자의 기대는 바라는 기대와 현실에
서 예측된 기대로 구분하는데, 바라는 기대는 소비자가 이상적으로 원하
는 수준을 의미하고, 예측된 기대는 현실에 나타나는 결과에 대하여 참

을 수 없는 상태에서 희망하는 상태까지의 기대 수준을 의미한다. 즉 예측된 기대는 소비자가 최소한 참을 수 있는 수준의 허용 영역이라고 할 수 있다. 이 영역은 희망하는, 당연한, 요구된 상태를 포함하고 있는데, 고객 스스로는 감지하기 어려운 부분이고, 무차별적인 성격을 넘어 탁월하고 이상적인 기대를 충족시켜야 달성이 가능하다. 이러한 소비자의 기대 수준을 바탕으로 소비자 기대 수준에 대한 기대 불일치 모형이 제안되었다.

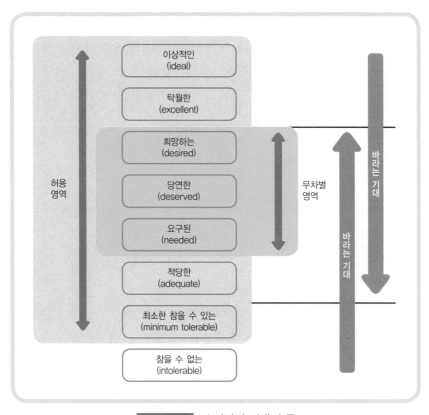

그림 2-13 소비자의 기대 수준

2. 소비자의 만족과 불만족

1) 기대 불일치 이론

소비자의 만족 또는 불만족은 실용적 효용과 경험적 효용, 즉 그 제품을 사용하면서 어떤 느낌을 갖는지를 두 가지 차원을 토대로 구매한 제품을 평가한 결과로 얻어진다. 기대 불일치 이론(expectancy disconfirmation theory)은 Oliver(1980)에 의하여 제시되었다([그림 2-14] 참조). 그는 일치와 불일치는 사전의 기대와 지각된 성과의 차이에서 단순한 일치, 긍정적 불일치, 부정적 불일치 등의 형태로 만족 또는 불만족 결과로 나타난다고 주장하였다. 즉 제품 성과가 기대보다 작을 경우 부정적 불일치로 불만족이 일어나고, 제품 성과와 기대가 동일한 경우 긍정적 일치로 만족이 일어나며, 제품 성과가 기대보다 큰 경우 긍정적 불일치로 만족이 일어난다는 것이다.

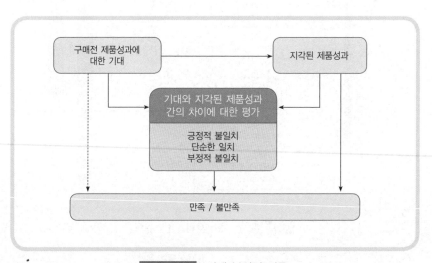

그림 2-14 기대 불일치 이론

소비자에게 지각된 성과는 제품 성과에 대한 인식으로, 기대와 일치 또는 불일치를 통해 구매 후에 소비자의 만족 또는 불만족에 영향을 미친다. 기대는 제품의 구매 이전에 소비자가 예상하는 제품 성과 수준이나 과거 경험을 말하는데, 일반적으로 소비자의 만족에 직접적인 영향을 미치지는 않지만 간접적인 영향을 미친다. 따라서 제품에 대하여 소비자에게 긍정적인 효과로 나타난다.

소비자의 기대가 지각된 성과에 미치는 세 가지 형태로는 동화 효과(assimilation effect), 대조 효과(contrast effect), 동화−대조 효과(assimilation−contrast effect) 등이 있다.

동화 효과는 성과가 기대와 다른 경우에 그 성과를 기대에 동화시켜서 기대 방향으로 지각하는 것으로 긍정적 평가에 해당한다. 즉 기대와 성과 간의 불일치가 생기면 성과가 기대보다 높거나 낮아도 소비자는 그 차이를 실제보다 줄여서 기대에 가깝게 인식하려는 현상이다.

대조 효과는 동화 효과와는 반대로 기대와 성과 간의 차이가 발생할 경우 그 차이를 실제보다 더 크게 확대해서 인식하려는 현상이다. 즉 성과가 기대보다 작을 경우 제품의 성과 수준을 실제보다 낮게 지각하고 반대의 경우는 실제 성과보다 높게 평가하는 현상이다.

동화−대조 효과는 허용 범위를 설정하여 불일치 정도가 허용 범위 내에 들면 동화 효과를, 허용 범위를 초과하면 대조 효과를 적용하여 지각하는 현상이다. 즉 불일치의 허용범위를 설정하고, 범위 내 차이는 작게하며, 범위 밖 차이는 크게 지각하는 현상이다.

2) 공정성 이론

공정성 이론(equity theory)이란 자신이 투입한 결과를 성과와 비교하고 그 비교를 다른 사람이 투입한 결과와 비교하여 나타난 비율이 다른 사람의 비율보다 클수록 만족한다는 이론이다. 즉 개인은 자신이 투입한 결과와 비교 대상이 투입한 결과를 비교하여 자신의 비율이 비교 대상의 비율보다 클수록 만족한다. 이를 공식으로 정리하면 다음과 같다.

$$\text{거래공정성} = \frac{\text{소비자의 성과}}{\text{소비자의 투입}} = \frac{\text{기업의 성과}}{\text{기업의 투입}}$$

소비자 자신과 거래 상대방의 투입 대비 성과의 비율이 같다면 공정한 상태로 인식하여 대체적으로 만족을 느끼지만, 비율이 낮다고 느끼면 불공정성을 인식하고 불만족을 가지게 된다. 소비자의 전형적인 비교 대상은 거래 상대방 또는 동일한 제품을 구매한 다른 소비자의 제품 구매 후 가성비, 즉 가격 대비 제품 성과이다. 그 결과가 자신이 비교하는 사용자의 비용보다 클 경우 만족하고, 동일한 제품을 다른 소비자보다 낮은 가격에 구매하였다면 만족도는 더욱더 높아진다. 공정성 이론은 소비자의 투입과 산출을 비교하고, 기대 불일치 이론은 성과와 결과에만 초점을 둔다는 측면에서 두 이론은 차이가 있다.

3. 구매 후 부조화

1) 인지 부조화 이론과 자기지각 이론

인지 부조화(cognitive dissonance)는 소비자의 구매 상표에 대한 정보나 경험이 구매 전의 신념과 일치하지 않음으로써 느끼는 소비자의 불안정한 심리 상태로서 자신의 결정에 대한 심리적 갈등을 의미한다. 대부분 소비자의 경우 자신의 선택을 합리화하려는 경향이 있고, 기업은 강화 광고를 통하여 이러한 소비자의 인지 부조화의 느낌을 해소하려고 노력한다. 대표적으로 자사 제품 구매에 대한 감사 메일이나 향후 서비스에 대한 안내 등이 해당한다. 인지 부조화는 선택 대안에 없는 장점이 선택되지 않은 대안에 있다고 생각되거나 비슷한 대안들이 많다고 생각되거나 구매 결정 취소가 불가능하다고 생각되는 경우 많이 일어난다.

이를 해소하기 위해서 소비자는 자신이 선택한 대안의 장점을 강화하고, 선택되지 않은 대안의 장점을 약화시킨다. 그리고 결정을 지지하는 정보를 탐색하고, 가능하면 반박이 되는 정보를 피해 의사 결정 자체를 경시한다. 인지 부조화를 해소하지 못할 경우에는 구매한 제품을 반품하거나 부정적인 태도가 형성된다. 또한 재구매가 일어나지 않고, 타인에게 부정적인 구전 효과가 발생한다. 따라서 마케터는 소비자의 인지 부조화를 해소하기 위해 노력해야 한다.

인지 부조화를 해소하기 위한 방법으로 자사 제품의 좋은 면을 강조하여 구매자의 확신을 강화시키는 강화 광고가 있다. 기업이 판매 직후에 구매자에게 서신, 안내, 책자, 전화 등으로 선택에 대한 확신을 갖게 한다.

자기지각 이론(self-perception theory)은 인지 부조화 이론에 또 다른 의문을 제기한다. 자기 자각이론에 따르면, 사람들은 자신의 행동으로부터 자신의 태도를 추론해낸다. 예컨대 원룸으로 이사 온 학생은 이렇게 생각할 수 있다: "원룸으로 이사를 오기로 결정한 걸 보니 나는 원룸에서 살고 싶었던 게 틀림없어." 다시 말해 본인이 어떤 행동을 취했는가에 대해 먼저 스스로 관찰하고, 그 행동이 우러나오게 된 것이 자신의 태도 때문이라고 추론한다는 이야기다. 결국 우리가 본인의 신념이나 태도에 대해 추론하는 과정이, 제3의 관찰자가 우리의 태도에 대해 추론하는 과정—즉, 우리의 행동을 보고 태도를 추론하는 과정—과 다르지 않다는 것이다. 이렇게 놓고 보면, 자기 자신의 태도 및 신념을 설명하기 위해서 굳이 인지 부조화라는 개념을 따로 끌어올 필요는 없어 보인다. 남이 나를 평가하든, 내가 나를 평가하든 행동을 보고 나서 태도를 추론하는 방식으로 이루어진다는 보다 일반적이고 간결한 설명이 가능하기 때문이다.

그러나 자기지각 이론의 연구자인 Bem(1972) 스스로도 시인했듯이, 우리가 늘 눈에 보이는 행동만을 가지고 자신의 태도를 알아차리는 것은 아니다. 특별한 행동이 나타나지 않은 상황에서 단순히 내면의 생각만을 가지고도 자기 태도를 추론할 수 있다. 또한 우리가 어떤 행동을 보였다는 이유로 우리의 태도가 어떤 것이었는지 결정되는 경우에는, 애초에 그 태도 자체가 불확실하고 불분명했을 가능성이 크 다. 예컨대 어떤 사람이 자기 배가 고픈지 안 고픈지 불분명할 때 식사를 했다고 치자. 그런데 그 사람이 앉은자리에서 밥 세 공기를 금방 비웠다면 어떨까. 아마도 그 사람은 자신이 몹시 배고팠던 게 분명하다고 생각하게 될 것이다. 게다가 실증적인 연구를 통해서 '인지 부조화'라는 현상은 분명 존재하는 것으로 나타났다. 사람들의 행동과 태도가 일치하지 않을 때 각성 상태가 유발되었으며, 이로 인해 사람들은 인지와 태도를 행동에 맞추어 변화시키는 모습을 보였다. 그렇다고 해서 '인지 부조화'라는 현상이 존재한다는 사실이, 자기지각 이론과 모순관계에 있는 것은 아니다. 인지 부조화 현상을 설명하고자 했던 이 연구는 결국 자기지각 이론에서 이야기하는 '행동을 통한 태도 추론' 과정에 의존하고 있기 때문이다. 다시 말해, 사람들은 자신의 행동을 통해 자신의 태도를 추론하고, 그 추론 결과가 본인이 기존에 갖고 있었다고 믿었던 태도와 상이할 경우 인지 부조화가 유발된다.

종합해 보자면, 인지 부조화 이론과 자기지각 이론은 대립관계에 있다기보다는 보완관계에 있다고 보는 편이 적절하다. 다만 인지 부조화 이론은 우리의 행동이 기존 태도와 불일치를 보일 때, 그리고 그 기존 태도가 꽤나 분명하고 중대한 것이라서 그에 반한다는 것이 심각한 부조화를 유발하는 경우를 보다 잘 설명해준다. 이에 반해 자기지각 이론을 통해 추론되는 태도는 비교적 모호하고 중요성이 작다. 그러나 그렇다고 해서 인지 부조화 이론에 비해 자기지각 이론이 덜 중요하다고 결론을 내려서는 곤란하다.

2) 고객 충성도

소비자 만족은 소비 경험으로부터 얻어진 결과에 대한 불일치된 기대와 소비 경험에 대해 사전적으로 가지고 있던 감정이 결합하여 일어나는 종합적인 심리 상태이다. 소비자 만족은 일정 기간 동안에 특정한 제품이나 서비스에 대한 소비자의 반복적인 구매 성향인 행동적 접근이고, 특정한 제품 및 서비스에 대한 선호도나 심리적 몰입으로 간주하는 태도적 접근이다. 즉 제품에 대한 사전적 기대와 소비를 경험한 후에 지각된 상품 사이의 차이에 대한 소비자의 평가 반응이다.

소비자 만족은 고객 충성도, 구전 효과, 재구매 의도의 형태로 나타나고, 불만족의 경우에는 불평 행동을 보인다. 그 가운데 고객의 충성도는 제품에 대한 기대가 제품 구매 후에 지각된 가치로 전이되어 고객 만족이 일어나고 재구매를 통해서 제품에 대해 신뢰성을 보이는 것이다. 구매한 제품이 주는 가치 분석을 통하여 정신적인 만족도인 충성도로 강화된다. 고객의 충성도는 고객의 만족에 따른 충성의 정도에 따라서 지지자(loyalist), 배반자(defectors), 용병(mercenaries), 인질(hostages) 등으로 나눈다.

지지자 그룹은 충성도가 높을 뿐 아니라, 다른 사람에게도 구매를 적극적으로 권하는 고객들이고, 용병 그룹은 만족도가 높지만 가격이 낮아서 다른 상품으로 옮겨갈 고객들이다. 인질 그룹은 불만이 많지만 다른 선택 대안이 없어 충성도가 높은 고객들이고, 배반자 그룹은 자신들의 불만을 어떻게든 타인에게 전달하여 다른 브랜드로 전환하도록 노력하는 충성도가 낮은 고객들이다. 기업은 고객 충성도 분류를 통해서 자사의 제품에서 다른 제품으로 이전할 가능성을 가진 고객을 파악하기 위한 방향을 설정한다.

구전 효과(word of mouth effect)는 고객의 충성도 측정의 중요한 요인이다. 타인의 추천 의향을 지수화한 순추천지수(Net Promoter Score)는 충성도를 지표화한 수치로서 고객이 친구나 동료에게 얼마나 그 기업을 추천하는지를 묻는 질문의 결과를 정량화한 것이다. 순추천지수 측정에 따라 추천 고객, 중립 고객, 비추천 고객으로 구분한다. 순추천지수는 충성도가 높은 고객을 얼마나 많이 보유하고 있는지를 표시하는 지표이며, 많은 기업에서 핵심 경영관리 지표로 활용하고 있다.

소비자는 자신이 지각한 기대와 실제 성과 사이에서 긍정적인 불일치가 일어나면, 긍정적인 구전 효과와 재구매 의도가 형성되고 추후에 반복 구매를 한다. 저관여 제품보다는 고관여 제품에서 브랜드 충성도가 형성되면 재구매율이 높게 나타난다.

고객의 충성도에 영향을 주는 요인에는 만족, 이미지, 신뢰, 관계의 중요성 등이 있다. 만족은 제품이나 서비스에 대하여 소비자가 가지고 있는 기대가 충족되는 것이고, 신뢰는 공급자, 제품, 판매원을 대상으로 평가되는 제품의 공신력이다. 관계의 중요성이란 제품 자체의 중요성이나 구매 과정에서 발생하는 관계의 친밀도 등을 말한다. 적절한 고객 충성도 관리는 기업의 이윤 창출을 위하여 필요하며, 고객이나 구성원의 구전에 의한 고객 증대, 장기적인 성과 및 기업 가치를 상승시키는 효과가 있다.

3) 귀인 이론

귀인 이론(attribution theory)은 특정한 행동의 원인을 찾는 과정을 설명하는 이론으로 만족 또는 불만족에 대한 원인과 결과의 추론 과정을 설명한다. 즉 자신이나 다른 사람들의 특정 행동의 원인을 외부 상황으로 돌리거나 내부적 성향 때문인지를 파악한다. 소비자의 기대에 못 미치는 제품에 대한 원인이 지속적이고, 그 원인이 기업의 잘못으로 유발되었으며, 통제 가능한 것이었다고 판단될수록 제품에 대한 불만족이 증가한다. 이 경우 소비자는 불만족의 원인을 기업에 귀인시키려고 하는 경향이 있다. 소비자가 제품에 대해 만족 또는 불만족을 경험하면 의식적이든 무의식적이든 그 원인과 책임에 대하여 나름대로 인과 추론을 하게 된다. 원인의 일시적 혹은 지속적인지 여부, 사건 발생의 원천이 자신혹은 기업인지 여부, 통제가 가능한지 불가능한지 여부 등에 따라서 인과 추론이 다르게 나타난다.

Heider(1958)는 상식 심리학에서 결과에 대한 원인을 내적 귀인과 외적 귀인으로 분류하였다. 그는 인간의 행위는 개인적 요인, 즉 개인의 능력, 선호, 성향 등과 환경적 요인(상황적 조건)으로부터 영향을 받는다고 가정하여, 특정 행동의 원인을 주장하였다. 내적 귀인은 결과에 대한 원인을 자신에게 두고 자신의 정보 탐색과 대안을 평가하는 것이고, 외적 귀인은 원인을 환경에 두고 제조업자나 판매처 등을 평가하는 것이다.

159

Kelley(1967, 1972, 1973)는 사람들이 귀인을 만들어내는 것을 설명하기 위해서 공변 모형(corvariance model)을 제안하였다. 이 모형은 사람들이 다른 사람의 내부적 요인 혹은 외부적 요인에 대한 귀인을 어떻게 결정하는지를 설명하는 데에 도움을 준다. 다양한 상황에서, 다양한 시점으로 많은 관찰을 통하여 정보를 얻어 귀인을 만들어내기 때문에 사람들은 다른 상황들 속에서 다양한 행동을 하게 된다. Kelley는 이러한 것을 설명하기 위하여 '공변'이라는 단어를 사용한다. 이 행위를 설명하기 위하여 Kelley의 모델의 주요한 3가지의 요인을 제시한다.

- 합의성(consensus) : 행동과 행위자의 공변, 즉 여러 사람들이 같은 행동을 하는지의 여부이다. 많은 사람들이 동일한 행동을 할 경우에는 합의성이 높고, 사람들이 다른 행동을 하는 경우에는 합의성이 낮다.
- 특이성(distinctiveness) : 자극과 행동의 공변, 즉 다른 자극에 대해서도 같은 행동을 하는지의 여부이다. 행위자가 자극이 다름에도 불구하고 같은 행동을 한다면 특이성이 낮고, 특정한 한 가지 자극에만 그 행동을 한다면 특이성이 높다.
- 일관성(consistency) : 행동과 상황(시간 또는 장소)의 공변, 즉 상황이 다름에도 불구하고 같은 행동을 하는지의 여부를 뜻한다. 행위자가 다른 상황에서도 동일한 행동을 한다면 일관성이 높고, 다른 상황에서는 동일한 행동을 하지 않는다면 일관성이 낮다.

이러한 세 가지 정보가 있을 때, 사람들은 행동과 행위자, 자극, 상황 간의 상관관계로부터 인과 관계를 추론한다. 두 가지의 변인이 공변하는 것을 보고 둘 중 하나가 다른 하나를 초래하는 것이라고 생각하는 것이다. Kelley는 의견 일치가 낮을 때(대부분의 사람들과 다른 방식으로 행동함), 일관성이 높을 때(대부분의 상황에서 같은 방식으로 행동함), 그리고 특수성이 낮을 때(이 상황에서 행동이 특별하지 않음) 사람들이 기질적 귀인을 만들기 더 쉽다고 제안했다. 그렇지 않으면, 의견 일치와 일관성이 높고, 특수성까지 높을 때 상황적 귀인이 발생하기 더 쉽다. 여기서 한 가지 문제는 항상 이런 정보들이 모두 있지는 않다는 것이다. 예를 들어 한 사람의 행동이 시간에 따라 어떻게 변화하는지 모를 경우 어떻게 해야 하는가? Kelley에 의하면 이런 경우에는 과거의 경험에 의존해서 둘 중 하나의 정보를 찾아야 한다. Kelley는 경험에 의해서 습득된, 어떤 원인들이 상호작용해서 어떤 효과를 초래한다는 신념을 인과적 도식(causal schemata)이라고 했다. 첫째는 다수의 필요 원인들(multiple necessary causes) 도식인데, 이것은 어떤 효과가 일어나기 위해서는 둘 이상의 원인이 있어야 하는 경우에 대한 도식이다. 달리기 선수가 마라톤에서 우승했다면 그 사람의 건강 상태가 매우 좋고, 강한 동기가 있고, 연습을 많이 했다는 등의 조건들을 모두 갖추고 있을 것이라고 추론할 수 있다. 둘째는 다수의 충분 원인들(multiple sufficient causes) 도식인데, 이것은 어떤 사건이 일어나기 위해서는 여러 원인들 중에 하나만 있으면 된다는 경우에 대한 도식이다. 예를 들어 달리기 선수가 약물 검사에서 걸렸을 경우에 그 사람이 정당하지 못한 방법으로 이기려고 했다든지, 실수로 약물을 복용했다든지, 코치에게 속아서 그랬다든지 하는 이유들 중 하나가 있었을 것이라고 추측할 수 있다. 이러한 인과적 도식에 대해서는 경험적인 증거도 있고 관찰을 통해 귀인의 문제를 해결할 수도 있지만, 한편으로는 비판도 존재한다.

4. 불평 행동과 처분 행동

1) 불평 행동

소비자 불평은 소비자의 구매 후 행동으로 소비자가 부정적인 의사나 행동을 나타내는 것이다. 기업의 잘못된 마케팅 의사 결정의 결과로 나타난다. 소비자 불평은 제품에 대한 불만으로 나타나는데, 소비자는 제품의 판매원, 판매점, 제조업자, 광고업자 등에 대하여 불평하며, 구매처, 제조업자, 지인에게 불평한다. 소비자의 구매 후 행동은 만족, 불만족, 불평 등의 형태로 나타난다. 불만족은 부정적 재구매의 의도로, 만족은 긍정적 재구매 의도로 나타난다.

소비자의 불평 행동은 크게 사적 행동과 공적 행동으로 나타난다. 사적 행동은 친구나 친척에게 부정적인 구전을 하거나 특정 제품에 대한 재구매를 거부하고 점포의 재이용을 거부하는 등의 행동이다. 공적 행동은 제품의 교환이나 환불 등을 판매업자 또는 제조업자에게 요구하거나 소비자 단체 또는 정부 기관 등에 고발이나 법적인 조치를 하는 것이다. 공적 행동은 고가품이나 내구재일 경우에 많이 일어난다. 불평의 원인에는 기업, 소비자, 가격, 내구성 등이 있다.

소비자 불평의 책임은 문제의 인식 여부와 문제의 실존 여부에 따라서 다르다. 우선, 문제를 인식하는 경우에 실제 문제가 있지 않은 경우에는 소비자에게 책임이 있고, 실제 문제가 있는 경우에는 기업에게 책임이 있다. 반면에 문제를 인식하지 않고 있으나 제품의 문제가 실제 있는 경우에는 기업과 소비자에게 책임이 있다.

소비자의 불평 행동을 결정하는 요인에는 불만의 정도, 제품의 중요성이나 관여도, 불평 행동으로 기대되는 이익이나 편익, 개인적 특성, 외적인 귀인 등이 있다. 소비자는 가벼운 불만의 경우 대체로 아무런 행동을 하지 않고, 불만이 더해지거나 제품의 중요성 정도에 따라서 불평행동을 나타낸다.

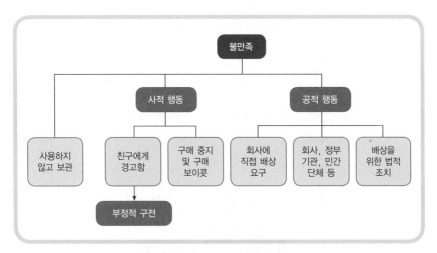

그림 2-15   소비자의 불평 행동

2) 제품 처분

소비자는 자신이 구매한 제품을 다양한 이유로 처분한다. 특히, 제품에 대하여 불만족하였을 경우에 [그림 2-16]과 같이 처분한다.

제품 처분에 영향을 미치는 요인에는 의사 결정자의 심리적 특성, 제품의 특성, 제품의 외부 상황 등이 있다. 의사 결정자의 심리적 특성에는 개성, 태도, 지각, 학습, 라이프스타일, 사회계층, 준거집단, 위험 감수 수준 등이 영향을 미친다. 제품의 특성에는 제품의 상태, 수명, 크기, 디자인, 가치, 색상, 기술 혁신, 내구성, 비용 등이 영향을 미치며, 제품의 외부 상황에는 자금, 저장 능력, 긴급성, 유형의 변화, 경제적·법률적 상황, 구매 상황 등이 영향을 미친다.

제품 처분과 관련된 마케팅 전략은 소비자가 제품 처분에 애로 사항이 있으면 처분을 용이하게 할 수 있도록 관여하고, 신제품의 판매 예측 시에 현재 사용하는 제품에 대한 수량이나 재활용 가능성을 고려한다.

소비자가 제품을 구매한 후에 일어나는 심리적 갈등에 포인을 두는 마케팅 전략은 다음과 같다. 우선, 소비자 기대를 확인시켜 주는 것이다. 이 방법은 기업이 제공할 수 있는 제품의 성과나 서비스를 소비자의 요구에 일치시켜서 현실적으로 기대할 수 있게 해 준다. 다음으로 소비자의 태도 변화를 자극한다. 마케팅 관리자는 여러 수단을 통해 소비자의 행동 변화를 유도할 수 있다.

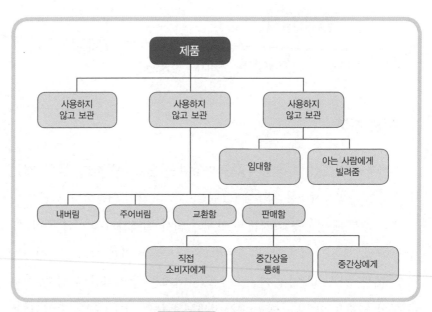

그림 2-16 제품 처분

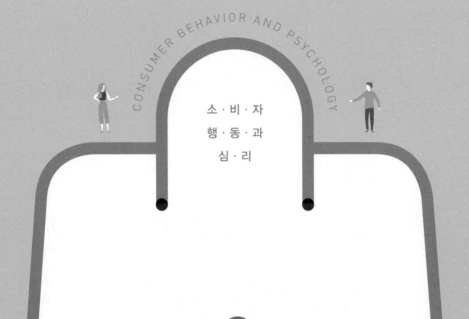

제 **3** 부

소비자
심리의 이해

소비자 행동과 심리

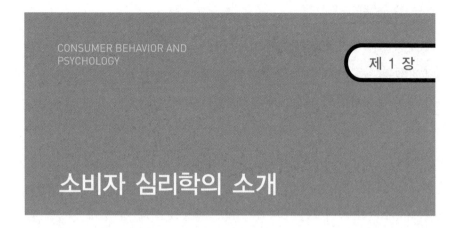

CONSUMER BEHAVIOR AND
PSYCHOLOGY

제 1 장

소비자 심리학의 소개

1. 소비자 심리학의 정의와 역사

소비자 심리학(consumer psychology)은 소비자로서의 인간의 행동을 행동과학적 접근법에 입각하여 연구하는 학문이다. 심리학이 인간의 행동과 정신과학을 과학적으로 연구하는 학문이라면, 소비자 심리학은 심리학의 여러 이론과 원리, 기제 등을 소비자에 적용하는 것이다. 이에 따라 사회심리학 및 인지심리학과 같은 심리학의 여러 분야가 소비자를 연구하는 데 관련된다. 이를 통해 소비자 심리학은 소비자를 이해하고, 예측하며, 소비자가 바람직한 행동을 하도록 조절하는 것을 목표로 한다.

소비자 심리학이라는 학문의 성립단서는 19세기의 전환기에 이미 나타났으나, 그것이 하나의 연구 분야로 확립된 것은 1960년을 넘어서부터였다. 1960년에 미국심리학회(American Psychological Association; APA)에 '소비자 심리학 분과회'가 설치되었던 것이 연구 분야로서 소비자 심리학의 출발점이었다. 이렇게 보면, 소비자 심리학은 짧은 역사 속에서 비약적으로 발전해 온 학문이라고 말할 수 있다. 소비자 심리학은 소비자 행

167

동을 연구대상으로 하는 학문이지만, 여기서 말하는 행동에는 반드시 눈에 보이는 현재적 행동(overt behavior)뿐만 아니라 눈에 보이지 않는 잠재적 행동(covert behavior)도 포함된다. 특히 소비자 심리학은 이런 잠재적 행동 중에서도 소비자의 마음 속 깊은 곳에 깔려있는 소위 심층심리(depth psychology)도 이해하려고 노력한다. '누가(who) 언제(when) 어디서(where) 무엇을(what) 어떻게(how) 행동하는가?'를 연구할 뿐만 아니라 '왜(why) 그런 행동을 하는가?' 하는 행동의 이유에 대해서도 연구한다. 더욱이 소비자 심리학은 소비자가 어떤 행동을 하게 된 것에 영향을 미치는 여러 요인과 그런 여러 요인간의 관계에 대해서도 연구한다.

1) 소비자 심리학의 정의

미국심리학회(APA)는 소비자 심리학이 소비자 행동의 심리학적 및 행동적 측면을 강조하여 연구하는 심리학의 한 분야라고 보았다. 구체적으로 미국심리학회의 소비자 심리학 분과회는 소비자 심리학이 "상품의 소비나 서비스의 사용이나 수용에 관련되는 인간의 행동에 관한 연구"라고 정의했다. Jacoby(1976)는 소비자 심리학을 소비자 행동의 기초가 되거나 소비자 행동에 영향을 미치거나 이를 규정하는 역동성(dynamics)을 이해(즉 설명 혹은 예측)하기 위해 특히 심리학적 개념이나 방법을 활용하는 학문이라고 정의했다. Bettman(1986)은 소비자의 제품 및 서비스의 선택, 구매, 사용 행동에 영향을 미치는 심리학적 요인을 이해하고 설명하려는 학문이라고 정의하였다. 이는 소비자 심리학은 소비자로서 인간의 행동을 행동과학적 접근법에 의거해서 연구하는 학문으로 심리학 뿐만 아니라 사회학, 문화인류학, 경제학, 마케팅 기타 여러 분야의 연구성과도 많이 참고하여 소비자 행동을 이해하고 이를 예측하거나 올바른 방향으로 지도하려는 의도가 깔려 있다. 종합하자면, 소비자 심리학은 소비자가 자신의 욕구를 충족시킬 것이라고 기대하는 제품과 서비스를 구매, 사용 그리고 처분하는 데 있어서 표출하는 행동과 정신과정인 구매 결정을 과학적으로 연구하는 학문이라고 정의할 수 있다.

2) 소비자 심리학의 역사

(1) 미국

1900년대 초반 몇몇 심리학자가 개인적 관심에 의해 주로 광고 분야에 심리학 지식을 적용하기는 했으나, 소비자 분야가 학문으로는 발전하지 못했었다. 이에 대하여 보다 자세하게 살펴보면 다음과 같다. 1901년 12월 20일 노스웨스턴 대학에서 Scott[1]은 심리학의 원리를 광고에 활용할 수 있다는 요지의 강연을 하였다. 그 후 12편의 논문을 발표하였고, 1903년에는 그것을 정리하여 『광고이론(The Theory of Advertising)』이라는 저서를 출판하였다. 그 책에서는 심리학이 광고뿐만 아니라 산업의 각종 문제에 대해 응용될 수 있다는 것을 강조하였다. 또한 1908년에 『광고심리학(Psychology of Advertising)』이라는 또 한 권의 책을 출판하였는데, 여기서 당시의 심리학을 반영하여 기억에 관한 실험 등의 심리학을 소개하였다. 미국의 광고 관계자들에게 많이 읽혔고, 각 대학의 광고 강좌 교재로 이용되었다. 그뿐만 아니라 영구과 프랑스를 비롯한 유럽의 광고계와 상경계통의 대학에서 필독서가 되었으며, 일본의 주요 대

---

1) 'Walter Dill Scott(1869-1955), 최초의 응용 심리학이며, 광고와 같은 다양한 비즈니스 관행에 심리학을 적용한 학자이다.

학에서도 광고 연구 자료로 많이 활용되었으며, 광고종사자들의 유일한
교과로서 현재까지 회자되고 있다.

1913년에는 뮌스테르베르크(Münsterberg)가 『심리학과 산업능률
(Psychology and Industrial Efficeiency)』이라는 저서를 출판하였다. 이 책
은 서론의 세 장에 이어서 The Best Possible Man, The Best Possible
Work, The Best Possibel Effect라는 세 개의 부로 구성되어 있는데, 그
중에서 소비자 심리학에 관련된 부분은 The Best Possibel Effect(19장
~24장)이다.

미국의 경우 1945년 제2차 세계대전이 끝난 직후 기업은 소비재 생산
에 집중하였고 구매욕구에 굶주렸던 소비자는 이에 부응하여 왕성한 구
매를 하였다. 그 후 소비자의 구매가 감소하는데, 이는 소비자가 제품의
품질에 관심을 갖게 되었기 때문이었다. 이에 소비시장에서 문제에 직면
한 기업은 1950년대 초반 제품의 품질을 중심으로 소비자를 공략하여 기
업은 품질경쟁을 하게 되었다. 그 후 1950년대 중반 미국시장은 포화상
태에 들어가고, 이에 기업은 제품선택에서의 선별을 강조하는 판매전략
으로 대처하게 되나 구매력은 과거에 비해 매우 약해진 상태였다. 1950
년대 말경 이러한 문제에 대처하기 위해 마케팅 개념이 도입되어 처음으
로 소비자를 생각하게 되었다. 즉 기업은 소비자의 욕구를 파악하여 그
욕구를 만족시킬 제품과 서비스를 제공하기 위해 시장세분화와 제품위
치화에 따른 마케팅 전략에 중점을 두었다(Schiffman & Kanuk, 1994). 이
러한 변화에 의해 '소비자 행동'이라는 새로운 학문이 탄생하였다. 1960
년대부터는 소비자 행동 분야가 비약적인 발전을 하게 되었고, 그 학문
적 발전에 심리학이 지대한 공헌을 하였다. 즉 심리학 지식을 소비자에
접목시킴으로써 학문으로 발전하였다. 즉 소비자 심리학에 대한 관심과

연구문헌이 현저하게 증가한 것은 1960년대 들어서부터인데 이 시기에 소비자 심리학을 이해하기 위해서는 다음과 같은 세 가지 사항에 주목해야 한다.

첫째, 1960년대에 미국심리학회(APA) 산하 23번째 학회로 소비자심리학회가 설립되었고, 학술지 『Journal of Consumer Psychology』를 발간하였다.

둘째, 소비자 심리학은 1960년대 와서 확고한 지위를 구축했다. 1960년대에 『Annual Review of Psychology』에서 관련 문헌을 소개한 것을 보면, 1962년 Guest의 연구, 1965년 Twedt의 연구, 1968 Perloff의 연구를 찾아볼 수 있다.

셋째, 1960년대에는 소비자 심리학과 관련되는 연구들이 많이 발표되었다. 그 대표적인 것으로는 다음과 같은 연구를 들 수 있다.

- Katona(1960)의 연구는 기대나 태도가 소비자 행동에 미치는 영향을 강조하였다.
- Bauer(1960)의 연구는 지각된 위험에 관한 연구이다.
- Nicosia(1966)의 연구, Howard와 Sheth(1969)의 연구는 소비자 행동의 모델에 관한 연구이다.

1970년대 중반에 이르기까지 소비자 심리학에는 다음과 같은 아홉 가지 경향이 있었다. 첫째, 이론의 발전이다. 1968년 이전에 가장 영향력이 컸던 연구는 March와 Simon(1958)의 조직에 관한 저서, Lavidge와 Steiner(1961)의 광고효과에 관한 논문, Rogers(1962)의 기술혁신 파급과정에 관한 저서, Nicosia(1966)의 소비자 의사결정과정에 관한 연구, Cox(1967)가 편집한 지각된 위험에 관한 연구이다. 앞서 언급된 다섯 개의 연구는 소비자 연구자들 사이에 대단히 우수하다는 평가를 받고 있는 Engel, Kollat, Blackwell(1973)의 연구에 상당한 영향을 미쳤다. 또한 이론에 중점을 두었다고 하는 Hansen(1972)의 연구, Haines(1969)의 연구, Robertson(1971)의 연구, Rogers와 Shoemaker(1971)의 연구, Ward 와 Robertson(1973)의 연구 등과 같은 주요 연구에도 잘 반영되어 있다.

둘째, 연구 초점의 전환이다. 1970년대 이전에는 Katona(1960)의 연구처럼 거시적 관계에 초점을 둔 연구가 주류를 이루었지만, 1970년대에 들어서부터 대부분의 연구는 소비자 개인간 미시적 요인에 초점을 두는 연구로 전환되었다. 이런 사실은 Cohen(1972), Farley 등(1974), Holloway 등(1971), Kassarjian과 Robertson(1973)의 저서에서 분명하게 드러난다.

셋째, 변수나 관계를 단순히 확인하거나 기술하는 것에서 탈피하여 설명적인 연구나 인과관계의 추구로 이동하였다. 이런 세 번째 경향을 비롯하여 이하에서 서술되는 여러 가지 경향은 앞에서 서술한 첫 번째 경향과 두 번째 경향에 의해서 촉진되었다. 또한 이런 세 번째 경향은 현장과 실험실에서 이루어지는 실험법에 의해 많은 도움을 받았다. 실험법은 도출된 가설을 이론적으로 검증하기 위해 점차 많이 사용되어 왔다.

넷째, 행동과학의 개념이나 방법이 점차적으로 세련화되었다. 이러한 경향은 사회심리학의 개념이나 방법과 결합함으로써 특히 더 두드러지게 되었다.

다섯째, 사회심리학의 여러 개념이나 방법과 결합하게 되었다. 이와는 정반대로 소비자 심리학의 지식이 사회심리학의 쪽으로 유입되는 경향도 있었는데, Jacoby(1975)의 논문에서 상세히 서술하고 있다.

여섯째, 기본적인 심리학적 구성개념을 개별적으로 고찰하는 것에서부터 탈피하여 대단히 인지적이고 정보처리적인 의사결정 관점에서 고찰하는 것으로 이동하였다. 1972년과 1973년경에는 이런 접근법에 의거한 연구들이 꽤 많이 수행되었는데, Hughes와 Ray(1974)의 연구에서 소비자의 정보처리와 의사결정을 진행 중의 동태적인 현상으로 받아들여서 과정(process)적 방법론을 이용하였다.

일곱째, 학제적 지향성(interdisciplinary orientation)의 심화이다. 소비자 행동의 연구자들은 여러 학문의 연구성과에 따라 많은 혜택을 받았기에 한 개의 학문으로써는 소비자 연구와 관련된 중요한 문제를 해결할 수 없다는 것이 분명해졌다. 1969년에 설립된 소비자연구학회는 심리학, 농업경제학, 건축학, 법률, 의학, 마케팅 등 여러 분야의 사람들로 이루어졌고 서로 활발히 교류하였다. 1974년에 제1권이 발간된 본격적인 소비자연구저널(Journal of Consumer Research)은 10개의 조직이 후원하였다.

여덟째, 사회적 문제에 대한 관심의 증가이다. 이런 경향은 정부나 소비자운동가의 노력에 자극을 받아 표면화되었다. 특히 Sheth와 Wright(1974)의 연구는 건강관리, 산아제한, 환경문제, 공공정책 등과 같은 사회적 문제를 다룬 좋은 예이다. 그 밖의 주목해야 할 연구로는 Aaker와 Day(1974)의 연구와 Divita(1974)의 연구가 있다.

아홉째, 학문적 존경과 정당성 확보이다. 이런 경향은 McGuire(1976)나 Fishbein(1975)과 같은 저명한 심리학자들이 소비자 행동 연구에 참여하게 된 것에 어느 정도 기인한다. 더욱이 1973년에 전국과학기금(National Science Foudation)이 소비자연구를 위해서 연구조성금을 기탁한 것도 이런 경향에 일조하였다.

이상에서 소개한 아홉 가지 경향은 소비자 심리학이 학문적으로 한층 더 성숙한 단계로 들어갔음을 의미한다. 그래서 소비자 심리학의 연구자들은 '구매자로서의 소비자(consumer qua puchaser)'에 관심을 두는 것에서 나아가 '소비자로서의 소비자(consumer qua consumer)'에 관심을 갖게 되었다.

1980년대 이후 나타난 소비자 심리학의 연구경향은 첫 번째, 중요한 주제는 사전지식과 현재의 정보처리의 관계이다. 소비자는 광고, 포장, 카탈로그 등을 통하여 제품과 관련된 많은 정보를 제공받고 있다. 더욱이 소비자는 제품에 관한 사전지식을 이미 갖고 있는데, 이런 사전지식은 언제나 활용이 가능하다. 소비자 연구의 많은 영역에서는 이런 사전지식이 어떻게 영향을 미치는가 혹은 진행 중의 정보처리에 의해 어떻게 영향을 받는가를 이해하는 것이 중요한 관심사이다. 일반적으로 심리학에서는 사전기대나 사전신념과 현재의 정보처리의 관계가 중요한 관심사이다.

두 번째, 중요한 주제는 감정(affect)과 인지(cognition)의 관계이다. 특히 정보처리와 인지적 접근법을 강조하는 추세는 연구자들로 하여금 이런 모델에 있어서 감정의 적절한 역할을 찾도록 이끌어 왔다. 그 결과로 감정과 인지의 상대적 강조와 우위가 많은 논쟁의 주제가 되었다.

최근 소비자 심리학의 연구에서는 이런 효과를 단순히 기술하는 것보다는 오히려 여러 가지 효과와 더불어 가로놓인 프로세스를 이해하는 데에 초점을 두고 있다.

(2) 국내

우리나라의 소비자 심리학도 1970년대부터 1990년대를 거치면서 현재까지 미국과 유사한 배경 속에 발전을 하고 있다. 1970년대에 경제발전계획에 따라 국내경제가 비약적으로 발전하였고, '소비는 미덕', '소비자가 왕'이라는 표어가 등장할 정도로 국내 소비가 크게 증가하였다. 1980년대에는 '한번의 선택이 10년을 좌우합니다.'와 같은 광고카피가 말해 주듯이 품질경쟁이 일어났고, '테크노피아'와 '휴먼테크'로 대변되는 두 대기업 간의 치열한 경쟁이 오랫동안 진행되었다. 아울러 대기업을 중심으로 판매영업도 활발히 전개되었다.

그러나 1970년대와 1980년대를 거치는 20여 년 동안 진정으로 소비자가 기업의 중심에 있었던 적은 단 한 번도 없었다. 1990년대 들어서서 드디어 국내에서도 소비자가 기업에서 중요한 화두로 떠올랐다. 1990년대 초반 "우리는 고객을 모실 수는 없지만, 고객의 결재란을 비워 둡니다."라는 광고카피가 등장하기 시작하였고, 1990년대 중반부터 '고객만족'이 기업에서 중요한 키워드로 자리 잡았다.

1980년대 후반을 거치면서, 특히 1990년대 이후 국내에서 소비자에 대한 연구가 절실해짐에 따라 심리학과 경영학을 포함한 몇몇 학문 분야에서 소비자 행동에 관련한 책과 논문이 많이 소개되었는데, 이들 대부분은 심리학의 지식에 근거하고 있다. 드디어 1999년에 소비자 심리학에 관심이 있는 회원을 중심으로 한국소비자·광고심리학회가 (사)한국심리학회 산하 11번째 학회로 설립되었고, 학술지 '한국심리학회지: 소비자·광고'를 발간하고 있다. 아울러 이 학회는 유관학회(예, 광고학회, 소비자학회)와 긴밀하게 교류하고 있다.

2. 소비자 심리학의 필요성

20세기 국가경쟁력이 기업 중심의 생산성에 초점을 맞추었다면, 21세기의 국가경쟁력은 기업중심에서 소비자 중심으로 변화했으며, 현재 이러한 변화는 가속화되고 있다. 다시 말해 경제발전에 따라 소비자의 욕구가 매우 다양해짐으로써 소품종 대량생산에서 다품종 소량생산으로 기업전략이 변화하고 있다. 따라서 어느 국가 또는 기업이 소비자의 욕구를 정확히 파악하여 이에 합당한 제품을 소비자에게 제공함으로써 소비자의 만족을 극대화시키느냐가 가장 중요한 이슈이다. 최근에 제품수명주기(product life cycle: PLC)가 짧아지고 있고 또한 많은 기업이나 국가가 고객만족지수(customer satisfaction index: CSI)를 중시하고 있음은 이를 잘 예증하는 것이다.

또한 인터넷의 발전으로 소비자가 정보를 수월하게 수집하고 전달할 수 있기에 소비자의 기업에 대한 영향력이 막대하게 증가하고 있다. 이와 관련하여 생산자와 소비자를 결합한 '프로슈머(prosumer)'가 등장하였다. 프로슈머는 자신이 원하는 것을 생산자에게 직접 제시하여 생산자로 하여금 자신의 욕구를 충족시킬 제품을 만들게 하려는 소비자를 의미한다. 이러한 적극적 개념의 프로슈머는 기업에 대한 소비자의 증가된 영향뿐만 아니라 21세기의 변화된 소비자의 모습을 보여주는 한 예이다.

아울러 급변하는 소비환경으로 인해 소비자가 받을 손실(예, 사기판매, 인터넷 사기쇼핑, 기만광고 등)이 과거에 비해 증가하고 있으며, 소비자가 사회적으로 바람직하지 않은 행동(예, 약물중독, 음주운전 등)을 함으로써 소비자가 자신이나 사회에 미치는 나쁜 영향도 증가하는 추세이다. 이러한 피해나 악영향으로부터 소비자를 보호하기 위해서도 소비자가 왜 그러한 잘못된 행동을 하는지를 알아야 한다. 이러한 변화에 근거해 볼 때, 앞으로 소비자의 문제는 더욱 중요해질 것이다. 이에 대처하기 위해서는 소비자를 제대로 이해하는 것이 필수적이며 따라서 소비자 심리학의 영향은 훨씬 더 증가할 것이다.

한편, 마케팅에서 필수적으로 다루어지는 내용들 중에 4P가 있는데,

이는 제품(product), 가격(price), 유통(place), 촉진(promotion) 등이다. 제품은 제품개발 또는 제품 디자인을, 가격은 제품에 대한 가격정책을, 유통은 영업과 판매장소를 그리고 촉진은 광고를 포함한 모든 판촉활동을 말한다. 최근 7P로 확장된 마케팅 믹스는 물리적인 제품이 아닌 서비스 제품의 마케팅 전략을 좀 더 세밀하게 수립할 수 있게 되었다.

사람(People)은 모든 회사는 일선 영업 직원에서 임원까지 회사를 경영하는 사람들에 의존한다. 일하는 사람은 제품이나 서비스만큼이나 비즈니스의 가치를 제공하는 주체이기 때문에 회사가 올바른 사람들을 확보하는 것이 필수적이다.

프로세스(Process)는 서비스에서 이를 어떤 과정과 절차를 거쳐 제공하느냐는 서비스 그 자체와 떼려야 뗄 수 없는 것이다. 따라서 서비스 제공 방식은 소비자가 지불하는 비용의 일부이므로, 서비스와 제품을 어떻게 제공할 것인지 생각해야 한다.

물리적 증거(Physical evidence)는 서비스 스케이프(service scape)라고 표현하기도 하며 인간이 창조한 환경을 의미한다. 즉 서비스가 창출되는 환경으로 기업과 소비자 사이에 상호작용이 발생하는 환경을 지칭하는 말이다. 이는 서비스의 수행과 의사소통을 용이하게 해주는 유형적인 것으로 고객이 경험하게 되는 자원이다. 따라서 서비스 유형의 목적에 따라 인테리어 색깔과 색감, 음악, 벽에 걸린 그림, 실내에 나는 향기, 화초 등에 세심하게 신경을 쓰는 것이 중요하다.

그러나 여기서 생각해야 할 것이 있는데, 이는 이러한 7P's 나아가서 마케팅이 누구를 위한 것이냐이다. 분명하게 이는 소비자를 위한 것이며, 소비자에 대한 정확한 이해 없이는 어떤 것도 제대로 작동할 수가 없다. 기업인들은 "소비자 마인드"를 가지고 기업의 입장이 아니라 소비자의 입장에서 보고 듣고 생각하고 느껴야 한다. 소비자가 없으면 기업은 존재할 수 없다는 것을 명심해야 할 것이다.

3. 소비자 심리학의 일반적 모형

[그림 3-1]에서 제시된 모델은 소비자 심리학에 관한 다른 보편적인 모델들에게 발견되는 가장 기본적이며 가장 중요한 요소들을 포함하고 있다(양윤, 1995). 이 모델의 왼쪽 부분에 제시된 '자극상황'이란 변수는 소비자에게 반응을 유도하기 위한 자극으로 총체적으로 작용하는 조건들의 복합체이다. 이 정의는 소비자 행동이 단일 자극에 의해 유발되지 않는다는 것을 제안한다. 오히려 소비자 행동은 자극들의 집합의 결과로 일어난다고 생각할 수 있다. 예를 들어 소비자가 맥주를 구매할 때, 이 소비자의 행동은 단순히 가격 때문에 일어나지 않는다. 대신에 가격, 제품광고의 특성, 제품포장, 개인의 제품에 대한 과거 경험, 진열대에서 제품의 위치 등을 고려해야 한다.

다음에 이 모델은 많은 내적과정을 상술하고 있다. 이런 내적과정들은 개인 내부에서 일어나는 일련의 관련된 변화들로 정의할 수 있으며, 여기서 관련된 변화란 내적과정들 간의 상호관련성을 의미한다. 각각의 내적과정은 서로 독립적으로 개념화할 수 있지만, 소비자 행동에 대한 보다 나은 이해를 위해서 그 과정들 간의 상호관련성을 고려하는 것이 도움을 줄 수 있다. 그러나 이 모델은 내적과정들 간의 사전에 결정된 순서에 관한 가정은 하지 않는다. 다시 말해 어떤 내적과정도 다른 내적과정에 선행할 수 있다.

한편, 이 내적과정들을 무언가에 의해 발생하는 결과 또는 무언가를 초래하는 선행조건으로 생각할 수 있다. 결과로 생각할 때, 내적과정들은 자극상황, 소비자 자신의 행동, 사회적 맥락, 문화적 맥락, 기타 다른 내적과정 그리고 내적과정 변수들 간의 상호작용 등의 결과로 간주된다. 내적과정을 결과로 보는 연구는 그 과정을 어떤 독립변수들에 의해 영향을 받는 종속변수로 다룬다.

내적 과정을 선행조건으로 생각할 때, 그 과정은 의도, 행동, 또는 기타 다른 내적과정 등의 원인으로 간주될 수 있으며, 내적 과정을 선행조건으로 보는 연구는 종속변수에 영향을 주는 독립변수로 다룬다. 여기서는 내적과정을 결과(종속변수)와 선행조건(독립변수) 둘 다로 간주한다.

소비자 행동 맥락에서 의도는 제품구매 또는 사용을 계획하는 것을 말하며, 행동은 실제 구매 또는 사용을 의미한다. 의도와 행동 모두 내적과정들의 직접적인 상호작용의 영향에 의해 일어나며, 행동은 소비자의 내적과정들에 영향을 줄 수도 있다. 이 행동적 피드백이 소비자 연구에 매우 중요한 시사점을 제고한다.

사회적 맥락은 개별 소비자에게 영향을 주는 사회적 자극의 집합을 의미한다. 여기에는 친구, 가족, 또는 준거집단 등이 포함될 수 있다. 문화적 맥락은 개별 소비자와 그 소비자의 사회적 맥락에 영향을 주는 문화적 자극의 집합을 말하며, 여기에는 문화, 하위문화, 사회적 계층 등이 포함될 수 있다. 개별 소비자는 자신의 내적과정, 의도, 행동 등과 함께 사회적 맥락 내에서 존재하며 그것에 의해 영향을 받는다. 나아가서 개별 소비자의 사회적 맥락은 문화적 맥락 내에서 존재한다.

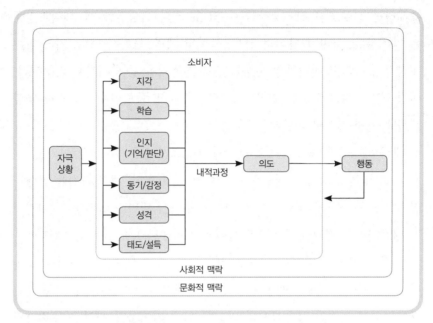

그림 3-1 소비자 심리학의 일반적 모형

4. 소비자 심리의 정보처리 모델

1) AIDA model

AIDA는 아래와 같이 Attention, Interest, Desire, Action의 머리글자를 딴 두문자어(acronym)이다. 정보처리 과정이 4단계를 거쳐 발생한다는 것이다.

그림 3-2 AIDA model

1단계는 주의(Attention)로 정보처리에 대한 심리적 집중력이 높아지는 단계다. 이 단계의 목표를 달성하기 위해서는 전달하고자 하는 메시지 또는 비주얼적인 효과를 강력하게 만들어 시선을 집중시킬 수 있어야 한다.

2단계는 관심(Interest)으로 1단계에서 고객의 관심을 끌었다면, 2단계에서는 제품이나 서비스에 대한 고객의 관심을 불러일으키고 유지시켜야 한다. 브랜드−제품에 대한 태도를 형성하게 되는 단계다. 제품 및 서비스에 대한 자세한 정보가 제공되는 단계다.

3단계는 욕구(Desire)로 제품에 대한 관심이 생기면, 판매자는 고객들에게 제품을 소유하고 싶어지도록 설득하는 것이 필요하다. 즉, 타깃 고객의 일상생활을 고려하여 해당 제품이나 서비스가 어떤 역할을 하고, 어떠한 혜택을 제공하는지, 명확한 예를 제공하게 되는 단계이다. 온라인 쇼핑몰에서 제품명에 키워드 작업을 하는 것이나, 광고를 통해 공감할 수 있는 감성적, 이성적 예시를 제시하는 것이 해당된다.

4단계는 행동(Action)으로 구매 욕구 이후 '구매'로 행동이 이어지는 단계다.

오랜 기간 AIDA 모형이 성공적인 판매 프로세스로 여겨졌지만, 오늘날에는 순수 선형 모형만 사용하는 것은 현대의 세일즈 프로세스에 적합하지 않다는 평가가 지배적이다.

2) AIDMA model

미국의 경제학자 Roland Hall은 욕구(Desire)와 행동(Action) 사이에 기억(Memory) 단계를 거친다는 주장으로 제안한 모델이 AIDMA model 이다.

그림 3-3 AIDMA model

주의를 끈 제품이나 서비스에 대한 인지 이후, 제품이나 서비스에 흥미를 갖게 되어 구입하고 싶어지는 잠재의식이 형성되고, 이를 계기로 의식 안에 대상에 대한 정보가 저장되는 '기억'이 형성된다. 이후 생활에서 어떤 계기나 자극이 발생할 때, 기억 속에 저장된 브랜드 관련 정보가 인출되어 구매에 영향을 미치게 된다는 것이다. 기억 속에 제품 및 서비스에 대한 정보를 어떻게 저장시키느냐가 중요한 커뮤니케이션 목표가 될 수 있다. 즉, 브랜드에 대한 기억을 어떻게 형성시키느냐가 중요한 목표가 되는 것이다.

1단계는 주의(Attention)는 고객의 주의를 끌어 제품 또는 서비스를 인지하는 단계이다.

2단계는 관심(Interest)은 제품에 대한 관심을 가지고 장·단점을 인식하는 단계이다.

3단계는 욕구(Desire)는 여러 판매 촉진 활동 등으로 제품에 대한 구매 욕구를 불러일으키는 단계이다.

4단계는 기억(Memory)은 욕구 단계를 넘어 제품에 대한 기억으로 구매의사를 결정 짓는 단계이다.

5단계는 행동(Action)으로 구매 욕구를 행동으로 옮겨 실제 구매가 일어나는 단계이다.

3) DAGMAR model

AIDA model를 보완하고자 나온 모델이라고 볼 수 있다. DAGMAR 란, 1961년 Russell H. Colley가 "측정된 광고 결과에 대한 광고 목표 정 의(Defining Advertising Goals for Measured Advertising Results)"라는 책을 출간하면서 그 앞글자만 따서 지은 두문자어이다. AIDA model의 대안 으로 광고의 의사소통 접근 방식에 보다 명확하게 초점을 맞춘 방안이라 고 볼 수 있다. 이에 따르면 소비자들의 반응은 "인지(Awareness) → 이 해와 이미지(Comprehension & image) → 태도(Attitude) → 행동(Action)" 의 단계를 거친다.

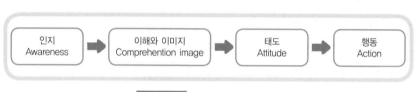

그림 3-4 DAGMAR model

1단계 인지(Awareness)는 브랜드의 존재 여부, 브랜드명, 심벌 등에 대한 기본적인 정보를 인지하게 되는 단계이다.

2단계 이해 및 이미지(Comprehension & image)는 브랜드의 제품, 서비 스가 갖는 속성에서부터 소비자들에 제공되는 혜택, 감성적이고 추상적 인 이미지 연상까지를 알게 되는 단계이다. 브랜드의 차별화 또는 포지 셔닝이 발생되는 단계라고 볼 수 있다.

3단계 태도(Attitude)는 소비자는 브랜드를 평하여 긍정적, 부정적, 중 립적인 태도를 형성하게 된다.

4단계 행동(Action)은 이 태도의 확신 정도에 따라 구매 가능성으로 이 어진다는 모델이다.

4) AISAS model

달라진 미디어 환경을 반영하여, 일본의 광고대행사 덴츠(Dentsu)가 2004년 제시한 모델이다. 이 모형은 기존의 모형에서 검색 Search 단계를 추가하여 소비자의 적극적인 메시지 선택의 과정을 포함하였다. 브랜드에 대한 인지 및 제품구매 과정에서 인터넷 검색은 필수적인 의사결정과정으로 등장함에 따라, 이 단계는 정보처리에서 중요한 역할을 차지하게 되었다. 또한, 검색에 그치지 않고, 제품을 구매한 이후에는 구매에 대한 의견을 온라인상에 공유함으로써 다른 소비자들에게 중요한 정보원으로서 활용된다.

'주의(Attention) → 관심(Interest) → 검색(Search) → 행동(Action) → 공유(Share)'로 이어지는 단계는 선형적으로 구매행동에서 끝이 나는 기존 모델과 달리, '공유'를 통해 다시 AISAS → SAS로 반복될 수 있다는 측면에서 닫힌 구조가 아닌, 순환 구조를 가진다는 데 의미가 있다. 인터넷 시대의 미디어 환경을 반영하는 AISAS 모델은 소비자의 적극적 정보 선택이라는 특징이 있는 검색 search이라는 단계와 구매 후 의견을 인터넷에 공유(share)하여 다시 브랜드에 대한 평가에 영향을 미치는 단계가 추가됨으로써, 일방향적, 선형적 구조에서 비선형적이며 열린 구조로 구성된 특징을 보인다.

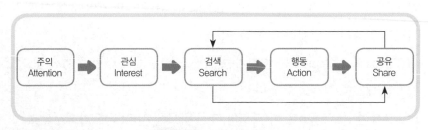

그림 3-5 AISAS model

1단계 주의(Attention)는 고객의 주의를 끌어 제품 또는 서비스를 인지하는 단계이다.

2단계 관심(Interest)은 제품에 대한 관심을 가지고 장·단점을 인식하는 단계이다.

3단계 검색(Search)은 인터넷으로 해당 제품을 검색하고 경쟁사와 비교·분석하는 단계이다.

4단계 행동(Action)은 검색 결과를 바탕으로 실제 구매가 일어나는 단계이다.

5단계 공유(Share)는 SNS를 통해 구매한 제품에 대한 사용 후기나 다양한 정보를 공유하며 자연스럽게 구전 마케팅으로 진행되는 단계이다. 이렇게 공유된 정보는 또 다른 소비자가 검색할 때 노출되고, 그 소비자에게 영향을 미치게 된다.

5) SIPS model

일본의 광고대행사 덴츠(Dentsu) 내에서 차세대 커뮤니케이션을 연구하는 현대통신연구소는, SNS가 주류인 시대의 소비자 정보처리 행동은, '공감(Sympathy) → 자기확인(Identify) → 참여(Participate) → 공유와 확산(Share & Spread)'으로 나타난다고 제시하였다.

모바일 시대의 새로운 정보처리 모델이 바로 SIPS이다.

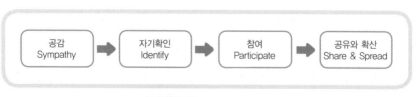

그림 3-6 SIPS model

1단계 공감(Sympathy)은 소셜 미디어상 '유통화폐'라고 지칭될 만큼, 커뮤니케이션이 시작될 수 있는 중요한 실마리를 제공하는 지점이다. 정보와 콘텐츠가 넘쳐나는 현재의 미디어 환경에서 페이스북, 인스타그램의 '좋아요'나 트위터의 '리트윗'이 발생하지 않는 콘텐츠는 사멸하고 만다. 한편 '좋아요'와 '리트윗'이 확산되려면 우선 공감의 영역에 들어서야 가능하다. 즉, 공감할 가치가 있는 정보만이 확산될 수 있다. 물론, 공감한다고 무조건 참여나 공유의 단계로 진행되는 것은 아니다. 정보의 홍수 속에서 공감한 콘텐츠에 대해 소비자들은 관심을 갖는 것이지 확신을 하는 것이 아니기 때문이다.

2단계 자기확인(Identify)은 공감한 콘텐츠에 대해서 자신과의 유용성, 가치관 부합성 등을 다양한 방법과 채널을 통해 확인하는 과정을 거치게 된다. 친구나 지인의 의견, 전문가의 의견, 대중 매체의 정보 등을 통해 확인 과정을 거치게 된다. 이렇게 본인의 가치관, 생각에 어울리는 콘텐츠인지 자기확인을 거치고 나서야 비로소 참여하게 된다.

3단계 참여(Participate)는 모바일은 인터넷 시대의 참여보다 더욱 적극적이고 일상적인 형태의 참여를 만들어냈다. SNS 환경에서 커뮤니케이션 활동에 참여하는 것은 그 자체로 기업과 브랜드의 마케팅 커뮤니케이션 활동에 직간접적으로 기여하는 것이다. 앱을 다운로드 받고 이용하는 것들 모두 소비자가 기업의 활동에 '참여'하는 것이다. 구매 행동이 기업 입장에서 궁극적으로 바라는 소비자의 최적 참여 행동이지만, 이 모델에서는 '참여'에 구매를 포함하여 폭넓게 해석하고 있다.

4단계 공유와 확산(Share & Spread)은 가장 중요한 단계로 보고 있다. 공감한 이후, 자기 확인을 거쳐 커뮤니케이션에 참여한 소비자들은 그 참여 활동을 친구 또는 지인에게 소셜 미디어를 통해 공유하려 한다. 이렇게 공유된 콘텐츠들이 이용자들에게 공감을 얻어 '좋아요'를 얻거나 '구독'될 때 기하급수적인 확산이 발생한다.

이렇게 SIPS model은 4단계가 반복되는 열린 구조를 가지며, 다른 모델에서보다 소비자를 정보 및 콘텐츠를 적극적으로 생산, 열람, 유통시키는 주체로서, 이용자로서, 커뮤니케이션 참여자로서 인식하고 있다는 특징을 나타낸다.

5. 소비자 심리학과 연관된 학문 분야

소비자를 연구하는 학문 분야는 심리학을 포함하여 다양하다. 소비자 심리학은 특히 마케팅, 광고학, 의류학, 사회학, 경제학 등과 밀접한 관계를 맺고 있다. 각각의 학문 분야에서 주요하게 다루어지는 주제는 다음과 같다.

심리학 분야에서는 사회심리학과 인지심리학이 소비자 심리학에 많은 영향을 주었다. 사회심리학은 성격, 가치, 태도, 태도변화, 설득 커뮤니케이션, 집단 등에 그리고 인지심리학은 지각, 기억, 구매결정 등에 이론과 원리를 제공하였다. 그 외에도 학습, 동기와 감정에 관한 내용도 심리학에서 제공되었고, 아동 소비자에 관해서는 발달심리학의 도움이 크며, 최근 대중문화에 관한 틀도 문화심리학에서 제공하고 있다.

마케팅에서는 소비자 행동을 연구하는 분야가 소비자 심리학과 깊은 관련을 갖고 있다. 소비자 행동 분야와 소비자 심리학 간에는 구분이 거의 불가능할 정도로 연구주제와 관점이 매우 유사하다.

광고학도 마케팅과 마찬가지로 소비자 심리학과 관련이 있어 광고 대상인 소비자에 대해 관심을 두고 있다. 그러나 광고학에서는 주로 광고 기획, 커뮤니케이션, 매체 등을 연구한다.

의류학 중에서는 패션마케팅 분야가 소비자 심리학과 관련이 있다. 패션 마케팅은 주로 의류와 관련된 분야로서 의복소비를 주요 연구주제로 한다.

사회학 분야에서는 소비자를 둘러싸고 있는 환경, 즉 사회맥락에 관한 틀을 제공한다. 이에 혁신과 유행의 확산에 대한 배경이 제공되었다. 아울러 소비자 조사방법에 관해서는 심리학과 더불어 상당한 기여를 하였다.

경제학은 전통적으로 소비자와 관련이 깊다. 미시경제학에서 소비자 경제학은 소비자를 경제행위의 합리적 주체로 생각한다. 그러나 2002년 노벨경제학상을 수상한 심리학자인 Daniel Kahneman 교수는 자신의 조망 이론을 경제학에 적용한 경제심리학 분야를 경제행위의 주체인 소비자가 반드시 합리적이지 않음을 입증하였다.

이 외에도 인류학이 소비자와 관련을 갖고 있다. 인류학은 소비자 문화에 관한 통찰을 제공하며, 특히 관찰과 면접에 근거한 질적 연구의 틀을 제공한다. 이상에서 볼 수 있듯이 소비자는 다양한 학문 분야에서 연구되고 있으며, 현재 이러한 학문 분야들의 학제 간 연구가 활발히 이루어지고 있다(양윤, 2014).

CONSUMER BEHAVIOR AND
PSYCHOLOGY

제 2 장

지각

1. 지각의 이해

지각은 "우리 주위의 세계를 어떻게 보느냐"로 기술할 수 있다. 두 개인이 동일한 조건하에서 같은 자극을 받을 수 있지만 그들이 자극을 어떻게 인식하고 선택하며, 조직하고 그리고 해석하는가는 각 개인 자신의 욕구, 가치 및 기대에 따라 달라지는 개인적인 과정인 것이다.

먼저 지각은 선택적으로 감각기관에 수용된 정보를 체제화하고 해석하는 과정으로 정의되며 선별, 체제화, 해석 등이 지각에 근거가 되는 기본과정이다. 인간은 항상 수많은 자극에 쌓여 생활하지만, 모든 자극을 다 처리할 수는 없다. 인간은 감각기관에 들어오는 많은 자극을 선택적으로 받아들임으로써 혼돈과 왜곡으로부터 스스로를 방어할 수 있다. 이런 의미에서 지각은 단순히 감각투입만의 함수가 아니라, 오히려 개개인의 경험하는 개인적 이미지—지각—를 형성하기 위해 상호작용하는 두 가지 다른 투입의 결과라고 볼 수 있다.

한 가지 형태의 투입은 외부환경으로부터의 물리적 자극이고 다른 형태의 투입은 이전 경험에 근거한 기대, 동기 및 학습 등과 같은 성향들로 소비자 자신에 의해 제공된다. 이런 두 가지 다른 투입의 결합이 개별 소비자로 하여금 소비환경에 관한 매우 개인적인 이미지를 산출하도록 작용한다. 개별 소비자는 독특한 경험, 욕구, 소망 및 기대 등을 가지고 있기 때문에 개별 소비자의 지각 또한 독특하다. 이는 모든 사람이 완벽하게 동일한 방식으로 세계를 보지 않는 이유를 설명해 준다. 소비자는 소비환경 내의 자극을 선별적으로 받아들이고, 이런 자극을 체제화하며 그들의 욕구, 기대, 및 경험에 근거해 주관적으로 이런 자극에 의미를 부여하여 해석한다.

먼저 지각과정에 관해 살펴보기 전에 인간의 감각에 관한 기본적인 내용을 살펴볼 필요가 있다.

1) 감각

감각은 자극에 대한 감각기관의 즉각적이고 직접적인 반응이다. 자극이란 감각기관에 들어오는 정보를 의미한다. 감각수용기는 감각정보를 받아들이는 인체기관(눈, 코, 귀, 입, 피부)이다. 그 기관의 기능은 보고, 듣고, 냄새 맡고, 맛보고, 느끼는 것이다. 이러한 기능은 대부분의 소비재를 사용하는 데 있어서 단독으로 또는 결합하여 작용한다.

감각은 에너지 변화에 의존한다. 다시 말해 투입에서의 차이를 변별하는 것에 의존한다. 감각투입의 강도에 관계없이, 완벽하게 자극이 없거나 변하지 않는 환경에서는 감각기능이 발휘되지 못한다. 그러나 감각투입이 감소할 때 투입 또는 강도에서의 변화를 탐지하는 인간의 능력은 최소한의 자극조건에서 최대한의 민감성을 확보하는 순간까지 증가한다.

(1) 절대역

자극이 존재한다는 것을 아는 데 필요한 자극의 최소 강도인 절대역은 개인이 감각을 경험할 수 있는 가장 낮은 수준이다.

예를 들어, 〈표 3-1〉에 제시된 것처럼 인간은 맑은 날 밤에 50km 떨어진 곳에 있는 촛불을 볼 수 있다. 또한 6m 떨어진 곳에서 나는 손목시계 소리를 들을 수 있다. 그러나 이 한계를 넘어서는 자극은 더 이상 지각할 수 없다.

〈표 3-1〉 감각의 절대역

감각유형	절대역(absolute threshold)
시각	맑은 날 밤에 50km(30 miles) 떨어진 곳에서 보이는 촛불
청각	조용한 분위기에 6m(20 feets) 떨어진 곳에서의 손목시계 소리
미각	8L(2 gallons)의 물에 들어있는 설탕 한 숟갈의 맛
후각	방이 3개 있는 아파트 안에서의 향수 한 방울 냄새
촉각	1cm(0.5 inches) 높이에서 뺨 위로 떨어진 벌의 날개 무게

자료 : Galanter(1962)

절대역에서 자극에 대한 반응은 100%가 아니라 50%를 유지한다. 즉 어떤 경우에는 반응이 일어나고 어떤 경우에는 반응이 안 일어나는데, 그 수준이 바로 50%이다.

사람이 '뭔가 있다'와 '없다' 간의 차이를 탐지할 수 있는 수준이 바로 그 자극에 대한 그 사람의 절대역이다. 감각체계는 자극 에너지가 절대역에 도달하지 못하면 반응하지 않는다.

한편 변화가 없는 일정한 자극조건에서 절대역은 증가한다(즉 감각이 점점 둔해진다). 처음에 인상적이었던 광고도 자주 보다 보면 눈에 들어오지 않는다. 즉 자극(예, 광고)이 변화 없이 일정하다면, 사람들은 그 자극에 대해 둔감해진다. 이는 지각에서의 순응과 관련이 있다. 순응이란 어떤 감각에 익숙해지는 것을 말한다. 즉 자극의 어떤 수준에 적응하는 것이다.

(2) 차이역

차이역이란 두 자극 간의 변화나 차이를 탐지하는 감각체계의 능력을 말하며, 두 자극 간에 탐지될 수 있는 최소한의 차이가 최소가지차이(JND: Just Noticeable Difference)[2]이다. 차이역에서도 차이에 대한 탐지반응은 100%가 아니라 50%를 유지한다. 즉 어떤 경우에는 차이가 탐지되고 어떤 경우에는 탐지가 되지 않는데, 그 순간이 바로 50%이다.

1834년에 독일의 생리학자인 베버(E. H Weber)는 두 자극 사이의 JND가 절대적 양이 아니라 첫 번째 자극의 강도와 관련한 양이라는 것을 발견하였다. 모든 감각과 거의 모든 강도에 적용되는 베버의 법칙은 다음과 같은 공식으로 기술된다.

$$K = \frac{\triangle I}{I}$$

여기서,

K= 상수(감각에 따라서 변함)

$\triangle I$= JND를 산출하기 위해 요구되는 자극강도에서의 최소한의 변화량

I= 변화가 일어나는 최초 자극 강도

---

2) 두 개의 자극을 구별하는 데 필요한 최소한의 차이강도

베버의 법칙에 의하면, 최초 자극이 강할수록 두 번째 자극과의 차이를 탐지하는 데 필요한 부수적인 강도는 더 커지거나 더 작아져야 한다. 베버의 법칙은 마케팅에 매우 유용하게 적용된다. 예를 들어 매장에서 판매되는 가격의 인상폭이 JND 미만에 있다면 소비자는 가격인상에 대해 신경을 쓰지 않을 것이지만 JND 이상의 가격인상은 소비자에게 반감을 불러일으키게 된다. 다른 한편으로 매장 고객응대 담당자의 복장에 대해서 소비자의 식상함을 막기 위해 JND 수준에서 변화를 줌으로써 디자인의 급격한 변화와 소비자의 식상함을 동시에 막고 소비자의 호의적인 태도를 유지할 수 있게 만들 수도 있다.

베버의 법칙은 마케팅에 매우 유용하게 적용된다. 예를 들어 비누회사에서 100g 비누 1개당 천 원의 가격으로 판매하다 시장 환경의 변화로 인해 가격을 인상할 수 밖에 없다고 하자. 이때 가격인상폭이 JND 미만에 있다면 소비자는 가격인상에 대해 신경을 쓰지 않을 것이다. 그러나 JND 이상의 가격인상은 소비자에게 탐지되고 이것이 소비자에게 반감을 불러일으키게 된다면, 비누의 무게를 JND 이하에서 줄임으로써 가격인상의 대체효과를 얻을 수 있을 것이다.

제조회사와 마케터는 두 가지 이유 때문에 자사제품과 관련되는 JND를 결정하려고 한다. 첫째, 제품크기 또는 품질에서의 감소 또는 가격에서의 증가 등과 같은 부정적인 변화가 소비자에게 즉각적으로 탐지되지 않게 하기 위해서, 둘째, 제품개선이 지나치게 낭비적이라는 인식 없이 소비자에게 분명히 알려주기 위해서 등이다. 마케터는 오랫동안 누적된 광고의 영향력에 노출된 소비자의 호의적인 인식을 유지한 채 기존의 포장디자인을 개선하길 원한다. 이러한 경우에, JND 수준에서의 작은 변화를 통해 소비자가 최소한의 차이를 느끼게 한다.

(3) 식역하 지각

절대역과 밀접히 관련되는 것이 식역하 지각(subliminal perception)이다. 식역하란 용어는 '절대역 아래'를 의미한다. 자극의 강도가 절대역 아래에 있기에 자극은 탐지될 수 없는 것이다. 그러나 식역하 지각은 의식적인 인식수준 아래에서 제시된 자극임에도 불구하고 사람의 행동과 감정에 영향을 줄 수 있다는 생각을 반영한다.

1957년 미국 뉴저지의 한 영화극장에서 관람객은 "Drink Coca—Cola"와 "Eat popcorn"이라는 메시지에 노출되었다. 이 메시지는 영화에 삽입되어 관람객이 의식적으로 탐지할 수 없을 정도로 빨리 제시되었다. 이러한 절차를 수행하였던 마케팅 회사는 극장에서 코카콜라의 판매가 17% 그리고 팝콘의 판매가 58% 증가했다고 주장하였다(Brean, 1958).

이 사건으로 인해 심리학자들은 1950년 후반부터 1960대 초반까지 본격적으로 식역하 지각을 연구하였다. 식역하 지각에 관한 연구들은 상반된 결과를 보였다. 몇몇 연구는 식역하 자극이 효과가 있음을 보고하였지만, 대부분의 연구는 효과가 없다고 보고하였다. 그 결과 많은 심리학자들은 식역하 지각의 효과를 의문시하였다. 또한 식역하 자극의 효과 여부를 떠나서 심각한 윤리문제를 일으킬 수 있음을 유념해야 한다.

(4) 소비자 순응

절대역과 차이역의 개념과 밀접히 관련되는 개념이 순응이다. 누구든지 자극에 대한 순응과정을 경험한다. 순응은 소비자가 어느 일정 기간 동안 제공된 어떤 모양, 스타일 또는 메시지를 신선하게 유지하기 위해서는 마케터가 이러한 것들을 주기적으로 변화시켜야만 한다. 다시 말해 소비자가 제품, 디자인 또는 광고 등에 순응을 하게 되면, 소비자는 이러한 자극에 대해 둔감해질 뿐만 아니라 싫증을 일으키게 된다.

(5) 감각유형

외부 환경에서의 자극들은 인간의 다섯 가지 감각기관을 통해 들어온다. 이러한 감각투입 자극은 지각과정을 유도하는 원자료(처리되지 않은 상태의 자료)이다. 예를 들어 외부 환경으로부터의 어떤 감각자극(예, 라디오에서 나는 소리)은 젊은이로 하여금 첫사랑에 대한 추억을 불러일으키고 첫사랑 여인의 향수 향기 또는 여러 느낌을 떠올리게 하는 내적 감각경험을 생성할 수 있다. 이러한 반응은 소비자와 제품 간의 상호작용에 근거한 쾌락소비, 즉 감정차원에 대한 중요한 요소로 이어질 수 있다.

① 시각

인간은 시각을 통해 자극의 색깔, 크기, 모양 등을 감지한다. 인간의 망막을 통해 입력된 시각 정보는 0.25~0.5초 사이의 매우 짧은 시간 동안만 감각 기억에 저장되어 있다. 수많은 자극이 우리의 시각기관을 통해 처리되기 때문에 마케터들은 광고, 포장, 디자인, 간판, 로고 등 다양한 시각정보를 이용해 소비자의 관심과 주의를 끌고자 노력하고 있다. 제품의 첫인상은 제품과 관련된 물리적 특성의 정도에 기초한다. 제품의 색채, 크기, 스타일 등의 시각적 채널을 통하여 제품관련 의미가 전달된다. 색채에 대한 어떤 반응은 학습된 연합으로부터 나타난다. 예를 들어 서양 국가들과 우리나라에서는 검은색 그리고 일본에서는 흰색이 조문의 색으로서 상징성을 갖고 있다.

색채는 포장 디자인에서 주요한 요소이다. 이는 색채가 포장 안에 무엇이 들어 있는가를 상상하는 소비자에게 상당한 영향을 줄 수 있기 때문이다.

② 청각

사람들은 소리를 그 울림에 의하여 경험하게 된다. 이 울림은 파동의 형태를 지니는데 사람의 귀를 통하여 들어와 소리로서 지각된다.

인간의 감각수용기에 입력된 청각 자극은 파지 시간이 약 2초로 매우 짧다. 청각 자극 또한 시각 자극과 마찬가지로 매우 중요한데 이는 소비의 정보처리가 대부분 시각과 청각에 의해 일어나기 때문이다. 예를 들어 긍정적 감정을 불러일으키는 유명한 음악을 광고의 배경음악으로 제시함으로써 제품에 대해 긍정적 느낌을 갖도록 할 수 있다.

청각은 음악에 의하여 무드를 유도할 수 있기 때문에 실제상황에서 효과적으로 사용될 수 있다.

청각적 요소를 활용하여 소비자의 행동에 영향을 주려고 한다. 광고의 CM song(Commercial Song)은 상표를 인식시키고, 배경음악은 소비자에게서 바람직한 기분을 만들어낸다. 소리는 소비자의 감정과 행동에 영향을 미친다.

③ 후각

후각은 오감 중에서 사람들에게 가장 효과적인 경고체계로서 다른 지각작용보다 빠르게 반응하기에 일상생활에서 상당히 중요한 역할을 수행한다.

일반적으로 소비자는 특정 향기를 통해 감정을 자극하거나 차분한 느낌을 불러일으킬 수 있다. 이는 향기가 인간 뇌의 가장 기본적인 부분이며 즉각적인 감정을 다루는 부위인 변연계에서 처리되기 때문이다. 또한 기억을 촉진시키거나 긴장을 완화시킬 수 있다.

④ 촉각

사람의 피부는 부드러운 접촉, 강한 고통, 추위 그리고 따뜻함 등 여러 가지 상이한 자극을 받아들인다. 촉각은 압력에 대한 재반응으로 반응의 정도는 반응자와 그들의 신체부위에 따라 달라진다.

일반적인 관찰에 의하면 촉각은 소비자 행동에서 중요하다. 예를 들어 소비자는 섬유소재의 촉감과 제품 품질을 연합시킨다. 의복, 침구류 또는 방석·소파의 천 소재는 부드러운지, 거친지, 유연한지, 딱딱한지 등의 느낌과 연결된다. 마찬가지로 보다 부드러우면서 섬세하게 처리된 직조는 여성스러운 것으로, 거친 직조는 남성용인 것으로 보인다.

⑤ 미각

미각은 혀의 자극에 의하여 느낀다. 미각은 기본적으로 단맛, 짠맛, 쓴맛, 신맛으로 구분된다. 사람들이 음식에 대한 개인의 선호를 평가할 때 미각이 고려되는데 전반적인 음식에 대한 평가에는 색깔, 후각, 과거 경험 등과 같은 인지요인, 그리고 배고픔과 같은 비인지적 요인이 복합적으로 영향을 미친다.

특히, 사람들은 색깔과 기대하는 미각을 관련짓는다. 특정한 맛을 확인하는 데 있어서 미각뿐만 아니라 시각적인 단서에서 의존한다. 색깔은 기본적인 네 가지 맛과 관련되어 있다. 예를 들어 파란색은 단맛, 빨간색은 신맛으로 느낀다. 온도도 미각에 영향을 미치는데 너무 온도가 높을 경우 사람들은 맛을 구분하기가 어렵다. 즉, 혀의 감각은 매우 민감하기 때문에 너무 온도가 높을 경우 혀의 기능을 상실하기 때문에 주의해야 한다.

식품회사들은 자사 제품이 음식 맛을 제대로 내는지를 확인하기 위해 철저한 공정을 거친다. 나비스코(Nabisco)가 자사의 과자품질을 평가하기 위해 사용하는 절차를 살펴보면 소비자는 실질적인 맛에 의해서가 아니라 소비자의 기억 속에 있는 특정 상표 또는 습관과 관련한 심리적인 맛에 의해 이루어지는 경향이 강하다.

2. 노출

마케팅 자극이 소비자에게 어떤 식으로든 영향을 주기 위해서는 먼저 소비자가 그 정보에 노출되어야 한다. 노출은 소비자가 외부의 물리적 자극과 접촉하는 것으로 정보가 감각기관의 수용 범위 안에 들어올 때 발생한다. 소비자는 제품 구매와 관련이 없는 상황, 구매시점, 소비 및 처분 시점 등 모든 시점에서 마케팅 자극에 노출될 수 있다. 소비자가 마케팅 정보에 노출되어야 후속 처리가 발생하기 때문에 마케터는 소비자에게 마케팅 정보가 노출될 수 있도록 모든 노력을 경주해야 한다.

1) 선택적 노출

마케터는 소비자의 모든 접점에 제품 정보를 제시함으로써 노출을 시도하지만 가장 큰 문제는 소비자가 불필요한 노출을 피하고 필요한 것만 지각하려고 하는 데 있다. 소비자의 처리용량은 한계가 있기 때문에 모든 마케팅 자극을 수용해 처리하는 것이 불가능하다. 또한 소비자는 이미 알고 있는 정보나 자신과 관련이 없다고 생각되는 자극은 피한다.

2) 의도적 노출

의도적 노출은 소비자가 자신의 동기나 목표와 관련된 정보를 능동적으로 찾고 접촉하고자 할 때 나타난다. 마케터는 소비자의 의도적인 노출을 유도하기 위해 소비자의 목표를 인식시키거나 보상을 이용하기도 한다.

3) 우연적 노출

소비자는 외부 정보에 우연히 수동적으로 마주치게 되는데 이를 우연적 노출이라고 한다. 대부분의 광고, 판매원의 권유와 외침, 구매시점의 전시물 등이 여기에 해당된다.

3. 주의

실제로 사람들은 그들을 둘러싸고 있는 수많은 자극 중 단지 극소수만을 받아들인다. 선별과정에서 살펴봐야 할 한 가지 중요한 개념이 주의이다. 주의는 특정대상에 대한 정보처리 용량의 배분으로 정의되는데, 이는 정보가 의식적으로 처리되도록 인지적 용량을 특정한 대상이나 과제에 할당하는 것을 말한다.

주의는 크게 두 가지 특성을 갖는다. 한 가지는 선택이고 다른 하나는 집중이다. 주의의 선택적 특성은 정보가 과부하 되지 않도록 해 준다.

199

매장에서 소비자는 자신을 둘러싸고 있는 모든 정보를 처리할 수가 없다. 소비자는 정보의 과부하를 막기 위해 주의의 선택적 특성을 활용하여 필요한 정보를 우선적으로 처리한다. 정보 과부하를 방지하려는 반응에는 각각의 정보에 대해 시간을 적게 투자하는 것, 하위순의 정보를 무시하는 것 또는 어떤 감각적 투입을 완전히 차단해버리는 것 등이 포함된다.

소비자의 주의는 자발적으로 또는 비자발적으로 활성화 될 수 있다. 소비자가 개인적으로 관련되는 정보를 능동적으로 탐색할 때, 이들의 주의는 자발적이다. 자발적 주의는 선택적 특성을 지닌다. 소비자가 특정 제품에 관련될수록 그들의 주의는 선택적이 되어 자신과 관련되는 정보에 초점을 맞춘다.

소비자는 비자발적으로도 주의할 수 있다. 비자발적 주의는 소비자가 놀랍거나, 신기하거나, 위협적이거나, 기대치 않았던 무언가에 노출될 때 일어난다. 이럴 경우에 소비자는 자동적으로 자극에 눈을 맞춤으로써 주의한다. 현저한 자극은 비자발적 주의를 유도한다. 현저한 자극을 무시하기란 쉽지 않다. 어떤 제품, 포장, 광고 등은 그것들을 차별적이고 흥미롭기 때문에 시선을 끈다.

그러나 현저성은 맥락 의존적 특성을 지닌다. 다시 말해 한 맥락이나 상황에서 현저한 자극은 다른 맥락이나 상황에서는 현저하지 않을 수 있다. 독특하거나 차별적인 자극은 전경으로 분명하게 보이고 나머지 다른 것들은 배경으로 뚜렷하게 보이지 않는다. 이것이 지각의 전경－배경 원리이다.

1) 자극특성

(1) 신기성

기대하지 않았던 방식으로 또는 장소에 나타나는 자극은 소비자의 주의를 끄는 경향이 있다. 주의를 끌기에는 덜 적합한 의외에 장소에 놓인 광고도 소비자의 주의를 끄는 경향이 있다. 이러한 장소로는 쇼핑용 손수레의 뒤쪽 받침대, 터널의 벽, 실내 운동장의 마루 등을 들 수 있다. 광고가 보이기에는 더 의외에 장소로 공중화장실, 가로수, 지하철 계단 등을 들 수 있다.

아울러 신기한 제품도 주의를 끌 수 있다. 신기한 제품은 초기에는 높은 판매율을 보이는 경향이 있다. 그러나 신기성은 시간과 더불어 점점 사라지기에 기업은 신제품을 계속해서 개발해야만 한다.

(2) 생생함

주변자극에 의해 영향을 받는, 즉 맥락 의존적인 현저한 자극과 달리 주변자극과 별개인 생생한 자극은 맥락에 관계없이 주의를 끈다. 생생한 자극은 정서적으로 흥미롭고 구체적이며, 감각적·시간적·공간적으로 근접해있다.

(3) 대비

대비는 가장 많이 주의를 끄는 자극 속성들 중 한 요인이다. 사람들은 그들의 배경과 대비가 되는 자극에 주의를 하는 경향이 있다. 서로 대비가 되거나 불일치하는 자극을 제시하는 것이 주의를 증가시키는 지각적 갈등을 일으킨다.

(4) 색채

주의를 끌며 자극을 유지할 힘은 색의 사용에 의해 명백히 증가할 수 있다. 흑백광고보다 컬러광고가 소비자의 주의를 더 끌 수 있을 것이다.

(5) 크기

일반적으로 자극이 클수록 더 주의를 요한다. 크기에서의 증가가 소비자로 하여금 주의할 기회를 높일 것이다. 매장에서 소비자가 제품을 주목할 가능성은 제품이 놓일 진열대 공간의 크기에 달려있다. 충동구매 품목의 경우 이것은 특히 중요하다.

(6) 강도

자극 강도가 크면 클수록 더 주의를 끈다. 예를 들면 더 큰소리와 밝은 컬러는 주의력을 높일 수 있다.

(7) 위치

자극은 단순히 위치적 속성 때문에 주목될 수도 있다. 예를 들어 식료 잡화점에서 충동구매 품목들은 소비자의 눈에 잘 띄는 계산대 옆에 전략적으로 놓여 있다.

위치 인쇄매체에서도 또한 중요하다. 잡지에서는 후반부보다 전반부에 위치한 광고, 왼쪽 페이지보다 오른쪽 페이지에 위치한 광고에 더 큰 주의를 받는다.

(8) 운동

움직이는 자극은 정지된 자극보다 더 큰 주의를 받는다. 소비자의 주의를 끌도록 가현운동(apparent movement)[3]을 일으키는 매장 디자인도 이에 속한다.

2) 소비자 요인

(1) 기대

사람들은 보통 그들이 보려고 기대하는 것을 보며, 그들이 보려고 기대하는 것은 보통 친숙성이나 사전경험에 의해 영향을 받는다. 여기서 기대란 특정한 방식으로 반응하려는 준비성으로 정의된다.

마케팅 상황에서 사람들은 자신의 기대에 따라 제품과 제품속성을 지각하는 경향이 있다. 새로운 위스키가 쓴맛을 가지고 있다고 그의 친구로부터 얘기를 들은 사람은 아마도 그 맛이 쓸 것이라고 지각할 것이다. 무서울 것으로 예고된 공포영화를 보고 있는 영화관람자들은 아마도 그것을 무섭다고 볼 것이다.

(2) 동기

사람들은 그들이 원하는 것을 지각하는 경향이 있다. 사람들의 욕구

---

3) 실제로는 운동이 없지만, 운동이 일어나는 것처럼 지각하는 현상

가 강할수록 환경에서 무관한 자극을 무시하려는 경향은 커진다. 건강에 관심이 많은 소비자는 그런 관심이 없는 소비자보다 건강에 관한 광고에 더 주의를 기울일 것이다. 또한 개인의 지각과정은 단순히 그 개인에게 중요한 환경요소에 더 밀접히 맞춰진다.

(3) 관여

관여는 특정한 상황에서 자극에 의해 유발되는 지각된 개인적 중요성 또는 흥미의 수준을 의미한다. 소비자의 관여가 높아질수록 소비자는 구매와 관련된 정보에 주의를 기울이고, 정보를 이해하고 정교화 하는 데 훨씬 더 동기화된다.

소비자의 관여의 유형은 두 가지로 나뉘는데 상황관여는 짧은 기간 동안 나타나는 것으로 고장 난 제품을 교체하는 것처럼 특정한 상황과 관련된다. 반대로 지속관여는 소비자가 제품에 변함없이 높은 수준의 관심을 보이고 그것에 대해 생각하는 데 시간을 자주 투자할 때 나타난다. 예를 들어 새로운 자동차를 구매한 소비자는 지속적으로 제품에 관심을 보인다.

4. 지각 체제화

사람들은 환경으로부터 자신이 선택한 자극을 분리된 부분으로 지각하지 않는다. 오히려 사람들은 자극을 집단으로 체제화하고 통합된 전체로 지각하는 경향이 있다.

지각 대상은 개별 요소의 총합으로 구성되어 있으며 소비자는 이러한 자극을 의미있는 덩어리로 파악한다. 또한 소비자는 새로운 자극이 주어지면 이를 우리의 기억 속에 있는 정보와 연결시켜 처리한다. 이러한 과정이 지각 체제화이다.

지각 체제화의 과정은 지각적 부호화와 지각적 통합의 두 과정으로 나뉜다. 지각적 부호화는 주어진 정보에 소비자가 이해할 수 있는 언어, 이미지, 숫자와 같은 심리적 기호를 부여하는 과정이며 자동적으로 이루어진다. 부호화는 감각 자극의 특징을 분석하고 이를 이용 가능한 정보와 결합하여 자극에 대한 이해를 증진시키는 과정이다. 지각적 부호화 이후에 나타나는 지각적 통합은 소비자가 주어진 정보를 개별 자극이 아니라 조직된 전체의 덩어리로 파악하는 과정이다.

지각적 통합은 게슈탈트 심리학(Gesalt Psychology)의 원리에 근거하는데, 이 원리는 사람들은 대상의 개별적인 요소가 아니라 그 대상 전체를 통해 의미를 파악하려고 한다고 제안한다. 즉 대상 전체는 부분의 합 이상이다. 자극이 조직화되는 방식을 잘 보여주는 원리가 게슈탈트 심리학에 의해 제안되었는데 이를 살펴보면 다음과 같다.

1) 전경-배경

중심이 되는 정보는 전경으로, 나머지 정보는 배경으로 지각하는 현상을 말한다. 다시 말해 사람들은 그들의 지각을 전경과 배경이라는 두 가지 패턴으로 체제화 하는 경향이 있다. 전경은 더 확고하고 더 잘 규정되어 있으며 배경의 전면에 나타나 보이는 반면에 배경은 보통 불분명하고 흐릿하며 연속적으로 나타나 보인다. 다시 말해 전경은 우세한 것으로 나타나기 때문에 분명히 지각이 되지만 배경은 예속적인 것으로 나타나 덜 중요한 것으로 지각된다.

2) 집단화

자극을 집단화하는 데 활용될 수 있는 원리는 여러 가지가 있다. 여기서는 소비자 행동에 적절히 적용될 수 있는 다섯 가지 원리를 살펴볼 것이다. 먼저 유사성(similarity) 원리는 사람들이 유사한 외양을 공유하는 대상을 함께 묶어서 지각하려는 경향성이다. 예를 들어 마트의 라면 진열대에서 보면 매운맛의 라면들의 포장은 모두 붉은색을 많이 띈다. 이는 붉은색이 매운 맛을 표현해주기 때문이기도 하지만 무엇보다도 이 품목의 선두상표와 유사하게 보이려는 전략이다.

자극의 집단화에 관한 중요한 두 번째 원리가 완결성(closure)이다. 사람들은 불완전한 자극 패턴을 완성해서 지각하는 강력한 경향성을 지니고 있다. 다시 말해 사람들은 생략된 부분을 의식적으로 완성시키려고 한다. 사람들은 불완전한 자극을 보면 긴장을 일으키고 긴장을 감소시키기 위해 불완전한 자극을 완전하게 만들려고 동기화된다.

완결성의 원리를 이용한 광고로 드라마식 광고가 있는데 이는 광고에서 결말을 제시하지 않음으로써 소비자로 하여금 결말을 생각하고 완성하게 만드는 방식이다. 불완전한 대상이나 정보는 완전한 자극보다 더 주의를 끌고 기억도 더 잘 된다. 이같이 불완전한 자극이나 미완성의 과제가 완전한 자극보다 더 잘 기억되는 현상을 자이가르닉(Zeigarnik) 효과라고 한다.

세번째 근접성(proximity)은 물리적으로 가까이 놓인 대상을 묶어서 지각하려는 경향성을 말한다.

네번째 연속성(continuity)은 불연속적인 것보다는 부드럽게 연속된 형태로 대상을 지각하는 것이다.

마지막으로 맥락효과(context effect)는 어떤 자극이 속한 매락의 특성이 그 자극의 지각에 영향을 준다. 예를 들어 PPL(Product Placement)의 경우, 영화, 드라마 또는 게임 장면이 제품과 잘 어울리는 맥락을 형성하여 제품의 지각에 긍정적으로 영향을 줄 수 있다.

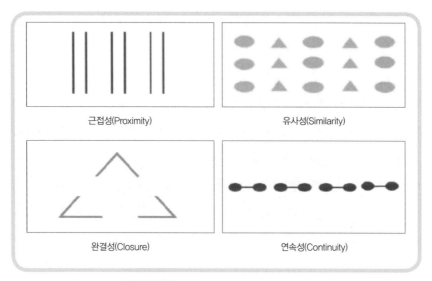

근접성(Proximity)   유사성(Similarity)

완결성(Closure)   연속성(Continuity)

그림 3-7 게슈탈트의 집단화 원리들

5. 해석

해석은 감각자극에다 의미를 부여하는 것이다. 이러한 해석과정을 통해 사람들은 자극이 무엇인지를 이해한다. 해석 단계에서 사람들은 자극이 무엇일 것이라는 기대감뿐만 아니라 자극과 관련된 정보를 장기기억에서 인출한다.

감각자극에 부여되는 의미에는 두 가지 유형이 있다. 하나는 사전적 의미로 이는 사전에 나오는 단어에 부여된 전통적인 의미다. 다른 하나는 심리적 의미로, 이는 개인의 경험 그리고 자극이 나타난 맥락 등에 근거하여 개인이 자극에 부여하는 특정한 의미이다. 예를 들어 자동차 세일에 대한 의미론적 의미는 '정상가로부터의 가격인하'이다. 그러나 이에 대해 소비자가 부여할 수 있는 심리적 의미는 '조만간 생산이 중단되겠구나', '새로운 모델이 곧 시판되겠구나' 또는 '회사가 무척 힘든 모양이지' 등일 것이다.

해석은 인지적 또는 사실적 해석 그리고 감정적 해석의 두 가지 유형이다. 인지적 해석은 자극이 기존의 의미범주에 놓이는 과정이다. 예를 들어 스마트폰이 시장에 처음 나왔을 때 소비자는 이 제품을 평가하기 위해 스마트폰을 기존의 휴대폰 범주에 포함시켰을 수도 있다. 차후에 이 제품과 관련된 정보 또는 경험이 증가함에 따라 많은 소비자가 이 제품에 대해 충분히 알게 되고 다양한 상표와 기종을 분류하기 위해 휴대폰 범주 내의 하의범주 또는 기존의 휴대폰과는 별도의 새로운 범주를 형성했을 것이다.

감정적 해석은 광고와 같은 자극에 의해 유발되는 감정반응이다. 예를 들어 소비자가 '어머니가 아기를 사랑스러운 눈길로 바라보며 돌보는 광고'를 보았을 때 이들이 따뜻한 정을 느끼는 것은 자연스럽고 정상적인 반응이기에 이 광고에 대한 해석은 다분히 감정적일 것이다.

다른 한편으로 소비자는 소비자환경에서 받은 정보를 해석하는 과정에서 정보의 의미를 해독할 것이다. 이런 정보해독과 관련하여 기호학(semiotics)은 사람들이 기호로부터 어떻게 의미를 획득하는지를 분석하기 위해 개발되었다. 여기서 기호란 서로에게 정보를 전달하기 위해 사용된 단어, 제스처, 그림, 제품 및 로고 등을 말한다. 소비자가 환경에서 상징에 감정적으로 어떻게 반응하는지를 이해하기 위해서는 다양한 기호의 공유된 의미를 이해해야 한다.

1) 기호학

소비자는 소비환경에서 받은 정보를 해석하는 과정에서 정보의 의미를 해독할 것이다. 이런 정보해독과 관련하여, 기호학(semiotics)은 사람들이 기호로부터 어떻게 의미를 획득하는지를 분석하기 위해 개발되었다. 여기서 기호란 서로에게 정보를 전달하기 위해 사용된 단어(상표 포함), 제스처, 그림, 제품 및 로고 등을 말한다. 기호학 분야는 마케팅의 판매촉진 전략과 매우 깊은 관련이 있다. 즉 다양한 상징 또는 기호를 통해 제품이나 서비스에 관한 정보가 소비자에게 전달된다.

기호학 영역은 마케팅 의사전달에 특히 중요하다. 마케터와 광고인은 상징의 사용과 그들의 표적시장 내의 소비자가 상징을 어떻게 해석하는가에 주의를 기울여야 한다. 예를 들어 하나의 기호로 작용하는 상표명에 대한 소비의 해석이 중요하다. 미국 GM 자동차 '쉐보레 노바'를 남미에 출시했지만 대실패였다. 주로 스페인어를 쓰는 남미에서 '노바(no va)'가 '가지 않는다'는 뜻이기 때문이었다. 포드도 남미에 '피에라'를 출시했다가 '추한 노파'를 누가 타겠느냐는 빈정거림만 받았다.

6. 지각의 적용

소비자의 지각적 특성과 과정을 이해함으로써 이를 활용하는 방법을 모색해볼 수 있다.

첫째, 적재적소에 적절한 정보를 제공하는 것이 좋다. 일상생활에서 소비자가 접하는 상황을 파악해서 그 접점에 마케팅 정보를 제공하여 노출과 주의를 높일 수 있다. '콘텍스트 마케팅'이라고 부르는 이 전략은 소비자의 현재 상황에 맞는 소비 정보를 제공해 줌으로써 소비자의 주의와 노출 가능성을 높이고 소비자가 그때, 그 장소에서, 바로 필요한 구매 활동을 할 수 있도록 지원하는 상황 적응적 마케팅이다.

둘째, 소비자 대부분은 마케팅 자극을 주의 깊게 처리하지 않는다. 따라서 타깃 소비자의 매체 접촉 분석을 이용해서 우연적 노출의 가능성을 높이는 것도 바람직하다.

셋째, 마케팅 자극은 소비자의 절대역을 초과해야 한다. 마케팅 자극은 소비자의 절대역을 초과해야 한다. 소비자가 볼 수 없는 위치나 들을 수 없는 혼잡한 장소에 광고나 제품 정보를 제시하면 아무런 효과가 없다.

넷째, 소비자가 두 자극의 차이를 감지하거나 제품의 가격, 로고, 디자인 등의 변화를 인지하게 하려면 소비자의 최소 가지 차이 수준을 파악하여 차이역 이상 또는 이하의 강도로 자극을 제시해야 한다. 예를 들어, 제품의 가격 인하나 품질 개선은 차이역 이상의 자극을, 제품 가격의 인상이나 용량 감소는 차이역 이하로 제시하는 것이 좋다. 또한 경쟁 제품과의 차이를 소비자가 인지하게 하려면 자사 제품의 차별적 특성을 부각하는 것이 좋다.

다섯째, 제품이 소비자의 마음에 어떻게 인식되어 있는지 알아야 하는데 이를 아는 한 가지 방법은 지각도를 파악하는 것이다. 제품의 지각은 제품의 기능적 속성과 상징적 속성으로 되어 있다. 제품에 대한 우리의 평가는 대체로 제품의 기능보다는 제품에 부여된 의미의 결과이다. 소비자가 지각하는 이런 의미가 시장에서의 제품의 위치를 구성한다. 이는 제품에 대한 우리의 기대와 가치를 반영한다. 지각도는 관련성이 있는 제품들이 시장 내에서 차지하는 위치를 표현하는 것으로 소비자에게 제품의 어떤 속성이 중요한지를 묻거나 경쟁 제품이 그 속성에서 차지하는 위치를 파악함으로써 알 수 있다. 지각도는 각 제품이 가지고 있는 속성을 경쟁 상표와 비교하여 제시하는 방법으로 기업의 포지셔닝 전략 수립에 기초가 되는 자료로 제공된다. 지각도를 이용해서 중요한 속성의 차원에서 같은 범주에 속한 제품들이 차지하는 상대적 위치를 파악하고 충족되지 않은 소비자의 욕구를 확인할 수 있다.

소비자 행동과 심리

CONSUMER BEHAVIOR AND
PSYCHOLOGY

제 3 장

학습과 기억

1. 학습

학습(learning)은 '환경사건과의 경험으로부터 생기는 행동에서의 비교적 영속적인 변화'로 정의된다. 이 정의에 의하면 학습은 개인이 환경조건의 변화에 대한 반응으로 목표지향적 행동을 변경시키는 적응과정으로 보인다. 마케팅 측면에서 볼 때, 학습은 소비자가 새로운 정보를 이해하기 위해 그들의 신념을 변경시킬 때 일어난다고 볼 수 있다. 학습은 외현적인 행동반응뿐만 아니라 태도와 여러 인지요소의 학습을 포함한다.

1) 행동 학습

학습의 가장 기본적인 형태인 연합 또는 행동 학습은 학습이 외부 자극에 대한 반응의 결과로 나타난다고 가정한다. 행동 학습 이론은 소비자의 내적인 인지 과정 없이도 어떤 반응이 생성된다고 본다. 연합 학습은 고전적 조건화와 조작적 조건화를 통해 이루어진다.

2) 인지 학습

연합 학습이론이 고전적 조건화와 조작적 조건화에서 각각 자극과 반응, 반응과 강화의 연합을 통해 무엇을 획득하는가에 초점을 두고 있다면, 인지 학습 이론은 학습과정에서 유기체의 내적인 인지 기제가 어떤 역할을 하는가를 강조한다. 인지 학습은 소비자가 제품 정보를 습득하고 처리해서 이를 자신이 가지고 있는 기존의 지식과 신념에 통합하는 능동적 학습 과정이다. 이 학습이론은 사람을 주어진 자극과 변별단서에 반응하는 수동적인 존재가 아니라 환경을 지배하고 통제하기 위해 자신을 둘러싼 주변으로부터 정보를 찾고 활용하는 능동적 학습자로 간주한다. 이 이론을 지지하는 견해는 학습과정에서 기대와 통찰을 강조한다. 인지 학습에서는 유기체가 반응과 강화의 단순한 연합을 학습하기 보다는 반응 후에 주어지는 강화에 대한 기대를 형성한다고 보는데, 이러한 기대의 형성은 인지적, 정신적 활동을 필요로 한다.

소비 상황에서 인지 학습은 주로 제품과 서비스를 직접 사용하거나 다른 사람이 사용하는 것을 관찰하거나 매체나 인적 정보원으로부터 제품 관련 정보를 처리한 결과로 형성된다.

소비자는 반응 후에 즉각적인 강화가 주어지지 않더라도 잠재적으로 강화에 대한 기대와 동기를 형성한다. 광고의 경우 대개 잠재 학습을 통해 효과가 발휘되는데, 소비자가 장기적으로 꾸준히 광고에 노출되면 잠재적인 강화에 대한 학습을 형성한다. 이후 동기화 과정을 거쳐 구매 상황에서 행동으로 연결된다. 예를 들어, 어떤 사람이 유명 브랜드의 옷을 입었을 때 타인에게 부러움을 사는 것을 보았다면 내가 그 브랜드의 옷을 입어도 이러한 보상이 있을 것이라는 기대감이 형성된다. 그래서 차후에 옷을 구매하는 상황에서 그 브랜드의 옷을 선택함으로써 사회적 인정을 얻으려 할 것이다.

3) 사회 학습

사회 학습은 다른 사람의 행동을 모방하거나 관찰함으로써 학습이 이루어지는 것으로 직접적인 경험보다는 대리적 경험의 결과로 나타난다. 사람들은 관찰 내용을 기억에 저장하고 나중에 유사한 상황에서 자신의 행동을 결정하는 데 이 정보를 사용한다. 이 학습 이론은 관찰 학습, 대리 학습 또는 모델링(modeling)이라고도 한다.

2. 고전적 조건형성

고전적 조건형성은 원래 중립적인 조건자극(CS: conditioned stimulus)과 반응을 유발하는 무조건 자극(UCS: unconditioned stimulus)과의 반복적인 짝짓기, 즉 연합에 의해 일어난다. 러시아 생리학자인 이반 파블로브(Ivan Pavlov)의 실험에 의하면 조건자극(예, 종소리)이 무조건자극(예, 음식)보다 시간상 약간 먼저 제시되는데 여기서 무조건자극은 자동적으로 무조건반응(예, 타액분비)을 일으킨다. 이 실험에서 조건자극과 무조건자극 간의 반복적 연합의 결과로 조건자극만 가지고도 무조건반응(UCR: unconditioned response)과 같거나 유사한 반응(파블로프 실험에선 동일한 반응)을 일으키게 되며, 이 반응을 조건반응(CR: conditioned response)이라 부른다(그림 [3-8] 참조).

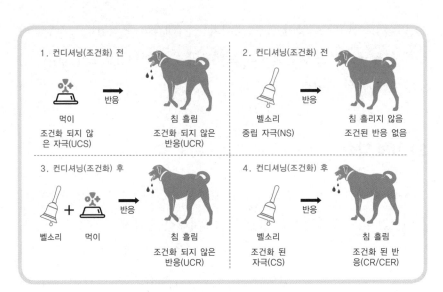

1. 컨디셔닝(조건화) 전

먹이
조건화 되지 않은 자극(UCS)

반응

침 흘림
조건화 되지 않은 반응(UCR)

2. 컨디셔닝(조건화) 전

벨소리
중립 자극(NS)

반응

침 흘리지 않음
조건된 반응 없음

3. 컨디셔닝(조건화) 후

벨소리 + 먹이

반응

침 흘림
조건화 되지 않은 반응(UCR)

4. 컨디셔닝(조건화) 후

벨소리
조건화 된 자극(CS)

반응

침 흘림
조건화 된 반응(CR/CER)

그림 3-8 고전적 조건형성

　　광고측면에서 볼 때 조건자극으로는 상표, 제품, 기타 소비품 등을 들 수 있고, 무조건자극에는 인기 있는 유명인, 음악, 그림 등이 포함된다. 만약 조건자극(예, 상표)이 무조건자극(예, 유명인 또는 음악)에 의해 일어나는 무조건반응(예, 좋아한다는 감정)과 동일하거나 유사한 조건반응(예, 좋아한다거나 멋있다는 감정)을 일으킬 수 있다. 다시 말해 특색 있는 음악(무조건자극)이 정서적으로 시청자를 흥분(무조건반응)시킨다면 그 음악과 짝지어진 상표(조건자극)가 유사하게 소비자를 흥분(조건반응)시키게 된다는 것이다.

　　고전적 조건형성이 소비자 행동을 변경시킬 수 있다는 실험실 연구가 있다. 한 연구자는 학생들에게 그들이 좋아하는 음악 또는 싫어하는 음악(무조건자극) 중 하나를 들려주는 동안 베이지 또는 파란색 볼펜(조건자극) 하나를 슬라이드로 보여줌으로써 고전적 조건형성 상황을 설정하였다. 학생들에게 베이지 또는 파란색 볼펜 중 하나를 선택하도록 했을 때,

대부분의 학생들은 그들이 좋아하는 음악과 연합된 볼펜을 더 선호(조건반응)하였다.

1) 고전적 조건형성의 중요 특성과 적용

(1) 반복

반복은 조건자극과 무조건 자극 간의 연합강도를 증가시키며 망각을 늦춘다. 그러나 연구들은 기억파지를 도울 반복의 양에는 제한이 있다고 제안한다. 과학습(학습에 필요한 양을 넘어서는 반복)이 기억파지를 도울지라도, 어느 순간부터 사람은 반복노출에 포만감을 가지며 결국 파지는 쇠퇴한다.

비록 반복 원리가 잘 인식되었더라도 반복횟수에 관해서는 모든 사람이 동의하고 있지는 않다. 어떤 학자들은 광고에 대해 3회 반복이면 충분하다고 주장한다(Krugman, 1972). 다른 학자들은 3회 반복의 효과가 나타나기 위해서는 11회에서 12회의 반복이 필요할 것이라고 생각한다.

반복의 효과성은 경쟁광고의 양에 따라 달라진다. 경쟁광고의 횟수가 많을수록, 간섭이 일어날 가능성은 더욱 커지고, 결국 소비자는 반복으로 인해 나타나는 이전 학습을 망각할 수 있다. 현실에 광고혼잡도(advertising cluster)를 고려한다면 3회 반복보다는 더 많은 반복이 필요할 수 있을 것이다.

(2) 자극일반화

자극일반화란 본래의 조건자극과 유사한 다른 조건자극에 의해서도 조건반응이 일어나는 것을 말한다. 앞의 파블로프 실험에서 조건자극(예, 종소리)과 무조건자극(예, 음식) 간의 연합에 의해 종소리만으로도 조건반응(예, 타액분비)이 일어난 후, 종소리와 유사한 다른 조건자극(예, 방울소리)을 제시하여도 조건반응이 일어나는데 이를 자극일반화라고 부른다. 자극일반화는 시장에서 모방제품이 성공하는 이유를 설명한다. 이는 소비자가 자신이 광고에서 본 진품과 모방제품을 혼동하기 때문이다.

자극의 일반화에는 제품계열, 제품형태, 제품범주의 확장에까지 적용된다. 제품계열 확장에서 마케터는 관련 제품에 기존의 잘 알려진 상표명을 붙이는데, 이는 신제품이 기존의 잘 알려지고 믿음이 가는 상표명과 연합될 때 더 잘 수용되기 때문이다. 또한 제품형태의 확장은 제품의 크기, 색채, 향을 포함하는데, 예를 들어 블루베리 고체비누에서 블루베리 액체비누, 블루베리 샤워 젤 까지의 확장을 들 수 있다. 제품범주의 확장의 예는 일회용 빅(BIC) 볼펜에서 일회용 빅 면도기로의 확장을 들 수 있다.

또한 한 계열의 모든 제품에다 동일한 상표명을 붙이는 것을 '통일상표화(family branding)'라고 하는데, 이는 한 제품에서 다른 제품으로 기존의 호의적인 상표이미지를 일반화하는 소비자의 경향을 이용한 또 다른 전략이다. 인가(licensing)는 잘 알려진 상표명을 다른 제조사의 제품에다 사용할 수 있게 허락하는 것이다. 그러나 이러한 인가전략은 모조품이라는 부작용을 일으킬 수 있다.

(3) 자극 변별

자극 변별(discrimination)은 자극일반화와 반대되는 과정으로 유사한 조건자극들 간에 차이를 식별하여 특정한 조건자극에만 반응하는 것을 말한다. 유사한 자극을 변별할 수 있는 소비자의 능력은 소비자 마음에 상표에 대한 독특한 이미지를 심어 주려는 위치화(positioning)전략의 근거가 된다.

① 제품 위치화

제품이나 서비스가 소비자 마음에서 차지하는 이미지 또는 위치는 제품이나 서비스의 성공에 매우 중요하다. 마케터가 자사제품이 소비자의 특정한 욕구를 만족시킬 것임을 독특한 방식으로 강조하는 강력한 커뮤니케이션 프로그램을 소비자에게 집중시킬 때, 마케터는 소비자가 제품선반에서 자사제품과 경쟁제품을 변별해주기를 원한다. 소비자가 그들의 지각을 일반화하여 선두제품의 특정한 특성을 자사제품에도 귀속시키기를 원하는 모방회사와는 달리, 시장에서의 선두주자는 소비자가 유사한 자극들을 변별해주기를 원한다. 효과적인 위치화와 자극변별로부터 나타나는 호의적인 태도는 미래의 구매행동에 영향을 줄 만큼 충분히 오랫동안 유지된다(Grossman & Till, 1998).

② 제품 차별화

대부분의 제품차별화 전략은 소비자에게 관련 있고 의미가 있으며, 가치 있는 속성에 근거하여 소비자가 자사제품·상표와 경쟁제품·상표를 구분하도록 수립한다. 그러나 많은 마케터는 제품이나 상표에 내포된 편익과 실질적으로 무관할 수 있는 속성에 근거하여 자사제품이나 상표를 성공적으로 차별화하기도 한다(Carpenter, Glazer, & Nakamoto, 1994).

(4) 이차 조건형성

파블로브의 실험에서 종소리(CS)에 노출된 후에 음식(UCS)이 뒤따르던 개의 예를 회상해 보자. 여기서 종소리는 조건반응(CR)을 유발한다. 일단 조건형성이 되면 종소리는 무조건자극의 힘을 획득한다. 이제 만일 개가 또 다른 조건자극인 불빛(CS₂)에 노출된 후에 종소리(음식이 아니라)가 뒤따르는 상황에 놓이게 되면, 불빛 자체도 비록 먹이와 짝지어진 적은 한 번도 없지만 결국 조건반응을 유발한다(물론 종소리가 음식과 다시 짝지어지는 시행도 있어야만 한다. 그렇지 않다면 종소리와 음식 사이에 원래 조건형성되었던 관계가 소거되고 만다). 무조건자극을 예측하는 종소리와 짝지어진 후에 불빛이 조건반응을 일으키는 능력을 이차 조건형성(second-order conditioning)이라고 부른다.

광고에서 무조건자극으로 활용되는 유명배우, 탤런트, 운동선수 등은 원래 의미가 중립적인 조건자극이다. 이들은 특정한 영화나 드라마 또는 운동경기(무조건자극)로 인해 의미를 부여받는다. 즉 이들과 특정한 영화, 드라마, 운동경기와의 연합이 이들에게 영화, 드라마, 운동경기에서의 의미를 부여한다. 다시 말해 소비자가 이들로부터 받는 의미는 이들이 원래 갖고 있던 것이 아니라 영화, 드라마 운동경기에서 전이된 것이다. 따라서 광고에서는 이차 조건형성에 근거하여 조건자극이었던 모델을 무조건자극처럼 활용하는 것이다.

마케터는 특히 유명인의 이미지가 영원하지 않음에 주의해야 한다. 이들은 자신에게 주어지는 역할에 의해 언제든지 이미지를 변화시킬 수 있다. 이는 광고에서 고전적 조건형성에 나타나는 조건자극(예, 상표)과 조건반응(예, 기분 좋음) 간의 관계가 깨질 수 있음을 의미한다. 따라서 제품이나 상표에서 장기적으로 확고한 의미를 부여하고 싶은 경우에는 무조건자극으로 활용되는 광고모델 선정에 상당한 주의를 기울여야 한다.

3. 조작적 조건형성

스키너(skinner)에 따르면 대부분의 개인학습은 개인이 적절한 행동을 선택하기 위해 보상되는 통제된 환경에서 일어난다. 소비자 행동 측면에서 보면, 조작적 조건형성은 어떤 구매행동보다 더 호의적인 성과(예, 보상)를 가져올 시행착오과정을 통해 소비자가 학습한다는 것을 제안한다. 즉 호의적인 경험이 소비자로 하여금 특정한 소비행동을 반복하도록 학습시키는 도구로 작용한다.

스키너는 동물을 상대로 연구하여 자신의 학습모형을 발전시켰다. '스키너 상자'에다 쥐를 넣어두고 만일 쥐가 적절한 행동(예, 지렛대 누르기)을 한다면, 음식(긍정적 강화물)을 받도록 하였다. 마케팅 맥락에서 자신의 몸에 잘 맞는 청바지 스타일(긍정적 강화물)을 발견하기 전에 청바지의 여러 상표와 스타일을 시험해 보는 소비자는 조작적 조건형성을 하고 있다고 볼 수 있다.

1) 강화

(1) 긍정적 강화와 부정적 강화

스키너의 반응이 반복될 기회에 영향을 주는 강화를 두 가지 형태로 구분하였다. 첫 번째 긍정적 강화(positive reinforcement)는 특정한 반응에 따라서 '제시'할 때 그 반응의 가능성을 증가시키는 것으로, 돈이나 칭찬과 같은 자극이 긍정적 강화물로 작용된다.

두 번째 형태인 부정적 강화(negative reinforcement)는 특정한 반응에 뒤따라서 '제거'할 때 그 반응을 증가시키는 것으로 불안, 고통, 통증처럼 불쾌하거나 부정적인 자극이 부정적 강화물로 작용된다. 예를 들어 소매치기가 여행자의 지갑을 훔치는 장면을 보여주는 광고는 소비자로 하여금 여행자 수표나 신용카드를 사용하도록 고무시킬 것이다. 그런데 부정적 강화물은 처벌(punishment)과 혼동되어서는 안 된다. 처벌은 행동이 일어나지 않게 한다. 예를 들어 주차위반 티켓은 부정적 강화물이 아니라 처벌로써 운전자로 하여금 불법주차를 못하게 한다. 광고 메시지에서의 공포소구는 부정적 강화물의 예시로 갑작스러운 죽음으로 자신의 가족을 불쌍히 남겨 둘 남편에게 경고하는 생명보험 광고는 생명보험 가입을 고무시키는 부정적 강화물이다. 또한 두통약을 판매하려는 마케터는 가라앉지 않는 두통의 고통스러운 증상을 보여 주는 부정적 강화물을 사용한다.

(2) 처벌과 소거

처벌(punishment)은 특정한 반응(주로 바람직하지 않은 행동)에 대해 제공됨으로써 그 반응의 발생확률을 줄이는 것을 말한다. 거짓말에 대해 꾸중을 하거나 주차를 위반했을 때 주차 위반 벌금을 매기면 거짓말이나 주차위반의 재발을 줄일 수 있다. 소비자 상황에서 판매원의 불친절은 그 판매점의 방문 가능성을 줄일 것이다. 또한 제품의 고장은 그 제품에 대한 구매 행동의 감소를 가져올 것이다.

소거(extinction)는 반응 후에 제시되던 긍정적 결과가 더 이상 제공되지 않을 때 그 반응의 발생 가능성을 줄이는 것이다. 예를 들어, 맛있어서 자주 찾던 음식점의 음식 맛이 떨어진 경우 더 이상 그 음식을 찾지 않을 것이다.

(3) 전체강화와 부분강화

소비자 학습에 영향을 주는 또 다른 중요 요인이 강화의 시기이다. 강화일정이 시간의 일부분에 걸쳐 분산적으로 수행되어야 하는가? 아니면 강화 일정이 전체 모든 시간에 걸쳐 집중적으로 수행되어야 하는가? 즉 전자의 부분강화와 후자의 전체강화 중 어느 것을 택해야 하는지는 문제가 아닐 수 없다. 따라서 두 강화일정을 결합하여 활용하는 방안을 강구해야 한다.

(4) 강화일정

강화는 소비자의 반응 후에 제공됨으로써 소비자의 반응을 증가시킨다. 반응마다 강화를 주는 경우 학습이 효과적으로 형성된다. 그러나 어느 시점에서 강화를 더 이상 제공하지 않으면 반응이 즉각적으로 중단된다. 강화를 어떻게 제공할 것인가 하는 계획을 적절히 수립함으로써 소비자의 반응 형성과 유지에 효과적으로 이용할 수 있다.

고정간격(fixed interval)은 이전 반응이 나타나고 일정한 시간이 경과한 후에 나타난 반응에 대해 강화를 주는 것을 말한다. 정기세일이 고정간격 강화에 해당한다. 고정간격에서는 강화직전에 반응이 증가하고 강화가 끝나고 나면 반응이 급격히 감소한다.

변동간격(variable interval) 일정에서는 강화가 특정한 시간 간격이 변화하는 것에 의존하지만 그 간격이 예측할 수 없게 변한다. 이 일정에서 유기체는 하나의 보상도 놓치는 일 없이 너무 느리지 않도록 조심하면서 착실한 반응을 보인다. 예를 들면 백화점에서 비정기 바겐세일이 이에 해당된다.

고정비율(fixed ratio) 일정은 일정하게 고정된 수의 반응이 일어나야만 강화물이 주어지는 것이다. 이 일정에서 유기체는 많은 보상을 얻기 위해 짧은 시간에 많은 반응을 보이는 경향이 있다. 예를 들어 피자쿠폰 10장을 모으면 1판이 무료인 경우나, 비행기 마일리지 등이 대표적이다. 고정비율 일정에 근거한 마케팅 전략이 빈도 마케팅이다. 이 전략은 구매한 양에 따라 증가하는 가치를 지닌 보상을 소비자에게 제공함으로써 소비자의 구매행동을 강화한다.

마지막으로 변동비율(variable ratio)은 고정비율과 유사하나 강화와 강화 간에 필요한 반응의 빈도가 가변적이다. 강화를 받은 다음에도 휴식이 없이 장시간 동안 높은 반응을 일으킬 수 있다. 변동비율 강화에는 경품, 도박, 복권이 있다.

2) 행동조형

행동조형(shaping)은 실험자가 원하는 방향으로 변형된 반응만을 강화하는 것이다. 다시 말해 바람직한 반응에 성공적으로 접근하는 행동만을 선별적으로 강화함으로써 새로운 조작적 행동을 만들어 내는 것이 행동조형이다. 이러한 행동조형은 바람직한 구매행동이 일어날 가능성을 증가시킨다.

예를 들어 소매점은 소비자가 자신의 매장에서 물건을 구매할 것이라고 기대하기 전에 자신의 매장이 소비자에게 우선 매력적으로 보여야 함을 인식한다. 많은 소매점은 소비자가 매장에 들르도록 하기 위해 예비 강화물을 제공한다. 어떤 소매점은 손실제품(loss leasers)을 소비자에게 제공하는데, 이는 이렇게 함으로써 소비자가 해당 매장에서 상당한 구매를 할 가능성이 높아질 수 있기 때문이다. 또한 미국의 자동차 딜러들은 신형 자동차를 팔기 위해 우선 소비자가 대리점에 방문하여 자동차를 시범 운전하도록 유도하고 있다. 이들은 대리점 방문을 유도하기 위해 소비자에게 작은 선물(예, 열쇠고리 또는 복권)을 제공하기도 하며, 시범운전을 하는 대가로 10달러 정도의 돈을 주기도 하고, 구매결정 직전에는 리베이트[4] 수표를 제시하기도 한다. 이들은 바람직한 소비자 반응을 이끌어 내기 위해 다단계 행동조성 기법을 사용한다.

3) 행동수정

조작적 조건형성에 근거해 사람의 행동을 변화시킬 수 있는 효과적인 기법이 있는데, 이것이 행동수정이다. 행동수정은 행동을 변화시키기 위해 환경변수들을 조작하는 과정을 말한다(Gaidis & Cross, 1987). 소비자의 행동을 수정할 수 있는 방식으로 강화, 변별자극, 처벌자 등을 구성함으로써 소비자 환경의 연계성을 변화시키기 위해 이 기법을 사용할 수 있다. 또한 소비자는 자신의 행동을 수정하기 위해서도 이 기법을 사용할 수 있다.

예를 들어 백화점에 있는 50명의 소비자 중에서 단지 한 명만이 매장

---

4) 가격할인과 관련된 기법으로 제품구매 후 사전에 정해진 금액을 돌려받는 것

에 들어온다고 하자. 그 다음에 판매 서비스인은 소비자로 하여금 자신의 매장에 대해 매력을 느끼게 만드는 강화물이 무엇인지를 고려한다. 한 가지 가능한 강화물은 매장에 들어오는 소비자 중 일부에게 작은 선물을 주는 것이다. 이러한 유형의 부분 강화 일정의 학습효과는 서서히 일어나지만, 일정이 장기간에 걸쳐 진행되면 효과적이다.

4) 조작적 조건형성의 문제점

조작적 조건형성을 소비자 행동에 적용시킬 때, 강화물에 지나칠 정도로 의존한다면 문제가 발생할 수 있다. 만일 제품이나 서비스에 대한 구매행위가 외부 강화물(예, 다양한 촉진전략으로 무료샘플, 할인쿠폰 등)에 의해 지나치게 영향을 받는다면 그리고 제품이 내적인 강화속성을 갖지 못한다면 강화물이 제공되지 않을 때 구매행위는 반복해서 일어나지 않을 것이다. 마케터가 소비자로 하여금 그들의 상표를 구매하도록 강화하기 위해 가격할인 전략을 빈번히 사용한다면, 구매행동은 그 상표의 긍정적인 특성에 의해서라기보다는 가격할인에 의해 통제될 수 있다. 따라서 가격할인이 중단된다면, 소비자는 다른 상표로 구매전환을 일으킬 수 있다(Scott, 1976).

4. 사회학습 이론

인간의 지식은 스스로 행동하거나 반응함으로써만 얻어지는 것은 아니다. 인간은 시행착오에 의지할 필요도 없다. 인간은 타인을 관찰함으로써 학습할 수 있으며 이것은 사회학습이라고 알려져 있다. 사회학습에서 인간은 타인의 행동을 관찰하고 나서 그들의 행동을 모방한다. 타인은 학습자의 모델이 되며, 학습자는 조금씩 각 단계를 힘들게 습득하는 대신에 전체의 행동패턴을 학습할 수 있다. 많은 사람은 부모, 교사나 친구를 모방하며 어떤 사람은 전혀 만나지도 않았던 배우, 소설의 주인공 또는 운동선수를 모방한다.

사회학습은 조작적 조건형성의 학습이론과 인지과정을 통합한 학습이론이다. 이 이론의 창시자인 Bandura(1977, 1986)는 세 가지 중요한 제안을 한다.

첫째, 인간은 자신의 행동의 가능한 결과를 예측하고 이에 따라 자신의 행동을 변화시키는 상징적 존재이다. 이와 관련하여 인간은 어떤 반응에 뒤따르는 결과의 규칙성을 추론하기에, 어떤 상황에서 특정한 반응이 특정한 결과를 초래할 것이라는 기대를 형성한다.

둘째, 인간은 타인의 행동을 관찰함으로써 그리고 이러한 행동의 결과를 주목함으로써 학습한다. 이것을 대리학습이라고 한다. 이때 정보를 전달하기 위해서는 모델의 역할이 중요하다. 모델은 타인이 관찰하려 하고 모방하려는 행동을 수행하는 누군가이다. 대리학습은 모델의 행동 결과가 매우 분명하고 관찰자에게 현저한 것일 때 즉각적으로 일어난다. 게다가 관찰자가 이러한 결과를 긍정적으로 평가할수록 모델의 행동을 모방하려는 경향은 더욱 증가한다.

셋째, 인간은 자신의 행동을 조절할 능력을 갖고 있다. 이러한 자기조절 과정을 통해 인간은 자기만족과 자기비판 같은 내적인 보상(긍정/부정)을 스스로에게 제공한다.

이러한 제안들로부터 사회학습 이론이 왜 조작적 조건형성과 인지 이론을 통합한 것인지를 알 수 있다. 인간이 결과를 예측할 수 있는 상징적 존재라는 생각은 인지 이론과 일치한다. 보상이라는 강화물이 행동을 통제한다는 생각은 조작적 조건형성에서 나온 것이다. 이때 조작적 조건형성에서의 강화는 외부환경으로부터 생기지만, 사회학습 이론에서는 외부로부터의 강화뿐만 아니라 내적강화 역시 중요한 역할을 한다. 사회학습 이론은 이러한 생각에다 사람은 타인의 행동이 어떻게 강화되고 처벌되는지를 관찰함으로써 배울 수 있다는 생각을 더한 것이다.

1) 관찰학습 또는 대리학습

모델링을 통한 관찰학습이 일어나는 과정은 다음과 같다.

- 주의(attention) : 첫째 단계인 주의는 관찰자가 모델의 주된 행동 특징에 주목하고 정보를 얻는 과정으로, 주로 모델의 매력, 개인적 특성, 성별, 연령, 신념, 태도, 자신과의 유사성을 관찰한다.
- 파지(retention) : 주의의 결과로 관찰한 모델의 행동을 기억 속에 저장하고 지식을 형성하는 과정으로 내적 이미지나 언어로 표상된다.
- 재생(reproduction) : 모델의 행동을 기억 속에서 재상하여 실제로 시도해 보거나 상상 속에서 재현하는 과정이다. 이는 기억에 파지한 인지적 표상 내용을 행동으로 변환시키는 것이며 다음 단계인 동기화과정이 작동할 때 밖으로 드러난다.
- 동기화(motivation) : 재생된 행동이 소비자에게 유용한 상황이 발생하면 외현적 행동으로 나타난다. 여기서는 재생된 행동의 결과를 판단해서 실제적, 상상적 보상이 크다고 판단되면 그 행동이 나타날 가능성이 커진다.

동기화 과정은 기대에 의해 결정되는데 기대에는 자기 효능감 기대와 결과 기대가 있다. 자기 효능감 기대는 자신이 원하는 행동을 통해 원하는결과를 얻을 가능성이 얼마나 되는가에 대한 지각이다. 또한 제품을 사용하면 모델이 얻은 것과 같은 결과가 있다는 것을 알려줌으로써 결과에 대한 긍정적 기대감을 높여주는 것이 바람직한다.

2) 모델링 기법

모델링에는 다음의 세 가지 방법이 있다.

- 외현적 모델링 : 소비자가 모델이 하는 행동과 그 결과를 보고 긍정적 보상을 지각할 때 그 행동을 따라 할 가능성이 높아진다.

- 내재적 모델링 : 이는 소비자가 모델의 행동과 결과를 직접 관찰하는 것이 아니라 특정 상황에서 모델의 행동과 그 결과를 상상하도록 하는 방법이다. 예를 들어, 라디오 광고의 경우 한여름 더위를 나타내는 각종 소리, 병 따는 소리, 물이 목구멍으로 넘어가는 소리 등을 이용해서 무더위로 인한 갈증과 이를 날리는 청량감을 통해 음료수의 구매를 유도한다.

- 언어 모델링 : 특정 상황에서 다른 소비자들이 어떻게 행동했는지, 그 행동의 결과가 무엇인지를 말해줌으로써 소비자의 반응을 유발하는 방법이다. 예를 들어, "20대 소비자 90%가 이 상표를 선택했다."라는 식의 광고가 이에 속한다.

이는 사회적 증거의 법칙에 해당하는데 사회적 증거의 법칙이란 무엇이 옳고 그른가를 결정하기 위해서는 다른 사람의 행동을 참조하는 것이다. 대개 다수의 행동은 올바르다고 인정되며 사회적 증거에 따라 행동하면 실수할 확률이 줄어든다.

3) 모델링 효과의 요인

(1) 모델의 특성

모델이 매력적이고 신뢰할 수 있거나 자신감이 있어 보이고 관찰자와 유사성이 높은 경우에는 효과적이다. 모델이 자신의 행동을 수행하는 모습이나 모델의 구체적인 행동도 효과가 크다.

(2) 관찰자의 특성

의존성이 높고 자신감과 자기존중감이 낮은 소비자, 과거에 모델 행동을 모방함으로써 긍정적 보상을 받은 소비자일수록 모방 행동을 더 많이 할 것이다.

(3) 모델 행동의 결과

모델 행동을 모방한 후에 정적인 강화를 받은 경우가 그렇지 않은 경우보다 그 행동이 나타날 가능성이 더 크다.

5. 기억

기억(memory)은 과거의 사건 또는 생각에 관한 정보를 파지하는 과정을 말하며, 기억과정은 정보의 부호화(encoding), 저장(storage) 및 인출 (retrieval) 등을 포함한다. 부호화란 정보가 기억에 저장되는 형태(즉 부 호)로의 변환을 지칭한다. 저장은 부호화된 정보가 신경계에 어떤 기록 (즉 기억 흔적)으로 남겨져 나중에 사용하기 위한 형태로 보관되는 것이 다. 인출은 저장된 모든 기억흔적 중에서 특정한 것을 선택하여 회상하 려는 시도이다.

인지주의적 관점에서는 인간의 기억이 크게 세 개의 서로 다른 구조 로 이루어져 있다고 가정한다. 이 세 저장소를 중심으로 정보의 흐름을 살펴보고자 한다(그림 3-9) 참조).

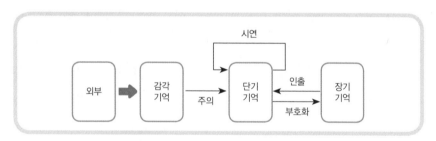

그림 3-9 기억 저장소에 따른 정보 흐름도

1) 감각기억

감각기억(sensory memory)은 감각정보가 매우 짧은 시간 동안 머무 르는 저장소이다. 이곳은 저장해야 할 정보가 최초로 저장되는 저장소 로, 세 가지 저장소 중에서 정보가 가장 짧게 머무른다. 감각기억에 저장 되는 정보들은 감각 정보라고 하는데, 이는 우리가 경험 및 학습을 통해 획득하는 대부분의 정보들이 우리의 감각기관을 통해서 얻어지기 때문 이다. 감각기억도 인간이 가진 오감 정보처럼 독립적으로 처리된다. 특

231

히 시각과 청각과 관련된 감각기억에 대해서는 많은 연구자들이 관심을 기울여 왔다. 시각과 관련된 감각정보가 저장되는 곳을 영상기억(iconic memory)이라 하고, 청각과 관련된 감각 정보가 저장되는 곳을 반향기억(echoic memory)이라 한다. 각 감각별로 얻은 정보의 특성이 다른 것처럼 감각기억에 정보가 머무르는 시간도 조금은 다른데, 영상기억의 경우 일반적으로 1초 이내로, 반향기억은 5초 이내인 것으로 알려져 있다.

2) 감각기억에서 단기기억으로의 부호화 : 선택적 주의

칵테일파티 효과는 주의(attention)의 선택성을 보여준다. 주의는 주변에 있는 많은 정보들 중 일부의 정보들을 선택하여 처리하게 해 주는 관문과도 같은 역할을 한다. 주의를 통한 정보의 선택은 두 가지 방법으로 일어날 수 있다. 하나는 내가 나의 의지로 선택하는 것이다. 이를 내인성 주의(endogenous attention)라고 한다. 또한 나의 귀에는 수많은 소리들이 들리지만, 그것이 나와 관련 없는 소리일 때, 나의 주의 기제는 그 정보들을 나로부터 분리시키고 나와 내 친구 사이의 대화에만 주의를 두게 한다. 우리는 내인성 주의를 통해 나의 대화와 관련된 정보만을 처리하게 된다. 그러나 나의 이름같이 나에게 매우 중요한 정보에 대해서는 나의 주의 기제가 반사적으로 반응한다. 즉 내가 그러한 정보를 의도적으로 선택하지 않았지만 반사적으로 선택한다. 이때의 주의를 외인성 주의(exogenous attention)라고 한다.

칵테일파티 효과가 청각 정보에 대한 주의의 선택성을 보여준다면, '보이지 않는 고릴라'로 유명한 무주의 맹시(inattentional blindness, Simmons & Chabris, 1999)는 시각 정보에 대한 주의의 선택성을 보여준다.

3) 단기기억

다중저장모델에 따르면, 정보는 감각등록기에 처음으로 등록되고 여기서 자극은 부수적인 처리용량이 할당되어야 하는지를 결정하기 위해 무의식적 방식으로 간략히 분석된다.

일단 자극이 감각등록기를 통과하면, 그 자극은 단기기억으로 들어간다. 작업기간은 매우 짧은 기간(18초~30초) 동안만 정보를 파지한다. 예를 들어 한 소비자가 친구로부터 '프리자리오'란 상표를 들은 직후에 "듣긴 들었는데, 그 상표명이 무엇이었는지 잘 모르겠어"라고 말하는 경우가 단기기억에 해당한다. 비록 작업기업은 극히 짧은 기간이지만, 사실상 이 과정에서 범주화와 해석이 가능하도록 감각투입과 장기기억의 내용이 결합된다. 이러한 결합과정으로 인해 과거에는 작업기억으로 불렀지만, 현재에는 단기기억 또는 활동기억으로 부른다.

(1) 부호화

단기기억의 부호화 과정에서 정보 저장이 쉽게 일어날 수 있도록 하는 방법은 감각적 수준의 부호화 특성과 의미적 수준의 부호화 특성으로 나누어 생각해 볼 수 있다.

감각적 수준의 부호화란 정보 대상의 물리적 특성, 색깔이나 모양 등 기억해야 할 정보의 물리적 특징이 부호화되는 것을 말한다.

특히 단기기억에서 정보는 주로 청각적으로 부호화된다. 청각부호화 이외에 시각부호화 또는 의미부호화도 가능하지만 청각부호화가 매우 우세하다. 한 연구(Baddeley, 1966a, b)에서 연구자는 실험참가자에게 5개의 단어목록 또는 10개의 단어목록 중 하나를 기억하게 하였다. 5개의 단어목록은 단기기억의 범위에 있지만, 10개의 단어목록은 그 범위를 초과한다. 두 목록에서 모든 단어들은 청각적으로 관련되거나(예, bat, hat, cat), 의미적으로 관련되거나(예, tiny, small, little), 또는 무관하다(예, batm tiny, desk). 실험결과는 기억수행이 청각적으로 관련된 5개의 단어목록 조건과 의미적으로 관련된 10개의 단어목록 조건에서 가장 저조하였다. 5개의 단어목록에서의 청각적 혼동은 단기기억에서는 청각부호화가, 10개의 단어목록에서의 의미적 혼동은 장기기억에서는 의미부호화가 우세함을 보여준다. 따라서 정보가 단기기억에 저장되느냐 아니면 장기기억에 저장되느냐에 다라 정보는 다르게 부호화된다.

단기기억에서 청각부호화의 우세는 마케터에게 중요한 시사점을 제공한다. 모든 정보는 단기기억을 거쳐 장기기억으로 넘어간다. 즉 정보가 단기기억에서 부호화되지 않는다면, 이 정보는 장기기억으로 넘어갈 수 없다. 이 점은 바로 제품정보들 중에서 가장 영향력이 큰 상표명의 중요성과 직결되는 것이다. 정보가 소리의 형태로 부호화되어 기억된다는 것은 상표명의 선정에 중요한 의미를 갖는다. 기업에서 좀 특이한 상표를 선택하려다 보니 외래어를 쓰기도 하고 특이한 발음의 상표명을 쓰기도 한다. 그러나 어떤 상표명의 발음이 생소하거나 어려워서 청각적으로 부호화되기가 어렵다면, 이 상표명은 단기기억에 저장되지 못할 것이고 장기기억으로 옮겨가지도 못할 것이다. 비록 특이한 발음일수록 일단 저장만 된다면 그 기억은 오래가겠지만, 이는 소비자와 기업 모두가 상당한 노력을 기울여야 가능하다.

또한 정보를 있는 그대로가 아니라 어떤 의미로 변환시켜 장기 기억으로 편입시키는 방법이다. 단어에 의미를 부여하고, 이를 구체적인 표현을 가지고 제시할 때 효과는 배가될 수 있다.

의미적 부호화는 소비자가 광고 정보를 리허설하기 쉽도록 재구성하는 것을 말한다. 예를 들어, 번호가 길거나 외우기 어려운 번호에 의미를 붙이는 방법이다.

(2) 저장

① 용량 및 편화

단기기억은 제한된 용량을 가지고 있다. 심리학자 밀러(Miller, 1956)는 마법의 수 7을 제안하였는데, 이는 단기기억의 용량이 7±2라는 것이다. 그러나 투입된 정보를 친숙하고 유의미한 단위로 묶는 편화(chunking)에 의해 용량을 확장시킬 수 있다. 예를 들어 FBICA−RC_IAIB−M과 같은 12개의 철자를 생각해 보자. 보통은 제시된 순서대로 이 철자들을 외우려고 할 것이다. 철자가 12개여서 한꺼번에 외우기는 어렵다. 그러나 이 철자를 FBI−CAR−CIA−IBM과 같이 재배열하면 쉽게 기억할 수 있을 것이다. 이처럼 친숙한 4개의 편으로 묶으면 기억하기가 아주 쉬워지면서, 12개의 철자가 4개의 편으로 줄어들어 단기기억의 용량을 늘릴 수 있다.

이러한 편화는 놀랄 만큼 기억력을 증가시킨다. 물론 편화는 장기기억에 도움을 받아야 한다. 즉 장기기억에 저장되어 있는 친숙한 정보가 단기기억으로 전이되어야 한다. 일상적으로 사람들은 장기기억에 이미 저장되어 있는 정보를 끄집어내어서 단기기억의 정보를 평가하고 이해하는 데 사용한다.

광고에서 이 편화기법은 매우 중요하다. 제한된 시간과 공간에 많은 제품정보를 제시할 수도 없거니와 소비자가 많은 정보를 받아들이지도 못하기 때문에 이 편화를 최대한 활용하는 것이 좋다. 편화가 광고효과를 증가시킴에 있어서 특히 시각적인 전략과 결합될 때, 가장 중요한 전략이 될 수 있다. 상표명, 슬로건, 로고 등 모두가 많은 양의 정보를 전달하기 위한 영향력 있는 편으로 사용될 수 있다.

② 정보과부하

단기기억의 제한된 용량으로 인해 소비자에게 생길 수 있는 문제는 정보과부하이다. 정보과부하는 단기기억에서 처리될 수 있는 양보다 더 많은 양의 정보가 들어오는 것을 말한다. 소비자가 모든 정보를 다 처리할 수 없기에 소비자는 각성수준을 높임으로써 또는 투입정보의 단지 일부분에만 초점을 맞춤으로써 정보과부하에 반응할 수도 있다(Kahneman, 1973). 소비자가 정보과부하 상태에서 구매결정을 내려야 할 때, 소비자는 단순하게 임의선택을 하거나, 아무것도 구매를 하지 않거나, 또는 잘못된 구매를 할 수 있다.

③ 시연

단기기억의 경우, 정보의 저장기간이 매우 짧아 특별한 노력은 기울이지 않으면 단기기억의 정보는 곧 사라진다. 단기기억에서의 이러한 망각은 크게 두 가지에 의해 일어난다. 첫째는 소멸로 시간의 경과에 따라 자연스럽게 정보가 사라지는 것이고, 둘째는 대체로 단기기억의 제한된 용량으로 인해 새로운 정보가 들어오면 옛날 정보가 밀려서 사라지는 것이다.

따라서 망각을 막기 위해서는 시연(rehearsal) 또는 암송을 해야 한다. 시연은 정보에 대한 언어적 반복을 말하며, 정신적 노력과 정신적 자원이 필요하다. 흔히 '생각을 많이 하면 머리가 아프다'는 표현을 하는데, 바로 단기기억 내에서 많은 정보를 처리하게 되면 정신적 에너지가 많이 소모되므로 그 결과로 피로감을 느끼게 되는 것이다.

시연에는 단순히 정보를 암기하고 반복하는 유지형 시연(maintenance rehearsal)과 정보에 의미를 부여하여 저장하는 정교형 시연(elaborative rehearsal)이 있다. 유지형 시연은 단기기억 내에서 입력된 정보를 그대로 반복해서 되뇌는 것을 말한다. 이는 광고에서 제품명을 반복적으로 소리 내어 제시하는 것에서 흔히 볼 수 있다. 이와 달리 정교형 시연은 처리하고 있는 정보에 대해 단순히 소리나 모양을 반복적으로 노출시키는 것이 아니라, 정보의 내용을 인지적으로 분석하거나 해석하는 과정을 통해 의미를 저장하는 것을 말한다. 즉 입력된 정보를 그 자체로 반복하는 것이 아니라 입력된 정보에 자신이 가지고 있는 기존 지식이나 개인적인 정보를 더하여 입력된 정보에 나름대로의 의미를 부여하여 개인적인 정보로 만들어가는 과정을 정교형 시연이라 한다.

두 유형의 시연이 모두 단기기억의 정보를 장기기억으로 전이시키는 역할을 하지만 보편적으로 의미를 부여한 정교형 시연이 유지형 시연보다 기억 효과가 우수하다.

(3) 인출

단기기억에서 정보를 인출하는 방식으로 두 가지를 생각해볼 수 있다. 하나는 병렬탐색(parallel search)이고, 다른 하나는 순차탐색(serial search)이다. 병렬탐색은 단기기억의 모든 정보를 동시에 탐사하여 관련 정보를 인출하는 방식이고, 순차탐색은 정보를 순차적으로 하나씩 탐사하여 관련 정보를 인출하는 방식이다.

4) 장기기억

단기기억의 처리결과는 장기기억에 저장된다. 정보를 몇 분 정도의 짧은 기간이나 평생에 이르기까지 파지해야 할 때 장기기억이 관여한다. 장기기억의 두드러진 특징은 그 양상이 매우 다양하다는 데 있다. 저장되어 있는 정보의 내용뿐만 아니라 기억에 사용되는 부호, 정보가 재부호화 또는 추상화 되는 방법, 기억의 구성과 재구성, 기억의 지속성 등의 측면에서 장기기억은 다양하고 광범위한 양상을 보인다.

장기기억에서 저장되어 있는 정보 중에서사람들이 의식적으로 혹은 의도적으로 인출하고자 할 때 인출에 성공한 정보를 외현기억(explicit memory)이라고 하며, 어떤 정보에 대해서는 인출하려는 노력조차 하지 않을 만큼 장기기억에 저장해 놓은 것을 인식조차 못할 수도 있는데 이를 암묵기억(implicit memory)이라고 한다.

우리가 기억하지 못하는 암묵기억이 인간 행동과 판단에 영향을 끼친다는 사실을 흥미로운 방식으로 확인할 수 있는데, 이 중 한 방법이 점화(priming)이다. 점화는 이전에 경험하여 장기기억 속에 있는 정보가 새로 경험하는 정보의 지각 및 판단 등에 영향을 끼치는 것을 말한다. 점화를 통해 암묵기억의 효과를 확인할 수 있는 것은 우리가 의식하지 못하는 암묵기억들도 점화효과를 유도할 수 있기 때문이다.

우리가 의식적으로 인출할 수 있는 외현기억은 크게 두 가지로 나누어 볼 수 있다. 한 가지는 세상에 대한 일반적인 지식과 관련된 의미기억(semantic memory)이고, 또 다른 한 가지는 스스로 겪은 다양한 과거 경험과 관련된 일화기억(episodic memory)이다.

(1) 부호화

장기기억의 부호화는 의미부호화에 크게 의존한다. 의미부호화란 단어, 사건, 대상, 상징 등에 언어적 의미를 부여하는 것을 말한다. 문장을 듣고 몇 분이 지난 후에 회상할 수 있는 것은 대부분 문장의 의미이다. 예를 들어 소비자가 어떤 자동차에 대해 "37,850,000원, 3000cc, 6기통, 최고속도 300km, 천연가죽시트, 내비게이션과 DVD장착"이라는 정보를 들은 후 얼마 지나서 누군가에게 이 자동차에 대해 얘기할 때 "비싸고 힘이 좋으며 고급스러운 자동차"라고 일반적으로 말한다. 이는 소비자가 제품정보를 의미로 부호화하였기 때문이다.

장기기억에서 의미부호만이 사용되는 것이 아니다. 의미부호 이외에도 청각 및 시각부호는 물론 미각, 후각, 촉각도 역시 장기기억으로 사용될 수 있다.

(2) 저장 및 인출(retrieval)

장기기억 우리의 모든 지식을 담고 있는 무제한의 영원한 저장고로 볼 수 있다. 장기기억에서의 저장은 뇌 손상과 같은 특수한 경우가 아니라면 특별한 문제를 일으키지 않는 것으로 보인다.

① 회상과 재인

장기기억에서 인출은 회상(recall)과 재인(recognition)에 의해 살펴볼 수 있다. 회상은 최소한의 인출단서를 사용하여 기억하고 있는 항목들을 끄집어내는 것이다(예, "어제 저녁 TV ○○드라마가 시작하기 전에 본 광고들을 얘기해 보십시오"). 회상에는 자유회상과 보조회상이 대표적으로 다루어진다. 자유회상에는 기억된 항목을 특정한 단서 없이 그저 생각나는 대로 말하게 하는 것이다(예, "어제 본 광고들을 얘기하십시오"). 보조회상은 어떤 단서를 제공하고 항목을 끄집어내게 하는 것이다. 바로 위에서 언급한 것이 보조회상의 예이다.

재인은 특정한 항목을 전에 본 적이 있는지를 묻는 것이다(예, "어제 저녁 TV ○○드라마가 시작하기 전에 AA광고를 봤습니까?"). 재인에서의 인출단서가 회상에서의 인출단서보다 더 구체적이고 유용하기에 일반적으로 회상보다 재인에서 성과가 우수하다(Tulving, 1974).

장기기억에서 정보를 끄집어내기 위해서는 인출단서의 역할이 매우 중요하다. 식료품점에서의 쇼핑은 보통 재인과 관련된다. 만일 소비자가 찾으려는 제품이 라면처럼 저관여 특성을 지녔다면, 소비자는 자신이 구매할 제품을 위해 제품선반을 단순히 훑어보면 된다. 즉 위에서 설명한 재인과정처럼 제품선반에서 자신이 원하는 제품이 있는지를 확인하면 되는 것이다. 그런데 종종 소비자가 매장에서 자신이 원하는 상표나 제품을 인출하지 못하는 경우가 있다. 이러한 경우 만일 매장에 적절한 인출단서가 있다면, 소비자의 인출은 용이해질 것이다.

소비자의 회상 또는 재인을 돕는 인출단서는 광고에서 나타난 언어적 또는 시각적 정보를 제품용기(또는 제품 자체)에 제시함으로써 만들어질 수 있다(Keller, 1987). 매장에서 이루어지는 광고인 구매시점(POP: point of purchase) 광고 역시 소비자에게 적절한 인출단서를 제공하려는 것이다. 또 다른 인출단서로는 광고에서 사용되는 음악을 들 수 있다. 소비자가 말로 전달된 메시지보다 노래로 전달된 메시지를 더 잘 회상한다는 증거가 있다(Wallace, 1994).

② 인출실패와 간섭

장기기억에서 정보의 인출실패는 두 종류의 간섭(역행간섭과 순행간섭)에 의해 일어난다. 역행간섭은 새로운 정보가 옛날 정보의 인출을 방해하는 것이고, 순행간섭은 옛날 정보가 새로운 정보의 인출을 방해하는 것을 말한다. 예를 들어 최신 스마트폰 구매 후 전화번호를 바꾼 경우 새로운 전화번호를 회상하려고 할 때 옛날 전화번호가 회상되는 경우가 순행간섭의 예이고, 어느 정도 시간이 흐른 후 새로운 번호는 잘 회상되지만 옛날 전화번호의 회상이 어려운 경우가 있는데 이것이 역행간섭의 예이다.

인출실패는 분명히 어떤 정보를 기억하고 있다는 확신은 있지만, 그 정보가 정확히 떠오르지 않는 현상을 말한다. 예를 들어, 옛날 영화 주인공 이름이 갑자기 떠오르지 않는 경우 그것이 정확히 떠오르지 않아 끝내 말하지 못하는 현상을 '설단현상(tip of the tongue phenomenon)'이라 하는데 이것이 바로 인출 실패의 사례다. 따라서 인출실패는 적절한 단서가 제공되면 해결될 수 있다. 매장을 방문하면 POP 광고물이 많이 놓여있는데, 이런 것들은 바로 소비자에게 그 브랜드에 관해 기억 단서를 구매 시점에 제시함으로써 그 브랜드에 대한 인출을 촉진시키려는 마케팅 노력이다.

③ 폰 레스톨프 효과

간섭연구에서 또 다른 재미있는 발견이 폰 레스톨프 효과(the von Restorff effect)이다. 이 효과는 정보 현저성 또는 기억에서 자극 활성화 수준의 중요성을 예증한다. 일반적으로 자극이 현저할수록, 그 자극은 기억에 더 잘 부호화될 것이고 나중에 더 잘 회상될 것이다. 마케터는 제품을 독특하게 만듦으로써, 제품을 계속해서 광고함으로써 또는 구매시점 광고와 같은 인출단서를 사용함으로써 제품의 현저성을 증가시킬 수 있다. 광고의 주요목표 중 하나가 신기성, 대조, 색채, 놀라움, 운동, 크기 등과 같은 자극특성을 사용하여 광고가 소비자에게 매우 현저하게 인식되도록 하는 것이다.

만일 소비자가 한 상표를 매우 현저하게 인식한다면, 경쟁상표의 회상은 일반적으로 낮아진다. 따라서 상표관리자가 자사의 상표를 소비자가 현저하게 인식하게 할 수 있다면, 경쟁상표의 회상은 간섭으로 인해 억제될 수 있다. 기억에서 현저한 상표가 경쟁상표의 회상을 억제할 때, 억제된 상표들은 소비자의 상표고려군에서 제외될 수 있다.

④ 자이가르닉 효과

인출실패에 영향을 줄 수 있는 또 다른 요인이 자이가르닉 효과(the Zeigarnik effect)로 이 효과는 사람이 방해받거나 미완성인 과제를 수행할 때 발생한다. 미완성 과제로부터 정보회상과 완성과제로부터의 정보회상을 비교한 결과, 미완성 과제의 정보가 더 잘 회상됨을 보여주었다.

이 효과는 드라마 광고의 효과성을 설명한다. 드라마 광고는 드라마처럼 주제를 가지고 연속되는 광고를 말한다. 드라마와 같은 주제가 소비자의 관심을 유도하여 1회 광고를 시청한 후, 소비자는 그 주체가 끝날 때까지 다음 번 광고를 기대하게 된다.

CONSUMER BEHAVIOR AND
PSYCHOLOGY

제 4 장

동기와 감정

1. 동기

동기는 '행동을 일으키는 추동력(driving force)(Edward, 1981)'이나 '사람들을 행동으로 유도하는 원동력(Schiffman and Kanuk, 1987)', '유기체가 행동을 하도록 활력을 부여하고, 특정 목적을 성취할 수 있도록 행동 방향을 결정해 주는 내적 상태(Neisser, 1967: 10)' 등으로 정의되어 왔다. 철학적으로는 "인간이 어떠한 행동을 할 때 이 행동을 결정하는 것은 충동이든가 또는 의식적으로 목적 관념을 지닌 욕구이며, 이와 같은 행동의 원인이 되는 것이 동기이다(Lim, 2009)"라고 보고 있다.

소비자의 욕구나 동기를 이해하는 것은 소비자를 연구하는 데 필수적이다. 다시 말해 소비자의 욕구나 동기를 이해하면 차후에 그러한 욕구나 동기에 의해 유발되는 행동을 예측할 수 있고 이를 통해 소비자를 바람직한 방향으로 유도할 수 있다.

1) 욕구와 동기

(1) 욕구, 바람, 가치, 목표

심리학에서 인간의 동기와 관련하여 이론이나 실증적 연구에서 가장 포괄적으로 주목을 받은 것이 동기의 개인적 특성인 욕구(needs)이다. 욕구는 내부균형을 재획득하기 위한 노력으로 개인으로 하여금 일정한 행동과정을 추구하도록 하는 내적 불균형 상태라고 정의할 수 있다.

욕구는 다음과 같은 특징이 있다. 첫째, 욕구는 역동적이다. 욕구는 완전히 충족되지 않고, 욕구 충족은 한시적으로 이루어진다. 둘째, 욕구는 위계적이다. 욕구들 간에 중요성의 정도가 서로 다르다. 셋째, 욕구는 내적 또는 외적으로 활성화된다. 많은 욕구가 내적으로 활성화되지만 외부 자극에 의해 유발되기도 한다. 넷째, 욕구는 갈등을 일으킨다. 어떤 행동이나 결과가 하나의 욕구를 충족시키지만 다른 욕구는 충족시키지 못한다면 그 행동은 바람직할 수도 있고 그렇지 않을 수도 있다.

바람(wants)은 외부적인 요인으로 작용하는 목표나 목적에 대한 욕구이며, 추상적 동기를 구체화하여 표현한 것이다.

가치는 특정행동이나 결과가 바람직하거나 좋다고 생각하는 지속적인 신념이며, 목표는 달성하고자 하는 최종상태를 가리킨다.

(2) 동기

심리학자들은 행동이 나타난 이유를 설명하기 위해 동기란 개념을 고안하였다. 그런데 외부로 표출된 특정한 행동의 원인을 모두 동기라고 부르지 않는다. 동기는 다음과 같은 세 가지 특성을 갖는데 첫째, 행동을 유발시키는 개인 내부의 힘을 의미하는 활성화, 둘째, 노력의 투입을 선택적으로 특정한 방향으로 지향하게 만드는 방향성, 셋째, 일정한 강도와 방향을 지닌 행동을 계속해서 유지시키게 하는 지속성 등이다. 이러한 특성에 근거해 보면, 동기는 어떤 목표를 향하여 행동을 활성화시키고 방향을 설정해 주며, 유지시키는 개인내부의 힘으로 정의할 수 있다.

(3) 동기 과정

동기과정은 욕구를 인식하게 하는 자극이 나타나는 순간에 작동한다. 이러한 자극은 개인 내부에서 나타날 수 있다. 개인의 내부자극의 예로는 배고픔, 갈증, 무언가 변화를 향한 갈망으로 들 수 있으며 개인은 이러한 자극에 의해 식사, 물마시기, 여행 등의 욕구를 인식할 수 있다. 또한 이러한 자극은 개인 외부에서도 나타날 수 있다. 또한 욕구를 표현욕구와 효용욕구로 구분한다. 표현욕구는 사회적 또는 심미적 요구를 달성하려는 욕구이다. 이 욕구는 개인의 자기개념 유지와 관련이 있다. 효용욕구는 생필품을 구매하거나 프린트 토너를 바꾸는 것과 같이 기본적인 문제를 해결하려는 욕구이다.

활성화된 욕구는 추동상태를 만들어 낸다. 추동(drive)이란 충족되지 않은 욕구의 결과로 생기는 긴장에 의해 나타나는 힘을 말한다. 이러한 추동은 정서 또는 생리적 각성으로 나타난다. 사람들은 추동상태를 경험할 때 그들은 목표 지향적 행동을 일으킨다. 목표 지향적 행동은 개인의 욕구상태를 해결하기 위해 취해진 행위이다.

목표는 유인대상으로 소비자가 자신의 욕구를 충족시킬 것이라고 지각하는 제품, 서비스, 정보 등을 의미한다. 소비자는 이 유인을 통해 자신의 욕구를 충족시키며 동시에 자신의 이상과 현실 상태 간의 차이를 좁힌다.

2) 주요한 동기이론

(1) Maslow의 욕구단계설

심리학자인 매슬로(Abraham Maslow, 1908~1970)는 1943년에 욕구단계설을 제안한 뒤 1954년에 이를 구체화하였다. 처음 매슬로는 인간의 욕구를 다섯 유형으로 범주화하고, 이들 욕구가 활성화되는 순서에 따라 이들을 다음과 같이 계층화하였다.

- 제1단계 생리적 욕구(physiological needs)는 숨을 쉬고, 물을 마시며, 음식을 먹고, 성적 욕구를 충족하며, 잠을 자고, 배설하기, 그리고 생존 관련 의ㆍ식ㆍ주 등과 같은 인간의 생존에 필요한 본능적인 욕구이다. 인간의 가장 기본적인 욕구이므로 다른 어느 욕구보다도 우선적으로 충족되어야 한다는 것이다.
- 제2단계 안전의 욕구(safety needs)는 불확실한 것보다는 확실한 것, 낯선 것보다는 익숙한 것 등을 선호하는 수준의 욕구이다. 신체적인 보호, 직업의 안정 등에 대한 욕구를 말한다.
- 제3단계 소속과 애정의 욕구(needs for belongingness and love)는 가족 관계와 교우 관계 등을 포함한 사회적 관계를 맺고 유지하려는 욕구다. 다시 말하면 사회적 상호작용을 통해 원활한 인간관계를 유지하고자 하는 수준의 욕구로, 사랑받고 싶어 하는 욕구와 소속의 욕구가 결핍되면 스트레스, 외로움, 우울증 등에 취약해진다는 것이다.
- 제4단계 자존의 욕구(esteem needs)는 자신이 무언가에 기여하고 있다고 느낄 뿐만 아니라 다른 사람으로부터도 인정을 받을 때 자기 존중의 욕구가 충족된다고 한다. 매슬로는 이러한 자기 존중의 욕구

가 충족되지 않거나 욕구에 불균형이 생기면 사람들은 열등감, 나약함, 무력감과 같은 심리적 불안에 시달린다고 하였다.

- 제5단계 자아실현의 욕구(self-actualization needs)는 각 개인의 타고난 능력 혹은 성장 잠재력을 실행하려는 욕구이다. 이 욕구는 성장을 향한 긍정적 동기의 발현이라는 점에서 바람직하고 성숙된 동기이다.

매슬로의 욕구단계설은 생리적 욕구, 안전욕구, 소속 및 애정욕구, 자존의 욕구, 자아실현의 욕구 등 다섯 단계로 구분되며, 하위 욕구가 먼저 채워져야만 그 위의 상위 욕구가 생긴다고 보았다.

그러나 매슬로의 5단계 욕구는 인간의 지적욕구와 예술행위는 잘 설명하지 못하여, 그는(1970)는 인지적 욕구(cognitive needs)와 심미적 욕구(aesthetic needs)를 또 다른 욕구로 제시했다. 이 두 욕구가 충족되어야 자아실현에 이를 수 있다고 보았기 때문에 이 욕구의 위치는 자아실현 욕구 하위에 위치한다. 다시 말해, 존중 욕구와 자아실현 욕구 사이에 인지적 욕구(cognitive needs)와 심미적 욕구(aesthetic needs)를 추가하여 7단계로 수정했다([그림 3-10] 참조).

- 인지적(앎과 이해) 욕구(cognitive needs)에는 알고자 하는 욕구, 호기심, 탐구심 등이 포함된다. 즉 모르는 것을 이해하고 탐구하려는 욕구로서, 지식과 이해, 호기심, 탐험, 의미 추구 등이 있다.
- 심미적 욕구(aesthetic needs)에는 미를 추구하는 욕구, 아름다움, 균형감, 질서, 완벽 등을 말한다. 다시 말해, 자연과 예술에서의 아름다움과 조화, 균형, 질서, 모양 등이다.

4단계는 결핍욕구, 상위 3단계는 성장욕구로 분류된다. 성장욕구는 메타욕구(meta need)라고도 하는데, 결핍욕구처럼 채워지면 동기가 줄어드는 게 아니라 더 많이 채우려는 강한 동기가 계속 일어난다.

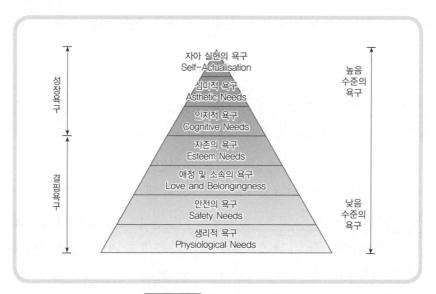

그림 3-10 매슬로 욕구위계

욕구위계에서 보면, 한 욕구가 나타나기 위해서는 바로 이전의 욕구가 어느 정도 충족되어야 한다. 예를 들어 안전욕구가 나타나기 위해서는 생리적 욕구가 어느정도 충족돼야 한다. 따라서 한 욕구가 충족될 때 바로 상위의 욕구가 나타난다. 만일 낮은 수준의 욕구가 충족되지 않으면 그 욕구가 일시적으로 다시 우세해질 수 있다. 또한 욕구위계에 따르면 각각의 욕구는 상호 독립적이고 각각의 욕구 간에는 중복이 있으며, 어떤 욕구도 완벽하게 충족되지 않는다. 이러한 이유 때문에, 비록 우세한 욕구는 아래에 있는 다른 모든 욕구가 어느 정도까지 행동을 동기화시킬 수 있다고 하더라도, 주요 동기원은 상당히 충족되지 않은 채 남아 있는 가장 낮은 수준의 욕구이다.

각각의 욕구를 살펴보면, 생리적 욕구는 인간의 생명을 단기적 차원에서 유지하기 위해 요구되는 것으로 음식, 물, 공기 등에 대한 욕구이다. 안전의 욕구는 장기적인 차원에서 인간의 생명을 유지하기 위해 요구되는 것으로 삶의 안정성, 주거, 보호, 건강 등에 대한 욕구이다. 애정 및 소속의 욕구는 인간은 타인들과 온정적이고 만족스러운 인간관계를 형성·유지하고 싶어 한다. 자존의 욕구는 타인들로부터 인정받고 싶어 하고, 자신이 중요한 인물이라고 느끼고 싶어 하는 욕구로 권위, 지위, 자존심 등과 관련된다. 인지적 욕구는 지식탐구와 관련된 욕구이며, 심미적 욕구는 심미안 또는 아름다움에 대한 욕구이다. 자아실현의 욕구는 자신의 잠재력을 달성하려는 개인의 욕망을 말한다. 즉 자신이 성취할 수 있는 모든 것을 성취하려는 욕구이다.

욕구위계의 주요 문제점은 이 이론을 실증적으로 검증할 수 없다는 것이다. 상위의 욕구가 나타나기 전에 바로 이전의 욕구가 얼마나 충족되어야 하는지를 정확하게 측정할 방법이 없다. 이러한 비평에도 불구하고, 욕구위계는 인간의 일반적인 동기로서 널리 수용되고 있다.

(2) McClelland의 학습된 욕구

맥클리랜드(David McClelland, 1917~1988)는 기본적으로 학습된 세 가지 욕구가 사람들을 동기화시킨다는 생각에 근거하여 그의 이론을 발전시켰는데, 세 가지 욕구란 성취욕구, 친교욕구, 권력욕구를 말한다.

성취욕구가 높은 사람을 성공을 위해 노력하고 문제해결에 책임을 지려는 경향이 강하다. 또한 친교욕구는 매슬로의 욕구위계에서의 애정/소속 욕구와 유사한 것으로 보았으며, 이 욕구는 사람들로 하여금 친구를 사귀고 집단의 구성원이 되며 타인과 관계를 갖도록 동기화시킨다. 권력 욕구는 타인에 대한 통제력을 획득하고 발휘하려는 욕구를 나타내며 이 욕구는 타인에게 영향을 주고, 지시하며, 지배하려는 경향성을 보인다.

(3) Lewin의 장(field) 이론

레빈(Kurt Lewin, 1890~1947)의 장(field) 이론은 소비자가 제품을 선택하는 상황에서 여러 개의 동기가 복합적으로 결합되어 있을 때 동기 간에 갈등이 발생한다. 이러한 갈등은 소비자의 자원이 제한되어 있고 두 개 이상의 동기가 서로 비슷한 강도일 때 발생한다.

① 접근-접근 갈등

이 갈등은 두 가지 이상의 대안이 모두 같은 정도로 매력적일 때 나타난다. 접근-접근 갈등은 소비생활에서 매우 자주 나타나는 양상의 갈등이다. 소비자들은 수많은 제품들 사이에서 각 제품의 특성과 편익을 비교해 가면 무엇을 선택할지 고민하게 된다.

이러한 갈등을 줄여주기 위해 기업들은 다양한 마케팅 전략을 시도하고 있다. 예를 들어, 여러 제품이나 서비스를 통합하거나 다른 것과 제휴하는 것이다.

② 접근-회피 갈등

한 가지 대상에 대해 긍정적인 특성과 부정적인 특성을 모두 인식하고 있을 때 발생한다. 이런 갈등을 해소하기 위해서는 기업은 소비자의 욕구와 만족을 최대화하여 상대적으로 불이익을 감소시키는 한편, 구매에 따르는 위험은 최소화해야 한다.

③ 회피-회피 갈등

이 갈등은 소비자가 싫어하는 대상 중에서 하나를 선택해야 하는 상황에서 나타난다. 이와 같이 어렵고 힘든 상황에서 문제를 해결해 주는 서비스가 이 갈등의 해소와 연관이 있다.

(4) Heider의 균형이론

균형이론(Balance Theory)에 따르면, 사람들은 자신들이 가지고 있는 신념과 태도들 간에 일관성(조화)을 유지함으로써 심리적으로 편안한 느낌을 가지고 싶어한다. 균형이론은 개인의 태도들 간에 불균형이 발생할 경우, 균형을 회복하기 위해 기존의 태도를 변화시키며 이에 따라 심리적 편안함이 유지되는 것으로 제안한다(Heider, 1946). Heider는 개인의 태도변화 과정을 설명하기 위해 태도와 관련된 세 요소 간의 삼각관계(triad)를 이용한다. 이 삼각관계는 개인(person; P), 태도 대상(attitude object; O), 관련 대상(X) 간의 관계로 구성되어 있다. 세 요소 중 어느 두 요소 간의 관계는 긍정적 관계(+) 혹은 부정적 관계(−)로 설정된다. 세 요소 간의 가능한 관계는 [그림 3−11]에 나타난 바와 같이 여덟 가지가 있다. 상황에 따라 구성 요소 간의 삼각관계는 균형 혹은 불균형을 이루게 된다.

각각의 상황이 균형상태인지 불균형상태인지를 판단하는 과정은 다음과 같다.

첫째, + 부호에는 +1, − 부호에는 −1을 할당한다.

둘째, 세 개의 값들(+1 혹은 −1)을 곱한다.

셋째, 곱해진 결과가 +1이면 균형상태이고 −1이면 불균형상태이다.

예를 들어, #1의 경우 곱셈 결과는 +1이므로 균형상태이고, #5의 경우 곱셈 결과는 −1이므로 불균형상태가 된다.

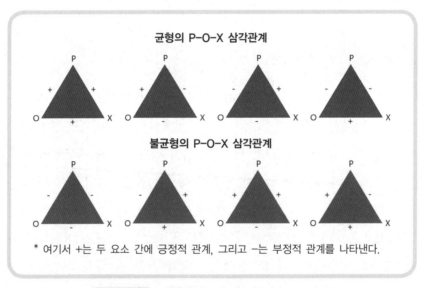

그림 3-11 균형 및 불균형의 P−O−X 삼각관계

소비자의 실제적인 태도형성 및 변화과정은 Heider의 균형이론이 제시하는 삼각관계의 경우들보다 복잡하지만, 이러한 기본적 유형의 분석은 태도가 어떻게 변화하는지를 이해하는 데 도움을 줄 수 있다.

(5) Festinger의 인지부조화 이론

인지부조화 이론(Theory of Cognitive Dissonance)에 의하면 두 개의 인

지 간 관계는 조화적(consonant) 관계, 부조화적(dissonant) 관계, 혹은 무관한(irrelevant) 관계 중 하나에 해당한다(Festinger, 1957). 이 중 조화적 관계는 "나는 ○○자동차를 샀다. 그런데 그 차는 최근 자동차 평가기관에서 높게 평가되었다"와 같이 두 개의 인지가 잘 부합하는 관계를 가리킨다. 부조화적 관계는 "나는 ○○자동차를 샀다. 그런데 그 차는 최근 자동차 평가기관에서 낮게 평가되었다"와 같이 두 개의 인지가 서로 충돌하는 상황이다. 무관한 관계는 "나는 ○○자동차를 샀다. 오늘 하늘이 푸르다"와 같이 두 개의 인지가 무관한 경우이다. 만약 어떤 시점에서 개인이 갖는 두 개의 인지 간에 충돌이 일어나면 이를 인지부조화라고 부른다.

① 인지부조화를 경험하기 쉬운 상황

■ 중요한 의사결정을 한 이후

개인이 의사결정을 한 후 자신이 거절한 대안에 비하여 선택한 대안의 상대적 단점에 대한 인지와 자신의 선택에 대한 인지 간의 불일치가 인지부조화를 야기할 수 있다. 예를 들어, '나는 ○○자동차를 구매하였다'라는 인지와 '그런데 이 자동차의 스타일은 다른 ○○자동차에 비해 못하다'라는 인지는 부조화를 야기한다. 이와 같은 상황에서 발생하는 인지부조화를 의사결정 후 부조화(post-decision dissonance)라고 하는데 구매 후 부조화가 이에 해당한다.

개인은 일상생활에서 수없이 많은 의사결정을 하는데, 중요한 의사결정을 한 경우 부조화를 가지기 쉽다. 이는 중요한 의사결정일수록 그 의사결정이 잘못된 경우 개인에게 초래되는 손실 혹은 비용이 크기 때문이다.

■ 태도불일치 행동(attitude discrepant behavior)을 한 경우

개인이 처벌 혹은 보상 때문에 자신의 신념이나 태도에 반하는 행동을 한 경우 부조화가 발생한다. 보다 구체적으로 자신이 원하는 행동을 못하거나 원하지 않는 행동을 한 경우, 자신의 태도와 행동 간의 불일치로 인하여 인지부조화가 발생한다. 이때 처벌 혹은 보상의 크기가 작을수록 부조화는 더욱 크다. 이는 처벌 혹은 보상의 크기가 작을수록 자신의 태도불일치 행동을 정당화시키지 못하기 때문이다. 예를 들어, 소비자가 별로 좋아하지 않는 브랜드가 세일이어서 구매한 경우, '나는 그 브랜드를 그리 좋아하지 않는다'라는 인지와 '그런데 그 브랜드를 구매했다'라는 인지는 부조화를 야기한다. 이 경우 세일 폭이 작을수록 인지부조화는 크다.

■ 불일치 정보(discrepant information)에 노출된 경우

개인이 의사결정 시 갖지 못했던 정보에 의사결정 후 노출될 수 있는데 그 정보가 자신의 의사결정에 배치되는 정보이면 인지부조화가 발생한다. 이때 의사결정이 중요할수록, 그리고 관여도가 클수록 부조화가 커진다. 예를 들어, 소비자가 고심 끝에 ○○자동차를 구매하였다. 그 후 몇 사람으로부터 '○○자동차는 트랜스미션이 약하다'라는 말을 들으면, 나는 '○○자동차를 구매하였다'라는 인지와 '그런데 이 ○○자동차를 만든 기업의 트랜스미션은 약하다'라는 인지는 부조화를 야기한다.

② 인지부조화의 감소와 태도변화

균형이론에서 서술한 바와 같이, 사람들은 자신들이 가지고 있는 신념, 태도, 그리고 행동 간에 일관성(조화)을 유지함으로써 심리적으로 편안한 느낌을 가지고 싶어 한다. 개인은 인지부조화를 경험하면 이를 감소시킴으로써 인지적 조화(cognitive consonance) 상태로 가려는 경향이 있으며, 이 과정에서 태도가 변화될 수 있다. 인지부조화가 발생하는 각각의 상황에 따라 어떻게 인지부조화가 감소되며, 태도가 변화하는지 서술한다.

■ 의사결정 후 부조화의 감소

개인은 의사결정 후 부조화를 경험하면 이를 감소시키기 위하여 다음과 같은 심리적 과정을 겪을 수 있다. 즉, 자신의 부조화를 야기한 속성과 관련하여 선택한 대안이 거절한 대안에 비하여 (그리) 못하지 않다고 스스로 위안하거나 다른 장점이 많으므로 전체적으로는(보완적 방식) 선택한 대안이 더 낫다고 생각함으로써 부조화를 감소시키려고 한다. 예를 들어 ㅇㅇ자동차를 구매한 소비자가 스타일 때문에 인지부조화를 경험하고 있다면, 'ㅇㅇ자동차의 스타일도 그리 나쁘지 않다, 혹은 다른 △△자동차의 스타일이 반드시 좋지는 않다'라는 생각을 의도적으로 할 수 있다. 이 과정에서 선택한 대안에 대한 태도가 보다 호의적으로, 그리고 거절한 대안에 대한 태도가 보다 비호의적으로 변할 수 있다. 또한 의사결정의 중요성을 의도적으로 낮추며 자신의 결정을 지지해 주는 정보를 탐색하고 결정에 반하는 정보를 회피함으로써 부조화를 감소시키려는 노력을 할 수 있다.

■ 태도불일치 행동에 의해 발생하는 부조화의 감소

처벌이나 보상 때문에 태도에 배치되는 행동을 한 경우 행동은 되돌릴 수 없으므로 자신의 신념이나 태도를 행동에 준하는 방향으로 변화시킴으로써 인지부조화가 감소될 수 있다. 혹은 주어지는 보상이나 자신이 모면했던 처벌을 보다 크게 생각함으로써 부조화를 감소시킬 수 있다. 예를 들어 소비자가 좋아하지 않는 브랜드를 세일(보상) 때문에 구매한 후, 구매는 되돌릴 수 없으므로 그 브랜드에 대한 태도를 보다 긍정적으로 변화시킬 수 있다. 혹은 그 세일의 폭을 의도적으로 더 크게 생각함으로써 부조화를 감소시킬 수 있다.

■ 불일치 정보에 노출되어 발생한 부조화의 감소

불일치 정보에 노출되어 인지구조 속에 부조화를 갖는 개인은 부조화를 증가시킬 가능성이 있는 새로운 정보를 회피하려 한다. 그리고 이미 가지게 된 불일치 정보를 왜곡(distort)시킴으로써 부조화를 감소시키려 할 수 있다. 또한 결정의 중요성 자체를 의도적으로 낮춘다. 예를 들어 ○○자동차를 구매한 소비자가 '그 차는 트랜스미션이 약하다'라는 말을 들어서 부조화가 발생한 경우, '글로벌 기업의 ○○자동차가 트랜스미션이 그리 약할 리는 없다' 혹은 '과거 그랬는지 몰라도 미국에서 잘 팔리는 것을 보면 지금은 그렇지 않을 것이다'라고 유입 정보를 왜곡함으로써 부조화를 감소시킬 수 있다. 이 경우 소비자는 자신이 구매한 ○○자동차에 대한 태도가 부정적으로 변화하는 것을 방지할 수 있다.

3) 제한된 범위의 동기이론

(1) 반대과정이론

반대과정이론(opponent-process theory)에 따르면, 긍정적이거나 부정적인 즉각적 감정반응을 일으키는 자극을 사람이 받았을 때, 두 가지 반응이 발생한다. 하나는 개인이 즉각적인 긍정적 또는 부정적 감정반응을 경험하는 것이고, 다른 하나는 최초에 경험했던 감정과는 반대되는 감정을 갖는 반응을 그 다음에 경험한다는 것이다. 경험한 전반적인 감정은 이런 두 가지 감정반응의 결합이다. 두 번째 감정반응이 지연되기 때문에, 개인은 처음에 긍정적 또는 부정적 감정을 강하게 경험한다. 그러나 시간이 어느 정도 경과한 후, 처음에 경험한 감정은 그 강도가 약해지고 대신에 반대 감정이 강하게 나타난다.

다시 말해, 서로 반대되는 두 개의 감정이 동시에 발생하지만, 처음에는 한 감정의 강도가 강해 반대되는 감정을 느끼지 못하다가 시간이 경과함에 따라 처음 감정의 강도는 약해지고 반대 감정의 강도는 강해짐으로써 반대 감정을 경험하는 것이다. 이에 관한 예로 신용카드의 반복되는 과도한 사용으로 인해 재정적 문제를 갖는 소비자의 행동을 설명할 수 있다. 신용카드로 물건을 구매할 때 긍정적 감정과 부정적 감정이 동시에 발생하지만, 긍정적 감정의 강도가 강해 부정적 감정은 영향을 주지 못한다. 그러나 시간이 흘러 카드대금 결제일이 다가오면 긍정적 감정의 강도는 약해지고, 부정적 감정의 강도가 강해지면서 소비자는 불편해지기 시작한다. 소비자는 이러한 불편함을 해결하기 위해 긍정적 감정을 유발하는 또 다른 구매를 하며, 이러한 악순환이 결국 소비자의 재정을 어렵게 만든다.

(2) 최적자극수준 유지 동기

동기관련 연구들은 사람들이 자극의 최적수준을 유지하려는 강력한 동기를 가지고 있다고 한다. 최적자극수준은 생리적 활성화나 각성에 대한 개인의 선호하는 양으로 매우 낮은 수준에서부터 매우 높은 수준으로까지 변할 수 있다. 사람들은 자극에 대한 자신의 최적수준을 유지하려고 동기부여 되는 데 투입되는 자극수준이 너무 높거나 너무 낮을 때마다 그 수준을 수정하기 위한 행위를 할 것이다.

어느 시점에서의 개인의 자극에 대한 수준은 내적 및 외적요인에 의해 영향을 받는다. 내적요인은 연령과 성격특성을 포함한다. 예를 들어 자극의 더 높은 수준을 열망하는 사람은 감각추구를 측정하는 척도에서 높은 점수를 얻는다(Zuckerman, 1979). 그들이 원하는 자극의 높은 수준을 유지하기 위해, 감각추구자는 번지점프 또는 암벽등반과 같은 위험스러운 활동을 기꺼이 하려는 경향이 있다.

요약하면 사람은 자신의 최적자극수준을 유지하기 위해 그들의 행위와 환경을 조절하려고 한다. 각성수준이 너무 높을 때 사람을 낮추려고 하고, 너무 낮을 때 자신의 행동을 변경함으로써 자극수준을 높이려고 한다.

(3) 다양성 추구 동기

다양성 추구란 자극에 대한 내적욕구에서 발생하는 것으로서 사람은 환경이 제공하는 자극수준이 이상적 수준 이하(최적수준 이하)로 떨어지게 되면 싫증을 느끼게 되어 탐험행동 및 진기함 추구와 같은 더 큰 자극적 투입을 필요로 하게 되고, 반대로 환경이 너무 높은 자극수준(최적수준

이상)을 제공하게 되면 사람은 다양성회피와 같은 수단을 통해 투입을 감소하거나 단순화시킨 적절한 상황을 추구한다는 것이다.

소비자 동기로서의 다양성추구는 상당히 연구할 만한 가치가 있는 주제로 전통적인 정보처리 관점에서 의해 설명되기 어려운 비목적적 행동에 대한 관심을 일부 반영하기 때문이다(van Trijp, Hoyer, & Inman, 1996). 특히 이러한 종류의 행동은 소비의 실용적인 관점보다는 경험적이거나 쾌락적인 동기로 설명되는 것으로 보인다(Holbrook & Hirschman, 1982).

(4) 쾌락경험 동기

쾌락경험을 향한 열망은 최적자극수준을 유지하려는 욕구와 밀접히 관련되어 있다. 소비자 연구에서 쾌락소비(hedonic consumption)는 환상을 만들어 내고, 새로운 감각을 느끼며, 감정적 각성을 얻기 위해 제품과 서비스를 사용하려는 소비자의 욕구를 말한다.

쾌락경험 동기에는 감정경험의 열망과 레저활동의 열망이 있다. 감정경험의 열망은 소비자가 제품을 선택할 때 효용동기보다 때때로 감정적 동기가 더 우세할 수 있다는 것이다. 레저활동의 열망에서 레저활동은 실질적으로 사적 경험이다. 이는 어떤 사람은 레저로 규정하는 것을 다른 사람은 일로 규정할 수 있기 때문이다. 레저는 다차원적이며, 다양한 욕구를 수반한다.

(5) 자기조절초점

자기조절초점은 사람들이 기쁨을 추구하고 고통을 회피하려는 동기를 갖고 있다는 일반론에 근거한다. 이는 사람들이 어떠한 목표를 갖고 그 목표를 어떻게 충족시키는지를 설명하는 개념으로 사람들이 원하는 목표를 향상, 성취, 열망 등과 같은 촉진목표와 책임, 의무, 안전 등과 같은 예방목표 두 가지로 구분된다. 촉진 동기는 만족스럽거나 바라던 결과를 얻기 위해 현재의 상황을 향상시키려는 목표를 지닌 상태를 의미하며, 예방 동기는 불만족스럽거나 바라지 않는 결과가 발생하는 것을 막기 위해 현재의 상황을 유지하려는 목표를 지난 상태를 의미한다(Higgins, 1997). 예를 들어 시험을 앞두고 있는 학생에게 있어 촉진 동기는 시험에 합격하려는 목표이며, 예방 동기는 시험에 불합격하지 않으려는 목표를 의미한다.

어떤 연구자들은 촉진 동기를 지닌 개인은 열망과 성취를 강조하며 긍정적 결과의 유무에 초점을 맞추고, 예방 동기를 지난 개인은 책임과 안전을 염려하며 부정적 결과의 유무에 초점을 맞춘다고 하였다. 따라서 강한 촉진 동기를 지닌 개인은 성취와 관련된 유인에 더 동기화되고, 예방 동기가 더 강한 개인은 안전과 관련된 유인가에 더 동기화된다.

(6) 행동자유에 대한 열망

행동자유에 대한 열망은 외부의 제약 없이 행동을 수행하려는 욕구이다. 소비자가 제품이나 서비스를 선택하려는 자신의 자유가 방해받을 때 소비자는 이러한 위협에 대항하여 반발한다. 이러한 상태를 '심리적 저항'이라고 부른다. 예를 들어, 소비자 맥락에서 하루만 세일하는 경우가 며칠 세일의 경우보다 소비자의 구매 욕구를 훨씬 강하게 자극한다. 또는 판매수량을 제한하는 경우에도 소비자의 구매 욕구를 강하게 자극한다. 이는 세일기간 또는 판매수량의 제약을 가함으로써 소비자의 자유로운 구매행위를 방해했기 때문에 생긴 심리적 저항의 결과이다.

(7) 소비자 독특성 욕구

소비자의 독특한 구매행동을 설명해 줄 수는 있는 '소비자 독특성 욕구' 척도로 국내외에서 개발되었다. 독특성 욕구는 타인과 구별되는 자신만의 독특함이나 고유함을 표현하고자 하는 개인의 욕구로 정의되며 사람들은 이러한 욕구를 외적행동을 통해 드러내려고 한다. 독특성 욕구가 높은 소비자는 의도적으로 시각적으로 또는 기능적으로 독특한 제품을 구매하거나 과시하여 타인과 자신을 차별화하려고 시도한다.

(8) 귀인동기

일상생활에서 소비자가 어떤 사건에 직면할 때, 소비자는 그 사건에 대한 설명을 찾으려 동기화된다. 사람이 행동의 원인을 결정하는 과정을 설명하는 것이 귀인이론이다. 귀인이론에 따르면, 사람은 행동의 원인이 행위자의 내적인 것인지 아니면 외적인 것인지에 대해 결정하려 한다. 따라서 광고모델이 제품을 추천할 때, 소비자는 모델이 제품을 추천한 이유가 그 모델이 그 제품을 실제로 좋아해서인지(내부귀인), 혹은 돈을 받았기 때문인지(외부귀인)에 질문할 것이다. 이와 유사하게 독자 여러분에게 왜 특정한 상표를 구매했느냐는 질문이 주어진다면, 여러분은 자신의 행동의 원인이 제품내부에 있는지(예, 제품의 좋은 품질) 아니면 제품외부(예, 판매원의 압력 혹은 일시적 가격할인)를 찾으려 할 것이다.

(9) 접촉욕구

사람에게는 제품이나 다른 것에 접촉하고자 하는 욕구가 있는데, 이를 연구자들은 '접촉욕구'라고 부른다. 어떤 소비자는 제품을 만져 보지도 않고 구매를 결정하기도 하고, 어떤 소비자는 구매를 결정하고 행동으로 이어지기 전에 더 많은 시간과 노력을 투자해 제품을 만져보고 그것을 직접 경험해 본 뒤에 구매를 결정하기도 한다. 이러한 소비자 개개인의 차이에 근거하여 어떤 소비자는 접촉을 통한 정보를 더 선호한다고 해석할 수 있다.

2. 감정

감정과 동기는 밀접한 관련이 있다. 감정은 동기와 동일한 방식으로 행동을 활성화하고 그 방향을 지시한다. 또한 감정은 동기화된 행동을 동반한다.

감정은 정서, 느낌, 기분, 감성 등으로 혼합되어 자주 사용되는데, 영어에서도 affect, emotion, feeling, mood 등이 잘 구분되지 않고 사용된다. 그러나 affect는 감정으로, 감정이 정서, 느낌, 기분을 모두 포함하는 일반적이며 포괄적인 용어라고 보는 것이 타당하다.

다시 말해, 감정이란 개인이 의식적으로 경험하고 주관적으로 느끼는 정신적 상태로서, 정서(emotion), 감정(affect), 느낌(feeling), 분위기(mood) 등을 총칭하여 부르는 일반적 개념이다.

감정과 유사한 개념으로서 정서와 느낌이 있는데, 정서는 기분에 비해서 지속시간이 짧고, 선행사건이 분명히 지각되며, 대상이 뚜렷하고 독특한 얼굴표정과 강렬한 생물학적 과정을 수반하며, 행동(준비성)에 변화를 가져온다. 반면에 기분은 일시적이지만 정서에 비해 비교적 오랫동안 유지되며, 뚜렷한 선행사건을 지각하지 못하는 경우가 많고 고유한 표현행동이나 생물학적 과정에 변화가 없으며 판단 및 결정과 같은 인지과정에서의 변화를 초래한다.

1) 감정의 정의와 분류

심리학자들은 보통 감정의 요소를 세 가지로 본다. 첫째는 공포, 기쁨, 놀람 등의 특징적인 느낌 혹은 주관적 경험, 둘째는 주관적 경험에 따라 일어나는 생리적 흥분과 각성, 셋째는 이를 외부로 표현하는 것이다. 즉 감정이란 인간을 포함한 유기체의 고유한 주관적 경험으로서 감정을 느낄 때에는 신체에 생리적 변화가 일어나며 그때 느낀 주관적 경험은 외부로 표현하게 된다.

광고를 보면서 소비자가 느낄 수 있는 감정은 인간이 경험할 수 있는 모든 감정의 종류만큼 다양할 것인데, 이렇게 인간이 경험하는 모든 감정의 목록이 여러 학자들에 의해 정리되었다. 정서심리학자 Plutchik(1980)은 인간의 다양한 감정을 가장 기본적인 정서(primary emotion)로 분류했는데, 수용(acceptance), 두려움(fear), 놀라움(surprise), 슬픔(sadness), 거부(disgust), 분노(anger), 기대(anticipation), 기쁨(joy)의 여덟 가지다. 우리가 일상생활에서 경험하는 감정들은 대부분 이들 기본 정서가 두 개 이상 혼합된 혼합 정서라고 하면서 어떻게 기본 감정들이 혼합되어 여러 가지 혼합 정서를 이루는가에 대해 많은 연구를 했다.

또한 [그림 3-12]와 같이, 감정은 강도, 유사성 및 양극성의 특징을 갖는 원추형의 3차원 구조로 개념화할 수 있다. 수직 차원은 감정의 강도를 나타내고, 원추상에서 각 감정은 유사성에 따라 배열되며, 원형에서의 반대 위치는 감정의 양극성을 말한다. 정서의 강도, 유사성, 양극성이라고 하는 이 세 가지 특징을 구조화하면 팽이와 같은 간단한 기하학적 모형으로 조합할 수 있다. 종단면은 정서적 강도를, 횡단면은 정서의 유사성을 나타내고, 양극성은 원추의 반대편에 마주한 점으로 나타낼 수 있다. 정서를 나타내는 언어의 세 가지 특징과 일차적 정서에 관한 개념을 조합하면, 기본 정서는 여덟 조각으로 구성된 3차원 구조를 취하게 된다. 이 정서 팽이의 횡단면은 그림 왼쪽과 같이 정서 동그라미로 나타낼 수 있는데, 여덟 개 기본정서가 유사성 순서로 배열되어 있다.

기본 정서는 여덟 가지에 불과하지만, 우리가 실제로 경험하는 정서는 수백 가지에 이른다. Plutchik(1980)은 이와 같은 현상을 혼합 정서라는 개념으로 설명하였다. 즉 둘 이상의 기본 정서를 혼합한 감정 상태를 경험한다는 것인데, '사랑'이라는 감정은 수용과 기쁨을 혼합한 감정이고, 혐오와 분노를 섞으면 '증오'나 '적대감' 같은 정서가 된다. 이렇게 둘 이상의 기본 정서들이 서로 다른 강도로 혼합되어 수백 개의 정서가 만들어진다.

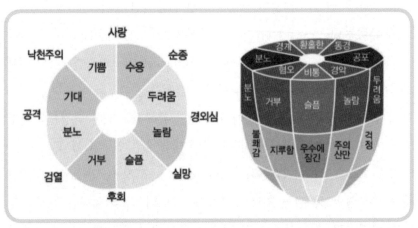

출처 : Plutchik(2000)/김재휘 외(2009)

그림 3-12　다차원적 정서 모형

여러 정서심리학자들이 인간이 경험하는 기본 정서에 대해 연구했는데, 대부분 다섯 개에서 아홉 개 정도를 기본 정서로 제시한다. Tomkins(1962)는 여덟 개의 기본 정서를 제안하면서 이들 기본 정서는 특정

유형의 자극에 대한 선천적 반응으로 다양한 신체적 반응으로 표현되는데, 특히 표현 양식으로 얼굴 표정의 중요성을 강조했다. Izard(1977) 역시 얼굴 표정을 열 개의 기본 정서로 제안했고, Ekman과 Friesen(1975)은 문화에 관계없이 얼굴 표정을 통해 의미를 소통할 수 있는 여섯 개의 기본 정서를 제안했다.

정서(emotion)는 기쁨, 사랑, 공포, 분노 등 구체적으로 느끼는 주관적인 감정 상태로서, 가장 강도가 세고, 각성 수준도 높아 심장박동이나 땀 같은 생리적 반응이 수반되기도 한다. 소비자가 광고를 보면서 강렬한 정서를 느끼는 경우는 많지 않지만, 이렇게 강렬한 감정을 경험하게 되면 그대로 그 상표에 대한 평가로 쉽게 전이되어 후속 행동에 상당한 영향을 미치게 된다.

느낌(feeling)은 정서보다 덜 강하며 다소 약한 생리적 반응을 수반하는 감정이다. 광고는 정서와 같은 강렬한 감정 반응을 유발하는 경우가 많지 않으나, 소비자로 하여금 여러 가지 느낌을 갖게 한다. 따뜻함, 만족감, 슬픔 등의 감정이 느낌 반응에 해당되는데, 만약 소비자가 광고를 보면서 이런 감정을 경험하게 되면 광고 자체에 대한 평가뿐만 아니라 상표(제품)에 대한 평가에도 그대로 영향을 미치는 것으로 알려져 있다.

분위기(mood)는 감정의 강도가 낮으면 생리적 각성이 거의 수반되지 않는다. 소비자가 어떤 매장에 들어갔을 때 빠른 리듬의 음악을 듣게 되면 활기찬 분위기 혹은 들뜬 분위기를 느끼지만, 반대로 느리고 조용한 음악이 흘러나오면 차분하고 온화한 분위기를 느낄 수 있다. 이런 매장의 분위기는 상점 선택뿐만 아니라 매장 안에서의 소비자 행동에도 영향을 주게 된다. 빠른 음악이 나오는 식당에서 식사하면 조용하고 느린 음악이 나오는 식당에서보다 더 빠른 속도로 식사를 마친다는 실험 결과들은 분위기가 행동에 미치는 영향을 잘 보여준다. 동일한 커피를 파는 커피전문점이라도 소비자들이 그 매장의 '분위기'를 어떻게 느끼는가에 따라 판매량이 달라지는 것은 바로 소비자가 느끼는 감정(분위기)의 영향이다.

마지막으로 평가(evaluation)는 가장 강도가 약한 감정으로 대상에 대한 태도, 즉 호의도(likability) 또는 선호도(preference)를 말한다. 선호도는 대상에서 구체적으로 좋고 싫음을 나타내는 것으로서, 주관적으로 느끼는 대상에 대한 전반적인 평가적 판단이다.

2) 감정의 특징과 기능

인간은 상대방의 표정과 몸짓, 자세, 행동 등에서 그 사람의 감정을 읽는다. Ekman과 Friesen(1971)은 [그림 3-13]과 같이, 얼굴 표정 사진을 다양한 국가의 관찰자들에게 제시하고 각 표정에 적절한 정서의 이름을 붙이도록 했다. 특정 정서의 표정이 보편적이라면 그 정서에 대한 판단은 문화보편적일 것이다. 그 정서에 대한 표정이 문화에 따라 다르다면 그에 대한 판단은 문화에 따라 달라질 것이다. 여섯 가지 기본 정서 즉 분노, 공포, 혐오, 슬픔, 행복, 놀람에 대한 평가가 다섯 문화에서 상당한 정도로 일치하였다.

정서 표정에 대한 헝가리, 일본, 폴란드, 미국, 베트남 사람들의 판단을 비교한 연구에서도 문화에 따른 차이가 없는 것으로 나타났다(Biehl et al., 1997). 특히 행복, 놀라움, 노여움, 혐오, 두려움, 슬픔, 경멸 등의 7가지 기본 정서 표현은 문화권에 관계없이 유사하다는 것이 반복적으로 확인되었다.

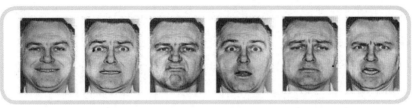

그림 3-13 Ekman과 Friesen(1971)의 기본 정서 자극의 예

감정의 첫 번째 특징은 바로 인간이 선천적으로 감정의 원형, 즉 기본 감정을 가지고 태어난다는 점으로, 감정은 지역이나 인종, 언어, 문화를 뛰어넘는다.

감정의 두 번째 특징은 감정이 주관적인 경험 그 자체로 끝나는 것이 아니라 행동 경향성을 수반한다는 점이다. 모든 감정은 감정을 일으킨 자극에 대해 접근-회피라는 반응 경향성을 일으킨다. 접근 경향이란 유쾌한 감정을 일으킨 대상을 향하는 것, 회피 경향이란 불쾌한 감정을 일으킨 대상으로부터 멀어지려는 것으로서, 감정은 대상과의 관계에서 개인이 느끼는 정신적 상태를 표현하는 기능뿐 아니라 행동을 일으키는 단서 정보로 작용한다.

감정의 세 번째 특징은 의도적인 계획이나 의식적인 통제가 어렵다는 점이다. 개인이 느끼는 감정은 외부나 개인 내부에서 어떤 자극에 의해 유발되는 반응이어서 의식적으로 억압하거나 의식적으로 통제하는 것이 어렵다.

넷째, 감정은 지속성이 약하며 쉽게 변한다. 우리가 느끼는 감정은 내·외부의 자극에 의해 발생하는 특성이 있어서 내·외부 환경의 변화에 따라 감정 반응도 쉽게 변하며 시간에 따른 가변성도 크다.

다섯째, 감정은 선천적이지만 대상에 대한 감정 반응은 대부분 학습되는 것이다. 감정의 특성은 제품에 대한 긍정적 감정을 멋진 광고 음악이나 매력적인 광고 모델을 통해 제품으로 연합시키는 고전적 조건화의 원리로 설명할 수 있다.

여섯째, 감정은 전반적으로 확산되는 성질이 있다. 개인이 긍정적인 자극 상황을 맞아 기분이 좋아지면 단지 그 대상에 대해서만 긍정적 감정을 갖는 것이 아니라, 전반적인 행동에 모두 영향을 미치게 된다. 우리가 기분 좋은 상태에 있을 때에는 주변의 모든 대상과 사람에 대해 호의적이고 긍정적으로 생각하고 반응하게 되지만, 반대로 불쾌한 감정 상태에 있을 때에는 주변의 대상이나 상황에 대해서도 부정적이고 비호의적으로 생각하고 행동하는 경향이 있다.

3) 감정의 영향

감정반응의 두 가지 기본적인 양극 차원에서 유래하는 것을 발견하였다. 첫 번째 차원은 쾌(pleasant)—불쾌(unpleasant)이고, 두 번째 차원은 흥분(aroused)—수동(passive)이다. 2차원에 의해 형성된 4개 사분면에, 기쁨, 분노, 안도(contentment), 슬픔(sadness) 등과 같은 특정한 정서가 놓일 수 있다. 예를 들어 만일 소비자가 매우 유쾌하면서 흥분한다면, 소비자는 기쁨의 정서를 경험한다. 대조적으로 만일 소비자가 매우 불쾌하면서 꽤 수동적이라면, 소비자는 슬픔의 정서를 경험한다.

(1) 감정과 정보처리

기분이 정보처리를 방해한다고 보는 이론이 있는데, 이는 정교화가능성모델과 휴리스틱 이론[5]이다. 그 중 정교화가능성 모델(Elaboration

---

5) 휴리스틱 이론은 본 교재에 대안선택과 평가 부분을 참조한다.

like1ihood Model : ELM)은 Petty와 Cacioppo(1986)가 제안하였는데, 소비자의 관여도(involvement)와 정보를 처리하는 능력(capacity of information processing)에 따라 정보를 처리하는 방식이 달라질 수 있다고 가정한다. ELM에 따르면 소비자는 보통 두 가지의 경로를 통해 정보를 처리하는데, 제시되는 정보에 대한 관여도가 높을수록 중심 경로(central route)를, 관여도가 낮을수록 주변 경로(peripheral route)를 선택한다고 한다. 다시 말해 제시되는 정보가 소비자와 밀접하게 연관이 되어 있거나, 관심이 높은 주제일 경우, 소비자는 중심 경로를 통해 이를 처리하게 되고, 이 과정에서 소비자는 많은 인지적 노력을 기울이게 된다(메시지를 분석적으로 받아들이게 된다). 이때 투영된 인지적 노력이 소비자로 하여금, 중심 경로를 통해 처리한 정보를 좀 더 오래 기억하게 만들고, 더 안정적 형태의 소비자 태도를 형성하게 만든다. 반면에, 소비자가 제시된 정보에 대해 그다지 관여도가 높지 않을 경우, 소비자는 주변 경로를 통해 정보를 처리하고, 이 경우 정보 메시지 내용 자체보다는 정보를 전달하는 정보원의 매력이나 주변 환경 등의 부차적인 요소에 더 영향을 받게 된다. 소비자가 주변 경로를 선택할 경우 정보 처리는 좀더 빠르게 이루어질 수 있으나, 처리된 정보는 쉽게 잊혀지거나 소비자 태도 변화에는 그다지 영향을 주지 못한다.

이 두 모델은 메시지 처리능력과 동기가 낮을 경우 메시지 주장의 강도가 태도형성에 미치는 영향이 약화되는데, 이때 기분이 능력과 동기를 결정하는 요인이 된다고 가정한다.

기분이 정보처리에 미치는 영향을 설명하는 또 다른 이론들이 있는데, 이는 쾌락연계성 모델, 기분유지/전환 이론, 그리고 위험판별 이론 등이다. 쾌락연계성 모델은 사람들이 긍정적인 상태를 획득하거나 유지하기 위해 그들의 기분을 관리하여 한다고 주장한다. 이 이론에 따르면, 메시지는 그 메시지의 처리가 메시지 수용자에게 긍정적이거나 또는 부정적인 결과를 가져올 수 있다는 일종의 신호가 되고, 메시지 처리에 착수하려는 수용자의 동기는 그러한 단서와 그들의 현재 기분상태에 기초하여 결정된다. 즉 긍정적 기분에 있는 사람들은 메시지를 면밀히 검토할 능력은 지니고 있지만, 긍정적 기분상태를 유지하거나 증가시키려는 동기가 작용함에 따라 정보처리가 다르게 된다는 것이다.

기분유지/전환 이론은 긍정적 기분상태의 사람들은 그들의 기분을 유지시키기 위해 긍정적인 정보에 더 주의를 기울이도록 동기화되고, 반면에 부정적 기분상태의 사람들은 그들의 기분을 향상시켜 주는 정보에 주의를 기울임으로써 기분을 전환하도록 동기화된다고 설명한다. 따라서 이 관점은 긍정적 기분이나 부정적 기분에 상관없이 사람들은 항상 긍정적인 정보를 부정적인 정보보다 더 설득적인 것으로 간주한다고 주장한다.

위험판별 이론은 긍정적 기분상태의 사람들이 무조건 부정적 메시지의 처리를 피하기보다는 메시지가 나타내는 손실이 현실적이고 클 때 또는 그것이 메시지 수용자에게 중요한 것일 때, 신중한 위험 관련 결정을 내림으로써 부정적인 정보를 주의 깊게 고려한다고 설명한다. 이 이론에 따르면, 긍정적인 기분상태의 사람들에게서 긍정적인 메시지보다 부정적인 메시지가 더 효과적인데, 이는 긍정적인 상태의 사람들이 그렇지 않은 사람들보다 잃을 것이 더 많으므로 손실에 대해서 더 고려하기 때문이다. 또한 긍정적인 상태의 사람들이 긍정적 감정에 대한 장기간의 통제를 유지하려고 동기화되면, 현재의 긍정적 감정이 손상되는 것을 감수하고 부정적인 정보에 대해 더 수용적이게 된다.

한편 감정에 관한 최근의 연구흐름은 정보처리에서 긍정적 감정과 부
정적 감정 간의 차이를 살펴보는 데서 벗어나 긍정적 감정과 부정적 감
정의 하위유형들 간의 차이를 밝혀내는 데 관심을 둔다. 다시 말해 긍정
적 감정의 하위유형인 기쁨, 행복, 유쾌감 간에 그리고 부정적 감정의 하
위유형인 슬픔, 분노, 짜증 간에 소비자의 정보처리에서 어떠한 차이가
있는지를 밝히려고 한다. 일례로 분노한 소비자는 슬픈 소비자보다 광고
메시지의 결론을 추론하는 데 시간이 덜 걸렸으며, 광고를 본 후 광고제
품에 대해 추론한 양에서도 더 적었다.

결론적으로 감정이 소비자의 정보처리에 명백하게 영향을 준다는 것
을 실증적으로 보여 주고 있으며, 이를 통해 소비자 연구에서 감정의 중
요성을 부각시키고 있다.

(2) 정서의 인지적 차원

감정에 관한 최근의 연구추세는 긍정적 감정과 부정적 감정의 하위유
형들의 특징을 밝혀내는 것이다. 이러한 연구추세와 관련하여 연구자들
은 정서들의 평가유형을 가장 잘 정의해주는 여섯 가지 인지적 차원을
확인하였는데, 이 차원들은 '확실성', '유쾌함', '주의적 행동', '통제성', '예
상노력', '책임성' 등으로 모든 개별정서를 정의해 준다.

확실성은 사람이 그 상황에서 무엇이 일어나고 있는지에 대해 이해하
고 확신하는 정도를 말하며, 유쾌함은 사람이 현재 갖고 있는 목표와 관
련해서 자극들이 본질적으로 즐거운지 그렇지 않은지를 평가하는 것과
관련이 있다. 주의적 행동은 자극에 대해 집중하는 정도 또는 자극을 무
시하거나 피하는 정도와 관련이 있으며, 통제성은 사람이 그 상황을 통
제하고 있다고 믿는 정도를 말한다. 예상노력은 사람이 그 상황에서 무

엇을 해야만 하며 어느 정도의 노력을 들여야 하는지 예상하는 정도와 관련이 있으며, 마지막으로 책임성은 그 상황에서 일어나고 있는 것에 대해 책임이 있다고 느끼는 정도를 뜻한다.

각각의 정서는 이 여섯 가지 차원들에 의하여 정의되고 핵심의미와 주제가 특징지어진다. 예를 들어 분노는 확실성, 통제성, 책임성 등 세 가지 중심차원에 의해서 다른 부정적 정서들과 구별된다. 즉 분노는 부정적 사건에 대해 타인에게 책임이 있으며, 그 통제는 개인차원이라는 평가, 그리고 무엇이 일어나는지에 대해 확신할 수 있다는 평가에 기인한다. 수치심과 죄책감은 높은 자기 책임성과 자기 통제와 연합되어 있다(Smith & Lazarus, 1993). 후회는 자기 자신을 상처 입힌 것에 대한 자기 비난으로 부정적인 유의가(valence)를 가지며 높은 자기 책임성으로 평가되기 때문에 후회와 죄책감 간에는 유의미한 차이가 없다(Passyn & Sujan, 2006). 따라서 사람들의 정서는 그들의 상황에 대한 인지적 평가와 관련된다.

(3) 문화에 따른 정서

미국인과 일본인의 정서를 비교한 연구에서 정서의 활성화와 유쾌함 차원 이외에 대인관계에 관여되거나 관여되지 않는 정도를 나타내는 정서차원이 발견되었다. 예를 들어 자부심과 의기양양(elation)은 동일하게 긍정적이며 활성화 수준에서 높지만, 자부심은 의기양양보다 대인관계 관여 정도가 덜한 것으로 나타났다. 정서에 따라 초점을 주는 대상이 다르다는 인식하에, 기타야먀와 마커스(Kitayama & Markus, 1990)는 대인관계 관여 정도가 높은 정서를 타자초점 정서로, 대인관계 관여 정도가 낮은 정서를 자아초점 정서로 칭하였다. 자아초점 정서는 타인을 배제한 개인의 내적 상태나 속성과 연관되며, 개인적 인식, 경험, 표현요구와 일치하려는 경향을 가진다. 자부심, 행복, 좌절 등이 자아초점 정서에 해당되며, 이런 정서들은 사람들이 자신에게 주의초점을 둘 때, 자기표현을 활발히 할 때, 그리고 자기표현과 관련되는 정서-발생 사건을 평가할 때 활발히 발생한다고 한다. 반면, 타자초점 정서는 사회적 상황에서의 타자나 가까운 타인(예 : 가족, 친구, 동료, 정치적 · 종교적 집단, 사회계급 또는 개인의 자기규정에 중요한 이데올로기나 국가적 실체)와 관련되며, 타인과 자신의 행위를 통합, 조화, 연합하고자 할 때 발생한다.

자아초점 정서나 타자초점 정서를 경험하는 것은 인지, 동기, 행동 면에서 다른 결과를 유도한다. 즉 자아초점 정서를 경험하고 표현하는 것은 내적 속성을 더 강조하며, 정서를 공개적으로 드러내고 사적으로 강화하는 시도를 하도록 이끈다. 그러나 타자초점 정서를 경험하는 것은 상호의존과 상호교환을 촉진하며, 더 협력적인 사회적 행위를 하도록 이끈다. 이런 타자초점 정서는 때로는 개인의 내적 속성의 자동적 표현을 방해하며, 상반된 감정으로 이끌 수도 있다.

이러한 초점정서는 문화적 지향에 따라 달리 경험되는 것으로 알려져 있다. 예를 들어 한 연구에서는 15개국의 사람들에게 분노, 슬픔, 공포의 표정을 짓고 있는 사람들의 사진을 보여주고 사진 속의 사람들이 체험하고 있는 정서의 강도를 추정하여 판단하도록 하였다. 그 결과, 개인주의 문화권의 구성원일수록 자아초점 정서의 강도를 더 높게 판단하는 것으로 나타난 반면, 집단주의 문화권의 구성원들은 자아초점 정서의 강렬함을 낮게 판단하는 것으로 나타났다.

또한 초점정서는 문화적 지향뿐만 아니라 자기해석의 조작에 따라서도 접근가능성이 다른 것으로 알려져 있다. 즉 자기 자신에 대해서만 생각하도록 한 사람들은 행복이나 슬픔 같은 자아초점 정서를 더 느끼는 경향이 있는 반면, 가족이나 친구와 함께 있는 자신에 대해 생각하도록 한 사람들은 평화나 선동(agitation) 같은 타자초점 정서를 더 경험하는 경향이 있는 것으로 나타났다.

자아초점 정서는 집단주의 문화에 비해 개인주의 문화에서, 타자초점 정서는 개인주의 문화에 비해 집단주의 문화에서 더 자주 더 강렬하게 체험되고 표현됨을 알 수 있다. 이는 집단주의 사회에서 타인에 대한 배려와 관계의 조화에 도움이 되는 정서가 사회적으로 높은 평가를 받기 때문이며, 반면 개인주의 사회에서는 개인의 자율성과 독특성 추구에 도움이 되는 정서가 사회적으로 높은 평가를 받기 때문으로 볼 수 있다.

CONSUMER BEHAVIOR AND
PSYCHOLOGY

제 5 장

성격

1. 성격구조

성격은 '개인의 환경에 대한 적응을 결정짓는 특징적인 행동패턴과 사고양식'으로 정의하고 있다. 이 정의에서 보면 '행동과 사고'라는 용어가 나오는데 인간의 성격은 우리 눈으로 직접 볼 수 있는 것이 아니라 외부로 드러난 행동과 사고유형을 통해 역으로 우리가 추론하는 것이다.

Frued(1856~1939)의 구조 모델에 따르면, 성격은 행동을 지배한 3가지 시스템인 원초아(id), 자아(ego), 초자아(super-ego)로 구성되어 있으며 이것들은 서로 상호작용한다. 출생과 동시에 나타나는 원초아는 성격의 가장 원초적인 부분으로 자아와 초자아도 여기에서 발달한다. 원초아는 가장 기본적인 생물학적 충동으로 구성되어 있다.

아이가 성장할 때, 자아가 발달하기 시작한다. 아이는 자신의 충동이 언제나 즉각적으로 충족될 수 없다는 것을 알게 된다. 성격의 한 부분인 자아는 어린 아동이 현실의 요구를 고려하는 것을 배우면서 발달한다. 자아는 현실원리에 따르기에 충동의 만족은 그 상황이 적절할 때까지 지연되어야 한다는 것을 아이에게 말해준다. 따라서 자아는 본질적으로 성격의 집행자로 원초아의 요구, 현실 그리고 초자아의 요구 간을 중재한다.

초자아는 행위가 옳고 그른지를 판단한다. 초자아는 사회의 가치와 도덕에 관한 내면화된 표상이다. 초자아는 개인의 양심과 도덕적으로 이상적인 사람에 관한 이미지이다. 프로이트에 의하면, 초자아는 아동 중기 동안 부모가 주는 상과 처벌에 대한 반응 그리고 동일시 과정을 통해 형성된다.

성격의 이러한 세 가지 성분은 종종 갈등을 일으킨다. 자아는 원초아가 원하는 충동의 즉각적 만족을 지연시킨다. 초자아는 원초아와 자아 두 성분 모두와 싸우는데, 이는 원초아와 자아의 행동에 도덕적 요소가 부족하기 때문이다. 매우 잘 통합된 성격의 경우, 자아는 안정적이면서 융통성 있는 통제를 유지하고 현실원리가 지배한다. 프로이트는 원초아의 전부와 자아와 초자아의 대부분이 무의식에 있고, 자아와 초자아의 작은 부분만이 의식적이거나 전의식적이라고 제안하였다.

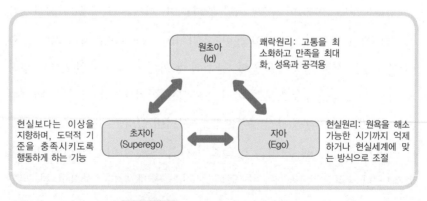

그림 3-14 Freud의 심리 역동 원리

Freud의 이론에는 다음 몇 가지 문제점이 있다. 첫째, 모든 소비자 행동이 무의식적 욕구에 의해 이루어진다는 입장을 취하고 있어서 인간의 합리적인 동기와 의사결정과정을 과소평가하였다. 둘째, 무의식 욕구 내용을 밝히는 연구의 방법이 주관적이며, 체계화되어 있지 않아 비과학적이고 객관적이지 않다는 비판을 받는다. 셋째, 동기의 내용이 매우 주관적이고 그 원인을 반복 검증하기 어렵기 때문에 이를 마케팅 전략에 활용하는 데 제한적일 수밖에 없다.

한편, 인간의 행위에 숨어있는 무의식적 동기를 확인하기 위한 꿈, 환상, 상징 등을 강조하는 정신분석학은 마케팅의 영향을 주었다. 마케터들은 소비자의 무의식 동기에 소구할 수 있는 촉진주제와 용기를 개발하려고 하며, 여전히 소비자의 무의식적 구매동기를 자극하는 상징과 환상을 확인하기 위해 정신분석학을 이용하고 있다. 예를 들어 제품의 디자인과 용기 또는 광고 등에서 성적인 에너지인 리비도(libido)를 흥분시키는 여러 상징들을 의도적으로 사용하고 있다.

1) Horney의 성격 이론

Freud의 동료들 중 몇몇은 성격이 본능적이고 성적이라는 프로이트의 생각에 동의를 하지 않고, 대신에 사회적 관계가 성격형성과 발달에 기본이라고 믿었다. 이런 신 프로이트 학파의 성격이론들 중에서 소비자 영역에 잘 적용되는 Horney의 이론에 대해 간략히 언급하고자 한다.

Horney는 불안에 흥미를 두었고, 특히 불안한 감정을 극복하려는 개인의 욕망에 관심을 두었다. 이는 순응, 공격, 이탈의 3가지 성격집단으로 분류될 수 있다.

- 순응적(compliant) 성격 : 이에 해당하는 개인은 타인을 향해 움직이는 사람으로, 사랑받고 인정받기를 바라는 경향이 강하다.
- 공격적(aggressive) 성격 : 이에 해당하는 개인은 타인에 대항해 행동하는 사람으로, 남보다 우위에 서려 하고 칭찬을 들으려는 경향이 강하다.
- 이탈적(detached) 성격 : 이에 해당하는 개인은 타인으로부터 멀어지려는 사람으로, 독립적이고 자기충족적이며 자유로워지려는 경향이 강하다.

Horney의 이론에 근거를 둔 성격검사가 한 소비자 연구자에 의해 개발되었는데, 그는 대학생들의 검사점수와 그들의 제품 및 상표 사용패턴 간에 잠정적 관계를 발견하였다. 매우 순응적인 학생들은 유명상표 제품을 선호하였고, 공격적 성격으로 분류된 학생들은 남성적인 면을 강하게 소구하는 제품을 선호하였으며, 매우 이탈적인 학생들은 많은 학생이 선호하는 커피보다는 차를 많이 마시는 것으로 나타났다(Cohen, 1967).

2) 특질론

특질론은 사람들을 그들의 지배적인 특성 또는 특질에 따라 분류하는 것이다. 심리학자에 의하면, 특질(trait)은 '한 개인을 다른 사람과 비교적 영속적이며 일관되게 구분해 주는 어떤 특성'이다. 특질론자들의 주장에 의하면, 사람들의 성격은 소위 '특성(또는 기질)'이라 불리는 인간의 선유적(타고난) 속성들이 개개인의 심리구조에 어떤 형태로 결합되어 있느냐에 따라 결정된다.

특질론의 특성은 다음과 같다.

첫째, 특질은 환경의 영향을 초월하여 상당기간 비교적 안정적이며, 행동개발에 중요한 결정요인의 하나로 작용한다.

둘째, 사람들은 다양한 특질을 보유하고 있다. 그러나 개인이 보유하고 있는 개별 특질의 양에는 많은 차이가 있다. 예를 들어, 어떤 사람은 독립성이라는 특질을 매우 많이 보유하고 있는 반면, 전혀 독립성이 없는 사람, 또는 적당히 가지고 있는 사람 등 개인차가 있다.

셋째, 특질은 행동지표의 측정결과를 통해 추정될 수 있다.

결국 특질론에 의하면, 사람들이 공유하는 여러 특질 중에서 특히 어떤 유형의 특질을 상대적으로 많이 보유하고 있느냐에 따라서 개개인의 성격이 결정된다. 또한 개인이 보유하고 있는 특질은 그들의 행동에 직접적으로 영향을 줄 뿐만 아니라 상당부분 행동에 반영되기 때문에 특정인의 행동성향을 측정하면 그에게 내재된 자질의 유형과 개성을 추정 및 식별할 수 있다고 본다.

특질론은 사람들의 성향을 형용사로 기술하며, 사람들의 성격은 형용사로 표현된 특정한 특질들의 결합으로부터 나타난다. 예를 들어 사람은 자신의 성격이 어떠냐는 물음에 '보수적인', '외향적인', '침착한', '사교적인' 등의 형용사를 사용하여 답하곤 하는데, 이것이 바로 특질이며, 이러한 특질들의 결합(예, 안정적이고, 외향적이며, 사교적인 등)이 성격으로 나타난다.

〈표 3-2〉는 다양한 평가 도구를 사용해 요인분석한 결과 신뢰성 있게 나타나는 5개의 특질요인(Big-5요인)을 나타낸다. 제시된 형용사 쌍은 각 요인을 잘 나타내는 특질척도의 예들이다(McCrae & Costa, 1987).

〈표 3-2〉 대표적인 5개 특질요인

특질요인	대표적인 특질척도
개방성	인습적인-창의적인, 무사안일한-대담한, 보수적인-자유로운
성실성	부주의한-조심스러운, 믿을 수 없는-믿을 만한, 게으른-성실한
외향성	위축된-사교적인, 조용한-말 많은, 억제된-자발적인
친밀성	성마른-성품이 좋은, 무자비한-마음이 따뜻한, 이기적-이타적
신경증	침착한-걱정 많은, 강인한-상처를 잘 입는, 안정된-불안정한

3) Jung의 분석심리학

Jung은 1914년 Freud의 정신분석학파에 소속되어 활동했지만, Freud와 학문적 견해의 차이로 결별하고 무의식 요소를 개인적 차원에서 집단적 차원으로 확대하여 분석심리학파를 만들었다. Jung(1961)은 한 인간의 전인격적 심리 구조를 통틀어 psyche라고 표현하였다. 그는 이러한 psyche가 의식의 심층을 둘러싼 자아, 그 의식을 둘러싼 개인무의식 그리고 집단무의식과 원형으로 구성되어 있다고 보았다. 특히 psyche의 구성 중 집단무의식과 원형은 성격에 대한 Jung의 분석심리학이 갖는 특징이라고 할 수 있다.

개인무의식은 자아의 세계에서 억압되거나 잊힌 경험이 저장되어 형성된 것으로, Freud가 말한 무의식적 요소에 해당한다. 어떤 새로운 것을 경험했을 때 그것이 자신과 무관하거나 중요하지 않게 보이는 것들, 또는 그 자극이 너무 약해서 의식의 수준에까지 도달하지 못한 경험들이 저장된 것이다. 이것은 평소에는 의식에 머물러 있지 않지만 필요할 때 작동하여 우리의 행동에 영향을 미친다. Jung은 개인무의식이 개인이 가지고 있는 콤플렉스(무의식 속에 저장되어 있는 감정, 생각, 기억이 연합되어 생긴 흔적들) 혹은 과거 조상의 경험에서 얻은 것이라고 생각했다. 개인적인 갈등, 해결하지 못한 도덕적 갈등, 강렬한 감정이 뒤섞인 사고과정은 개인 무의식의 중요한 부분이다. 개인무의식에 직접 접근하기는 어려우며 종종 이런 요소들은 꿈으로 나타나 그 내용을 구성하는 데 중요한 역할을 한다.

Jung(1929)은 무의식이 개인의 성격 형성에 중요한 영향을 끼친다는 Freud의 생각을 수용했지만, 무의식이 단지 개인적 차원만이 아닌 집단적 차원에도 영향을 미친다고 생각했다. 즉, 그는 성격이 그 사람이 어떤 사회나 문화에서 자라나는가에 따라 달라질 수 있다고 본 것이다. 개인을 지배하는 생각, 감정, 욕구가 모두 현재의 자신에게서 비롯되는 것은 아니며, 과거 인류의 경험이 축적되어 전달된 것들일 수도 있다. 인간이 대대로 이어받은 여러 가지 원시적 이미지는 자신도 모르게 세상을 경험하고 반응하는데 소질이나 잠재적 가능성으로써 가능하게 된다. 이러한 집단무의식은 신화나 전설 및 민담과 같은 집단 문화의 형태로 전승되어, 원형(archetype)의 형태로 개인 내면에 자리잡게 된다. 예를 들어, 어떤 나라에 태어나든지 인간은 누구나 어머니에 대한 공통적인 원형을 가지고 있다. 사람들은 자신이 가지고 있는 원형에 따라 특정한 방식으로 세계를 지각하고 경험하며 반응하게 된다. 여기서 원형이란 조상으로부터 전달받아 개인이 태어날 때부터 가지게 되는 미리 정해진 생각이나 기억, 즉 근원적 심상을 말한다.

Jung(1929)은 성격을 구성하는 가장 중요한 원형으로 페르소나(persona), 그림자(shadow), 아니마(anima), 아니무스(animus), 자기(self)를 들었다. 페르소나란 어머니의 심상과 같이 사회적 역할수행에 대한 심상으로 남에게 보이는 모습을 말한다. 그림자는 개인이 가지고 있는 어두운 면으로, 성적으로 수용되지 않거나 동물적인 것 즉, 무의식의 어둠 속에 있는 자신의 분신을 말한다. 아니마는 남성 속에 있는 여성성을 말하고, 아니무스는 여성 속에 있는 남성성의 모습을 말한다. 자기란 인간이 추구하는 합일, 완성, 만다라의 상태를 말한다. 이런 집단무의식의 원형은 인간 개개인의 성격 중 한 요소를 형성한다.

4) MBTI(Myers & Briggs Type Indication)

Jung의 심리유형론에 근거하여 Myers와 Briggs가 개발한 MBTI(Myers & Briggs Type Indication)[6] 성격유형 검사 도구는 자기이해와 타인이해 및 수용에 효과적이며 상대방을 이해하는 데 활용할 수 있는 성격의 선호유형을 찾는 검사 도구이다.

MBTI의 바탕이 되는 Jung의 성격이론의 요점은 각 개인이 외부로부터 정보를 수집하고(인식기능), 자신이 수집한 정보에 근거해서 행동을 위한 결정을 내리는 데 있어서(판단기능) 각 개인이 선호하는 방법이 근본적으로 다르다는 것이다. Jung은 인간의 행동이 겉으로 보기에는 제멋대로이고 예측하기 힘들 정도로 변화무쌍해 보이지만, 사실은 매우 질서정연하고 일관성이 있으며 몇 가지의 특징적인 경향으로 나뉘어져 있음을 강

---

6) 캐서린 쿡 브릭스(Katharine C. Briggs)와 그의 딸 이사벨 브릭스 마이어스(Isabel B. Myers)가 칼 융의 성격 유형 이론을 근거로 개발한 성격유형 선호지표이다. 이 검사는 제2차 세계 대전 시기에 개발되었다. MBTI를 활용한 검사는 좋고(효율적) 나쁜(비효율적) 성격을 구별하는 것이 아니라 환경이라는 변수를 개입함으로써 사람들의 근본적인 선호성을 알아내고 각자의 선호성이 개별적으로 또는 복합적으로 어떻게 작용하는지의 결과를 예측하여 실생활에 도움을 얻고자 하는 개인의 어떤 특성을 나타내는 제시도(indicator)이다(김정택·심혜숙, 2000). MBTI 활용은 개인의 심리적 특성인 성격유형의 차이를 이해하고 수용하는 역동을 통하여 대인관계 능력을 향상시킬 수 있다고 보았다. MBTI 활용으로 성격과 잠재력을 발견, 개발함으로써 건강한 자아정체감이 형성될 수 있다.

조하였다(Jung, 1976). 심리학적 유형론의 특징은 심리적 경향성 간의 역동적(力動的)인 관계를 중시하는 데 있다. 그는 이 경향성을 일반적인 태도에서 보이는 '내향적 태도와 외향적 태도', 정신기능을 중심으로 하는 '감각과 직관' 및 '사고와 감정'의 기능으로 분류하고 있다.

Jung은 인간의 심리적 에너지가 그 사람의 내부에서 연유되는가 또는 외부에서 연유하는가에 따라서 어떤 사람은 내향성, 어떤 사람은 외향성이 된다고 보았다. 그는 인간이 외부환경을 대하는 방법에도 각기 개인차가 있는데, 이는 바로 이런 독특한 마음의 기능에서 연유되는 것으로 해석하였다. 내향적, 외향적 태도의 구별에 대해 Jung은 개체의 주체(subject)와 객체(object)에 대한 태도에 따라서 구분을 할 수 있다고 보았다. 개인의 태도가 객체를 주체보다 중요시하면 그는 외향적 태도를 취한다고 말할 수 있고, 반대로 객체보다도 주체를 중요시하면 그는 내향적 태도를 취한다고 할 수 있다. 예를 들면 미술 전람회에 가서그 그림이 좋다고 말할 때, 그 동기가 그 전날 본 신문의 평이 좋다고 되어 있고 그 화가들이 유명한 사람이어서 객관적으로 좋다는 평가를 내렸기 때문이라면 그의 태도는 외향적이다. 그는 객관적으로 좋다는 평가를 내렸기 때문이다. 그러나 신문의 평이 좋고 그 화가가 세상에 잘 알려져 있다고 해도, 내가 보기에는 좋지 않았다고 한다면 그의 태도는 내향적이다. 그의 판단의 기준은 객관적인 기준보다 자기의 주관이기 때문이다. 이러한 기능의 선호성은 인간이 태어날 때부터 타고 나는 것이며, 이러한 근본적인 선호성도 각기 다른 심리유형을 지닌 인간의 개인차에 의해 잘 설명될 수 있는 것으로 보았다. 그는 또한 이러한 선호성은 어떤 민족이나 문화를 막론하고 모든 인간에게 본질적인 것으로 믿었다(Jung, 1923).

또한 Jung은 인간의 정신기능을 인식기능인 '감각과 직관', 판단기능인 '사고와 감정' 기능으로 분류하고, 인식기능을 비합리적인 정신기능, 판단기능을 합리적인 정신기능으로 보았다. 왜냐하면 인식기능은 옳고 그름의 판단과정을 거치지 않고 직접적으로 무엇을 감지하는 기능이므로 비합리적인 기능으로 보았고, 판단기능은 규준에 따라 판단하고 결정하는 과정이므로 합리적인 기능으로 여겼다.

Myers와 Briggs는 MBTI를 개발하면서, Jung이 간략하게만 언급하고 넘어간 JP지표도 하나의 독립된 지표로 첨가하였다. Jung은 이 JP지표에 대해 "판단형의 사람(J형)은 대개 판단하는 성향을 가지고 있어서 의식적 성격측면을 잘 파악하고, 인식형(P형)의 사람은 무의식적인 성격에 영향을 받는다. 왜냐하면 판단(J)은 정신현상의 의식적 동기에 더욱 관심을 가지고 있고, 인식(P)은 단지 일어난 일을 기록하기 때문이다"라고 하였다. Jung은 이러한 각 기능에서의 방향의 결정은 선천적이라고 생각하였다. 그는 각 기능의 양극선 상에서 각 개인에 따라서 어느 한쪽으로 더 기울어지며, 이에 따라 개인의 차이점이 드러나는 고유의 성격유형이 나타난다고 보았다. 그는 또한 인간이 자신의 선천적 경향을 알고 활용할 때 심리적인 쾌적감이 따른다고 보았고, 반면 자신의 선천적 경향을 거슬러 가야 하는 상황 속에서 오랫동안 살아갈 때는 심리적인 탈진감이 오게 된다고 하였다. 이것은 마치 선천적으로 오른손 잡이인 사람이 왼손을 써야 하는 상황이 되면 서툴고 어색하고 왼손을 쓰고 있다는 의식을 많이 하게 되는 것과 마찬가지로, 의식을 많이 한다는 것은 그만큼 심리적인 에너지의 소모가 많다는 표시이기도 한 것이다. Jung은 인간은 자기의 타고난 선호 방향을 따라 익숙하게 살아갈 때 그 반대 방향 역시 개발시킬 수 있다고 보았고, '자기 실현'은 자기에게 묻혀 있는 것을 개발하여 통합하는 것이라고 말하고 있다. 즉, 의식과 무의식의 통합과정이 개인의 성숙과정이라고 보았다.

MBTI는 이와 같은 Jung의 입장에 바탕을 두고, 개인이 쉽게 응답할 수 있는 자기보고를 통해 인식하고 판단할 때의 각자 선호하는 경향을 찾고, 이러한 선호경향들이 개별적으로 또는 여러 경향들이 상호작용하면서 인간의 행동에 어떠한 영향을 미치는가를 파악하여 실생활에 응용할 수 있도록 제작된 도구이다.

외향(E) Extroversion	에너지의 방향(주의 초점) ←——→	내향(I) Introversion
감각(S) Sensing	정보수집(인식의 기능) ←——→	직관(N) Intuition
사고(T) Thinking	판단과 결정(판단의 기능) ←——→	감정(F) Feeling
판단(J) Judging	이해양식(생활 양식) ←——→	인식(P) Perceiving

그림 3-15 MBTI 선호지표

[그림 3-15]와 같이 각 선호지표에 대해 자세히 살펴보면 다음과 같다.

(1) 외향성(Extroversion) – 내향성(Introversion)

외향성과 내향성의 지표는 개인의 주의집중과 에너지의 방향이 인간의 외부로 향하는지 내부로 향하는지를 나타내는 지표이다. Jung은 외향성과 내향성이 상호보완적인 태도임을 강조했다.

외향성의 사람들은 주로 외부세계를 지향하고 인식과 판단에 있어서도 외부의 사람이나 사물에 초점을 맞춘다. 또한 바깥에 나가 활동을 해야 활력을 얻는다. 이들은 행동 지향적이고, 때로는 충동적으로 사람들을 만나며, 솔직하고 사교성이 많고 대화를 즐긴다.

내향성의 사람들은 내적 세계를 지향하므로 바깥 세계보다는 자기 내부의 개념(concept)이나 생각 또는 이념(idea)에 더 관심을 둔다. 관념적 사고를 좋아하고, 자기 내면세계에서 일어나는 것에 의해 에너지를 얻으며 주로 생각을 하는 활동을 좋아한다.

(2) 감각형(Sensing) – 직관형(Intuition)

감각형과 직관형의 지표는 정보를 인식하는 방식에서의 경향성을 반영한다. 감각기능을 선호하는 사람들은 모든 정보를 자신의 오관에 의존하여 받아들이는 경향이 있다. 이들은 현재 이 상황에 주어져 있는 것을 수용하고 처리하는 경향이 있으며 실제적이고 현실적이다. 또한 자신이 직접 경험하고 있는 일을 중시하며 관찰능력이 뛰어나고 세세한 것까지 기억을 잘하며 구체적이다.

감각형의 사람은 순서에 입각해서 차근차근 업무를 수행해 나가는 성실근면형이나, 세부적이고 구체적인 사실을 중시하는 경향으로 인해 전체를 보지 못할 위험이 있다. 감각형의 사람은 사물, 사건, 사람을 눈에 보이는 그대로 시작하려는 경향이 있으며, 사실적 묘사에 뛰어나다.

직관기능을 선호하는 사람들은 오관보다는 통찰, 소위 말하는 육감이나 영감에 의존하여, 구체적인 사실이나 사건보다는 이면에 감추어져 있는 의미, 관계 가능성 또는 비전을 보고자 한다. 이들은 세부적이고 구체적인 사실보다는 전체를 파악하고 본질적인 패턴을 이해하려고 애쓰며 미래의 성취와 변화, 다양성을 즐긴다. 직관형의 사람은 상상력이 풍부하고, 이론적이고, 추상적이고, 미래지향적이며 창조적이다. 그러나 구체적인 것을 떠나 전체를 보려고 하기 때문에 세부적인 것은 간과하기 쉽고, 실제적, 현실적인 면을 고려하지 않고 새로운 일 또는 복잡한 일에 뛰어들기도 한다.

(3) 사고형(Thinking) – 감정형(Feeling)

사고와 감정기능은 인식된 정보를 가지고 판단을 내릴 때 쓰는 기능이다.

사고형은 객관적인 기준을 바탕으로 정보를 비교 분석하고 논리적 결과를 바탕으로 판단을 한다. 사고형은 인정에 얽매이기보다 원칙에 입각하여 판단하며, 정의와 공정성, 무엇이 옳고 그른가에 따라 판단한다. 따라서 인간미가 적다는 얘기를 들을 수 있으며 객관적 기준을 중시하는 과정에서 타인의 마음이나 기분을 간과할 수 있다.

감정기능을 선호하는 사람은 친화적이고, 따뜻한 조화로운 인간관계를 중시한다. 객관적인 기준보다는 자기자신과 다른 사람들이 부여하는 가치를 중시하여 판단을 한다. 즉, 논리 분석보다는 자기자신이나 타인에게 어떤 영향을 줄 것인가 하는 점을 더 중시하며, 원리원칙보다는 사람의 마음을 다치지 않게 하는 데 더 신경을 쓴다. 이러한 성향으로 사람과 관계된 일을 결정해야 할 때 우유부단하게 되거나 어려움을 겪을 수 있다.

(4) 판단형(Judging) – 인식형(Perceiving)

판단과 인식은 외부세계에 대한 태도나 적응에 있어서 어떤 과정을 선호하는가를 말한다.

　판단형은 의사를 결정하고 종결을 짓고 활동을 계획하고 어떤 일이든 조직적 체계적으로 진행시키기를 좋아한다. 판단형은 계획을 짜서 일을 추진하고 미리미리 준비하는 편이며, 정한 시간 내에 마무리해야 직성이 풀린다. 외부행동을 보아도 빈틈없고 단호하며 목적의식이 뚜렷하다.

　반면, 인식형은 삶을 통제하고 조절하기보다는 상황에 맞추어 자율적으로 살아가기를 원한다. 또한 자발적이고 호기심이 많고 적응력이 높으며, 새로운 사건이나 변화를 추구한다.

　판단형은 한 가지 일을 끝내지 않고는 잠을 못 이루는 사람들이다. 이에 비해 인식형은 한꺼번에 여러 가지 일을 벌이지만, 뒷마무리가 약하다. 판단형은 인식형을 굼뜨고 답답하게 보며, 인식형은 판단형을 보고 성급하고 여유가 없고 조급하다고 보는 경향이 있다.

5) 소비자 성격척도

　여러 소비자 연구자는 특정한 구매행동을 직접적으로 측정해 줄 수 있는 타당하고 신뢰도 높은 특질척도를 다수 개발하였다.

(1) 자기감시

　자기감시(self-monitoring)는 사람이 사회활동과 대인관계에서 자기표현을 관리할 수 있는 정도를 말한다. 자기감시 정도가 높은 사람의 태도는 자신의 태도가 사회적이나 상황적으로 적합한가에 의해 형성되기 때문에 이러한 사람들은 제품을 사용함으로써 얻을 수 있다고 주장한다. 또한 자기감시가 낮은 사람들은 자신의 가치표출을 중시하는 태도를 갖기 때문에 제품의 품질을 강조하는 광고를 자신들의 내재된 태도나 가치 또는 다른 평가적 기준에 맞추어 해석할 것이라고 가설을 세웠다. 예를 들면 자기감시가 높은 사람은 스포티하게 보이는 자동차 광고, 하얀 치아의 밝은 미소를 강조하는 치약광고 등에 반응할 것이다.

또한 자기감시가 낮은 사람들은 자신들의 가치표출을 중시하는 태도를 갖기 때문에 제품의 품질을 강조하는 광고를 자신들의 내재된 태도나 가치 또는 다른 평가적 기준에 맞추어 해석할 것이라는 가설을 세웠다. 예를 들면 스카치위스키 맛이 좋다고 생각하는 사람들은 스카치위스키를 마시는 그 자체를 즐길 것이며, 이러한 사람들은 특정 스카치가 그 맛에 대한 정보를 제공하는 광고에 주의를 할 것이며 더 반응적일 것이라는 가설을 세웠다. 이들은 세 가지 제품(위스키, 담배, 커피 등)을 대상으로 두 가지의 광고기법을 이용, 즉 다른 것은 다 동일하지만 단지 광고와 관련된 카피가 하나는 제품의 이미지를, 다른 하나는 제품의 품질을 소구하는 기법을 이용하여 광고에 대한 호의도와 제품의 구매의도에 대해 자기감시의 높고 낮음이 차이를 유발할 수 있는가에 대한 연구를 한 결과 유의한 차이가 있음을 밝혀내고, 그들의 가설이 검증되었다고 주장하였다.

(2) 인지욕구

인지욕구(need for cognition)는 사람이 생각하는 것을 즐기거나 원하는 경향성에 대한 측정을 나타낸다. 인지욕구의 개념은 개인이 노력하여 정보를 처리하는 데서 얻게 되는 내적인 즐거움에 초점을 두고 있다. 인지욕구 척도에서 높은 점수를 받은 사람은 본질적으로 생각하는 것을 즐기며, 반면에 낮은 점수를 받은 사람은 힘든 인지적 활동을 피하는 경향이 있다. 인지욕구가 낮은 사람은 특정한 주장에서 핵심을 구별하지 못하며, 오히려 제공된 주장에 근거하여 자신의 태도를 형성하기 위해 요구되는 인지적 노력을 피하기를 전형적으로 좋아하는 것으로 특징지을 수 있다.

(3) 애매함에 대한 관용

애매함에 대한 관용(tolerance for ambiguity)의 개념은 애매하거나 비일관적인 상황에 대해 사람이 어떻게 반응하는지를 다루는 것으로, 애매함에 참을성이 있는 개인은 비일관적인 상황에 긍정적인 방식으로 반응하지만, 애매함에 대해 비관용적인 개인은 비일관적인 상황을 위협적이며 바람직하지 않은 것으로 보는 경향이 있다. 세 가지 다른 형태의 상황이 애매한 것으로 확인되었는데, 첫째, 사람이 정보를 전혀 갖고 있지 못한 완벽하게 새로운 상황은 애매한 것으로 고려되며, 둘째, 사람을 정보로 당황하게 하는 경향이 있는 매우 복잡한 상황은 매우 애매한 상황으로 간주되고, 셋째, 반박적인 정보를 갖고 있는 상황도 애매한 것으로 고려되고 있다. 이러한 상황들은 신기한, 복잡한 그리고 해결할 수 없는 상황으로 특징지을 수 있다.

애매함에 대한 관용의 성격구성이 여러 소비자 과제에서 소비자에게 영향을 줄 수 있다. 예를 들면, 소비자가 애매함에 비관용적인 소비자보다 새로운 것으로 지각된 제품에 더 긍정적으로 반응한다는 것을 발견했다. 즉 새로운 제품을 구매할 때, 소비자는 신기한 상황에 접하게 될 것이고, 애매함에 관용적인 소비자는 이러한 상황에 더 긍정적으로 반응할 것이다.

(4) 시각처리 대 언어처리

소비자를 시각처리자와 언어처리자로 구분할 수 있다. 시각처리자는 시각적 정보와 시각을 강조하는 제품을 선호하며, 반면에 언어처리자는 기술되는 언어적 정보와 언어적 정보로 광고되는 제품을 선호하는 경향이 있다.

(5) 분리 대 연결

분리−연결(separateness−connectedness) 특질은 사람들이 자신의 자기개념을 독립성(타인과의 분리) 대 상호의존성(타인과의 연합)으로 지각하는 정도를 측정하는 변수이다. 연결특질이 강한 사람은 중요한 타인을 자신의 일부분으로 또는 자신의 확장으로 간주하지만, 분리특질이 강한 사람은 자신을 타인과 구분하며 '나'와 '남' 사이에 명확한 경계를 설정한다.

분리−연결 특질은 인구통계학적 변수들에서 차이가 있음을 보여준다. 예를 들어 여성은 남성보다 그리고 동양문화권의 사람들이 미국, 캐나다, 유럽의 서양 사람들보다 연결 특질의 자기개념을 더 가지고 있다(Wang & Mowen, 1997).

(6) 기타 성격척도

소비자 연구자들은 위에서 언급한 특질척도 이외에도 다른 많은 척도를 개발하였다. '쿠폰경향' 및 '가격인식', '허영심', '거래경향', '인지복잡성', '성별도식이론', '불안', '자기 민족중심주의', '외향성/신경성', '정서욕구', '순종, 공격 및 분리' 척도 등이 소비자 행동과 관련이 되는 것으

291

로 평가하였다. 한편 강박소비를 하는 소비자의 경향성을 측정하는 척도
도 개발되었다. 이 척도에서 강박소비자를 성공적으로 확인해주는 문항
으로는 "나는 구매할 능력이 없는데도 구매한다", "만일 남들이 나의 구
매습관을 안다면 소름 끼칠 것이라고 나는 생각한다", "나는 쇼핑을 가지
못하는 날에는 불안하거나 신경질이 난다", "나는 나 자신의 기분을 좋
게 하기 위해 무언가를 구매한다" 등이 있다. 이 척도에서 이런 문항들에
"예"라고 응답하는 소비자는 강박소비 성향을 가지고 있을 것이며 전문
가의 도움이 필요할 것이다.

6) 자기개념

자기개념(self-concept)은 '자기 자신을 하나의 대상으로 나타내는 개
인의 사고와 감정의 총합'으로, 사람들이 자신의 자기개념과 일치되게 행
동하려는 욕구가 있기 때문에 자기 자신에 대한 지각이 성격의 기본을
형성한다.

(1) 자기개념과 상징적 상호작용주의

인간은 자신을 외부로 드러내려는 성향을 지니고 있다. 이때 인간은
환경에서의 무언가를 활용하여 자신을 표현한다. 환경에서의 무언가란
바로 개인을 드러낼 수 있게 하는 하나의 상징물이다. 즉 자신을 표현하
기 위해서는 환경에서 개인과 상징 간의 상호작용이 필요한데, 이를 상징
적 상호작용주의라고 한다. 상징적 상호주의에 근거하면, 소비자는 상징
적 환경에서 생활하며 자신을 둘러싸고 있는 상징들을 빈번히 해석한다.

(2) 자기 일치성 측정

자기 일치성은 소비자가 자신의 자기개념에 일치하는 제품과 매장을 선택한다는 개념이다. 자기 일치성을 측정하는 방법은 크게 2가지로 나뉜다. 첫째는 전통적인 방법으로 자기 일치성을 구성하고 있는 개념인 상표성격과 자기 이미지를 각각 측정하여 두 개념에서 일치성을 유추하는 방법이다. 둘째는 소비자에게 직접적으로 해당제품이 자신의 자기 이미지와 일치하는가를 묻는 방식이다.

(3) 자기개념과 신체이미지

사람의 외모는 자기개념에서 상당한 부분을 차지한다. 신체이미지는 자신의 신체에 관한 개인의 주관적인 평가를 의미한다. 예를 들어 어떤 남성은 자신이 실제보다도 훨씬 더 근육질이라 생각할 수 있고, 또는 어떤 여성은 실제보다도 훨씬 더 비만이라고 느낄 수 있다.

2. 라이프스타일과 사이코그래픽 분석

소비자들 간의 개인차를 확인하는 또 다른 방법은 사이코그래픽 분석에 의해 그들의 생활양식을 알아내는 것이다. 사이코그래픽 분석이란 소비자가 생활하고, 일하며, 즐기는 방식에 의해 소비자를 세분화하려는 소비자 연구의 한 형태이다.

1) 소비자 라이프스타일

연구자들은 라이프스타일을 '사람들이 생활하는 양식'으로 단순하게 정의하였다. 그런데 생활양식은 사람들의 집합을 세 가지 다른 수준으로 기술하기 위해서도 사용되었는데, 이는 개인, 상호작용하는 사람들의 소집단 그리고 사람들의 대집단을 말한다.

생활양식에 대한 소비자 개념은 성격에 대한 개념과는 상당히 다르다. 생활양식은 사람들이 어떻게 살아가고, 어떻게 그들의 돈을 소비하며, 그들의 시간을 어떻게 배분하는지 등으로 표현된다. 따라서 생활양식은 소비자의 명백한 행동과 관련되며, 반대로 성격은 보다 내면적인 관점으로부터 소비자를 설명한다. 다시 말해 성격은 소비자가 생각하고, 느끼고, 지각하는 특징적인 패턴을 알 수 있게 한다.

2) 사이코그래픽 분석

사이코그래픽스는 소비자의 심리적 구성을 기술하려는 아이디어를 내포하고 있다. 그러나 사실상 이 용어는 소비자의 활동(activity), 관심(interest), 의견(opinion) 등(AIOs)을 분석함으로써 소비자의 생활양식을 평가하기 위해 사용된다. 따라서 사이코그래픽 분석을 AIO분석이라고도 부른다. 사이코그래픽 연구의 목적은 기업이 고객을 더 잘 이해하고 고객에게 더 용이하게 접근하도록 돕기 위해 세분화된 소비자 집단을 묘사하는 데 있다. 사이코그래픽 연구는 보통 표적시장의 생활양식, 성격 특성, 인구통계학적 특성 등을 평가하기 위해 고안된 질문을 포함한다.

기업들은 사이코그래픽 분석을 널리 활용되고 있다. 예를 들어 크라이슬러 자동차 회사의 소비자 연구자들은 '이글비전'이라는 자동차의 표적시장에 대한 인구통계학적 프로필을 찾아냈는데, 이는 젊고, 교육수준이 높으며, 10살 이하의 두 아이를 둔 고소득 맞벌이 부부 등과 같다. 또한 이 부부는 TV시청을 싫어하지만 재즈음악을 즐기며, 일주일에 두 번은 운동을 하고, 미술장식품을 모으며, 일 년에 세 번의 휴가를 가는 것으로 나타났다.

3) VALS 사이코그래픽 목록

기업에서 인기있는 사이코그래픽 목록은 밸스(VALS: values and life-styles)이다. 스탠포드 연구기관(SRI: Standford Research Institute)에서 개발된 밸스는 미국기업에서 시장을 세분화하고 광고와 제품전략을 개발하는 데 널리 사용되었다.

VALS1로 불리는 첫 번째 목록은 동기와 발달심리학 이론—특히 매슬로의 욕구위계—에 기초를 두었다. VALS1은 소비자집단을 외부지향형, 내부지향형, 욕구충동형인 세 가지 유형으로 분류한다. 외부지향형은 이미 확립된 기존의 가치관이나 규범에 순응하려는 소비자를 의미하며, 내부지향형은 외부의 규범에 따르는 것보다 자신의 내적 욕구충족과 자아표현을 위한 노력을 하는 소비자들이다. 또한 욕구충동형은 가처분소득이 적어서 삶의 기본적 욕구를 충족시키기 위해 노력하는 소비자이다. VALS1은 가치와 라이프스타일 패턴에 따라 9가지 집단으로 분류하고 있다(Evans & Blythe, 1994). 필요추구집단에는 생존자형, 생계유지형이 해당되며, 외부지향집단은 관습, 동조, 전통을 강조하는 소속지향형과 경쟁, 과시, 야망을 강조하는 경쟁지향형과 성공, 성취, 명성을 추구하는 성취지향형으로 분류된다. 그리고 내적지향집단은 충동, 자기세계, 개성이 강조되는 자기중심형과 직접 경험과 인간중심이 강조되는 경험지향형이 있다. 그리고 사회적 책임감, 간소한 생활, 내적 성장이 강조되는 사회의식형과 외부지향과 내향지향을 결합한 통합형으로 분류할 수 있다(〈표 3-3〉 참조).

하지만 전체 미국의 성인인구의 약 2/3가 두 개의 집단으로 분류되어 나머지 일곱개 집단은 기업에서 관심을 갖기에는 너무나 작아서 실제 업무에 활용하기가 어려운 것이 사실이다.

이러한 이유 때문에 SRI는 1989년 VALS2라는 새로운 시스템을 발표했다. VALS2는 VALS가 행동이나 관심에 중점을 둔 반면에 보다 지속적인 태도나 가치에 관심을 두는 심리적 측면에 중점을 두었다. 즉 자기경향과 개인 각자가 지배적인 자기경향을 추구하는 능력을 나타내는 자원의 두 가지 척도에 의해 조사대상자를 소비자의 자원보유 정도와 세상을 보는 관점이라는 두 차원을 기준으로 소비자를 실현자, 충족자, 신뢰자, 성취자, 노력가, 경험자, 자급자, 분투가 등 8가지 심리적 세분시장으로 분류하고 있다(〈표 3-4〉 참조).

〈표 3-3〉 라이프스타일 유형과 특징

유형		라이프스타일 특징	구매행동 특징
기본욕구충족소비자 (need-drivenconsumer)		사회에의 적응력 낮음 생존을 위해 고군분투함 매사에 욕망의 지배를 받음	가격을 매우 중요시 여김, 즉각적 욕구 충족을 위해 비 계획적 구매를 자주함
생계유지형		안전에 대한 관심이 높고 의 존적임, 제반 사회, 경제, 정 치 제도 등에 비판적임	가격중시 신중한 구매결정
외향적 소비자 (outer- directed consumer)	순응형 (belongers)	사회규범 등에 매우 순응적 관습이나 전통 등을 존중함, 과거에 대한 동경심이 높음	가족중심의 구매 대규모 대중시장 애호
	경쟁형 (emulators)	야망이 큼, 신분 의식, 과시 적이고 경쟁심 강함	재력과시를 위한 구매, 모방 좋아하고, 유행추종
	성취형 (achievers)	리더십이 강하고 유물주의적 이며, 성취, 성공, 명예에 대 한 욕구 강함	성공과시를 위한 구매 고급 상품을 취급하는 점포 선호
내향적 소비자 (inner- directed consumer)	개인주의형 (i-am-me)	개인주의적이고 충동적 극적 인 것을 좋아함	제품에 대한 호기심 많음 취미과시를 위한 구매
	경험주의 (experiential)	경험중시, 활동적 인화중시	조립품구매선호, 점포직접 방문, 제품직접관찰
	사회의식형 (socially conscious)	사회적 책임감 강하고 도량 이 좁음, 내적 성장 도모 비교적 안이한 삶 영위	검소, 절약 환경 관심 높음
통합형(integrated)		정식적 성숙, 사회 및 환경 에의 적응력 높음, 자아실현 의 욕구 강함, 국가적, 세계 적 시각에 준하여 행동	자아표현을 위한 구매 생태학적 영향에의 관심 높음

원리원칙 지향형 소비자는 세상이 이래야 한다는 자신의 견해에 의해 행동하며 자원의 많고 적음에 따라 성취자와 신뢰자로 분류된다. 여기에서 성취자는 교육수준이 높고 성숙한 전문가들로서 책임의식이 강하다. 새로운 사상이나 사회변화를 받아들이며 건강, 가정, 그리고 교육을 중

요시하고 여행을 좋아하고 소득수준도 높은 소비자를 뜻한다. 반면에 신뢰자는 성취자보다 보수적이며 소득수준도 낮고 가정, 교회, 지역사회, 국가의 기본규범을 존중하는 소비자를 말한다.

지위지향형 소비자는 타인의 의견에 따라 행동하며 자원의 많고 적음에 따라 성취추구자와 노력가로 분류된다. 성취추구자는 일을 중심으로 생활하고 가정과 직장에서 만족을 추구하며 자기들의 성공을 동료들에게 과시할 수 있는 제품을 구매하고 싶어 한다. 반면 노력가는 성취추구자를 모방하려고 노력하나 성취추구자보다 소득이 부족하고 외로운 삶을 이끌어가기도 한다. 그리고 제품을 구매하는 데 스타일이 중요하다고 생각하는 소비자를 뜻한다.

행동지향형 소비자는 활동적이며 삶의 다양성 추구를 위해 행동하며 자원의 많고 적음에 따라 경험자와 제작자로 분류된다. 먼저 경험자는 가장 젊은 계층으로서 부와 권력을 얻기 위해 노력을 많이 한다. 혈기왕성하여 육체적 운동이나 사고활동도 많이 하며 신제품 구매도 많이 하는 편이다. 반면에 제작자는 외부세계에는 별 관심이 없고 가정과 직장, 그리고 육체적 여가활동에 관점을 두며, 소득도 제한되어 있으므로 좀 더 실리적인 사고를 하는 소비자를 말한다.

실현자는 8개 집단 중에서 자아 존중의식이 가장 강하고 소득도 가장 많다. 광범위한 분야에 걸쳐 관심이 많고 변화를 항상 수용한다. 세련된 제품이나 서비스를 구매하는 경향이 있다. 분투가는 가장 나이든 계층으로 위의 7개 집단들보다 소득이 매우 낮다. 그들의 삶은 안전에 초점이 맞춰져 있으며, 관심 있는 분야가 제한적이고 상표충성도가 강한 편이다. 이러한 집단의 분류는 소비자의 기본적 욕구가 충족되어 소비자가 분투가 집단을 벗어나게 되면 가치가 두 가지 방향으로 개발된다. 하나는 다른 사람들의 생각에 주로 관심을 보이는 지위지향형 소비자로서 사회적 가치를 강조하는 것이며, 다른 하나는 행동지향형 또는 원리 지향형 소비자로서 개인적 성취를 강조하는 것이다. 이 계층의 맨 위에는 가장 높은 수준의 자아실현자가 있다.

〈표 3-4〉 VALS2 가치집단 정의

구분	내용
실현자 (actualizers)	소득이 가장 많고 자아 존중성향이 강함, 다양한 분야에 관심, 변화에 능동적, 자신의 삶을 보다 멋있게 하는 제품들을 구매함.
충족자 (fulfilleds)	원칙지향적 소비자집단 중 자원이 많은 소비군. 책임감이 강하며, 교육수준이 높은 전문직 종사자. 교육, 여행, 건강을 중요하게 생각함.
신뢰자 (believers)	원칙지향적 소비자집단 중 자원을 적게 소유한 소비자. 전통 지향적(보수적)이며 가족, 교회, 지역사회, 국가에 대한 관심이 높음.
성취자 (achievers)	지위 지향적 소비자 집단 중 부유한 소비자. 일을 중요하게 생각하며 자신의 만족을 추구. 자신의 성공과시 위한 제품 구매성향.
노력가 (strivers)	지위 지향적 소비자집단 중 자원을 더 적게 소유한 소비자. 보다 격리된 생활을 영위하기를 원함. 제품구매 시 스타일이 중시함.
경험자 (experiencers)	행동지향적 소비자집단 중 부유한 소비자. 많은 에너지를 운동이나 사회활동, 소비, 신제품을 구매하는 성향이 높음. 부와 권력 추구.
자급자 (makers)	행동 지향적 소비자집단 중 자원을 적게 가진 소비자. 실용적임. 가족, 일, 여가 선용을 중요하게 생각. 넓은 세계에 관심이 없음.
분투가 (strugglers)	가장 소득이 적으며 나이가 많은 소비자 집단. 세계관을 가질 여유가 없음. 주관심사는 안전이며 상표 애호도가 높음.

299

소비자 행동과 심리

CONSUMER BEHAVIOR AND
PSYCHOLOGY

제 6 장

설득 커뮤니케이션

1. 설득의 정의

설득이란 커뮤니케이션의 기본적인 형태 중 하나로, '타인이 제공하는 정보에 노출됨으로써 발생하는 태도변화'라 할 수 있다(Olson & Zanna, 1993). 우리 주변에서는 항시 설득 행위가 일어나고 있다. 따라서 설득은 오래전부터 지속적으로 학문적 관심을 받아왔다. 가스와 사이터(Gass & Seiter, 1999)에 의하면 설득은 한 명 이상의 사람들이 주어진 커뮤니케이션 상황 속에서 기존 신념이나 태도, 의도, 동기, 행동 등의 반응을 유발, 보강, 조정, 제거하는 데 참여하는 활동이자 과정이라고 보았다. 이러한 설득에 대한 정의는 설득을 결과로서가 아니라 과정으로 이해하는 것이며, 설득을 단지 기존 신념이나 태도를 변화시키는 것으로 이해하는 시각에 반대하는 것이다. 설득의 개념은 초기에서 오늘날에 이르기까지 아래에 정리한 바와 같이 상당히 변모해왔다(김영석, 2005).

전통적 의미에서 설득은 고대 그리스 시대부터 연구의 대상이었다. 즉 당시에 설득은 권력을 쟁취하고 법정에서 승리할 수 있는 주요 수단이었다. 설득의 학문인 레토릭(rhetoric)은 그리스인들의 교육에서 중심을 차지하고 있었고 그리스인들은 설득에 대한 특별한 기술을 습득해야 했다. 레토릭을 최초로 깊이 있게 연구한 학자인 그리스 철학자 아리스토텔레스(Aristotle) 는 레토릭을 '주어진 상황에서 가능한 설득 수단을 인지할 줄 아는 능력'이라고 언급했다. 그에 따르면 설득은 공신력에 대한 평판인 에토스(ethos, 인격)에 토대를 두며, 논리적인 논증기술인 로고스(logos, 논리)와 청자의 감정을 이끌어낼 수 있는 파토스(pathos, 감정)를 사용한다고 지적하였다. 설득에 대한 이러한 초기의 입장은 메시지를 전달하는 정보원과 연설을 행 하는 정보원의 기술에 초점을 두었다. 이후 매스 미디어의 시대가 도래하면서 설득의 개념이 바뀌기 시작하였다. 커뮤니케이션 학자인 브렘벡(Brembeck)과 호웰(Howell)은 설득을 '사전에 계획된 목적을 향해 사람들의 동기를 조직함으로써 사람들의 생각과 행동을 바꾸려는 의식적인 시도'라고 정의했다. 이 정의에서 설득은 논리의 사용에 치중하기보다는 수용자의 내적 동기를 강조함으로써 이전과는 다른 시각을 보였다. 이후 이들은 설득을 '선택에 영향을 주기 위해 의도한 커뮤니케이션'이라고 정의하였다.

특히 커뮤니케이션 학자들은 설득을 효과의 측면에서 정의하는데, 대표적인 학자로는 호블랜드(Hovland)를 들 수 있다. 호블랜드는 설득을 '언어적 자극을 통해 설득원이 바라는 어떤 목표를 달성하고자 수용자의 의도된 행동을 유발하는 역동적 과정'으로 정의하였다. 비슷한 맥락에서 베팅하우스와 코디(Bettinghaus & Cody)는 '어떤 메시지를 전달하여 다른 개인이나 집단의 태도, 신념, 행동을 변화시키려는 지속적인 시도'로 보았다. 이상과 같은 전통적 의미의 설득에서는 설득과정을 선형적 커뮤니케이션 과정으로 이해하고 있다는 점에서 설득의 범위를 의도적이고 효과 중심적인 의미로 제한하는 경향이 많았다. 이후 설득 개념을 전통적 의미에서뿐 아니라 비의도적이고 과정 중심적인 현상까지 포괄해서 이해해야 한다는 주장들이 대두되기 시작했다.

1960년대 중반 커뮤니케이션 학자인 포더링햄(Fotheringham)은 설득을 '설득자의 메시지에 의해 수용자에게 발행한 것'이라고 정의하였다. 여기서 중요한 것은 설득이 발생할지 아닐지를 결정하는 대상은 수용자라는 사실이다. 이 정의에 의하면 농담과 같이 의도하지 않은 메시지라 할지라도 이것이 수용자의 태도나 신념, 행동에 영향을 준다면 설득적이라고 볼 수 있다는 것인데, 이러한 경향은 설득을 보다 넓게 보려는 시각으로 이해할 수 있다(Larson, 1989). 이러한 맥락과 같이하는 학자로는 가스와 사이터를 들 수 있다. 이들은 전통적 의미의 설득과 주변적 의미의 설득 영역을 구분하면서, 지금까지는 설득 연구 및 주 관심 대상이 순수한 의미의 설득 영역에 제한되어 있었다고 지적하였다. 이들은 지금까지 설득의 범위가 순수한 의미의 설득으로 제한 되었던 이유로 의도성이나 효과, 자유 의지, 상징적 행동, 대인 지향성 등과 같은 요인이 설득을 정의하는 기준으로 사용되었기 때문이라고 지적하였다. 이상과 같이 설득은 고대 그리스 시대에서부터 오늘날에 이르기까지 보다 포괄적인 개념으로 변모해왔다고 할 수 있다.

2. 설득 커뮤니케이션의 속성

설득 커뮤니케이션은 커뮤니케이션으로서의 기본적인 속성을 지니는 동시에 여타의 커뮤니케이션과 구별되는 상대적 속성을 지닌다. 커뮤니케이션의 기본적 속성으로는, 기호 등으로 구성된 메시지라는 수단을 통해 타인의 태도나 행동을 변용시키고자 하는 것과 수용자의 자유로운 의사를 전제로 그들을 설복시키고자 하는 자의적 선택을 들 수 있다. 특히 자의적 선택의 경우, 설득을 당하는 상대방의 자발적인 동의에 바탕을 둔 자유 의지에 의해서 그 메시지가 받아들여지는 것을 말하기 때문에, 설득은 강압적인 방법에 의한 태도나 행동의 변화와 구분되도록 해주는 중요한 속성이 된다.[7]

한편 설득 커뮤니케이션의 독특한 속성에 대하여 차배근(1989)은 의도성, 도구성 및 설득 대상의 특정성이라는 세 가지를 지적하였다.

1) 의도성(conscious intent)

의도성이란 어떤 목적 달성을 위한 의식적인 의도를 말한다. 다른 형태의 커뮤니케이션 유형들도 나름대로 의도성을 지니고 있으나, 설득 커뮤니케이션은 수용자의 태도나 의견 또는 행동을 변용시키려는 것을 궁극적 목표로 하고 있기 때문에 이 속성이 가장 강하다고 할 수 있다. 예를 들어 설득 커뮤니케이션의 유형 가운데 하나인 광고의 경우, 메시지를 전달 받는 사람이 광고하는 상품이나 서비스에 대해 호의적인 이미지를 갖게 하고 이를 사도록 하는 분명한 의도가 있다고 할 수 있다.

---

7) 이와 관련하여 펄로프(Perloff, 1993)도 선택의 자유를 설득의 특징으로 본다. 여기서 선택의 자유란 설득 당하는 측이 설득자의 주장을 수용하거나 거부할 수 있다는 것을 의미하므로 수용자의 자의적 선택과 같은 맥락이라 할 수 있다. 그러나 강압적인 상황에서 설득이 전혀 일어나지 않는 것은 아니다. 한 예로 윗사람이 부탁하는 경우, 순응하지 않는 데 대한 협박이 은연중에 내포되어 있을 수 있다. 이러한 예는 누군가가 다른 사람에게 영향력을 미칠 때 순수한 의미의 설득과 강압이란 요소가 동시에 사용될 수 있음을 말해준다. 또한 어떤 상황이 설득적이냐 강압적이냐를 구분하기보다는 그 상황이 어떻게 설득적인지 또는 강압적인지를 살피는 것이 중요하다는 점을 시사한다(김영석, 2005).

2) 도구성(instrumentality)

도구성이란 문자 그대로 커뮤니케이션이 어떤 목적의 달성을 위한 도구로 사용된다는 뜻이다. 예를 들어 광고는 상품이나 서비스의 판매 촉진을 위한 마케팅의 도구로 사용되고 있다. 이처럼 설득 커뮤니케이션의 도구성이라는 속성으로 인하여 자칫 불의한 목적 달성을 위한 수단으로 사용되기도 하여 사회적으로 비난을 받는 일도 있으나, 도구성이 좋은 목적이나 의도를 뒷받침하기 위한 수단으로 활용될 때 진정한 의미의 설득 커뮤니케이션으로 인정받을 수 있을 것이다.

3) 설득 대상의 특정성

설득 대상의 특정성이란 설득 커뮤니케이션은 불특정 다수를 대상으로 하는 매스 미디어와 달리 설득 대상이 보다 분명하다는 것을 말한다. 다시 말해 광고나 PR 또는 선전 등 대표적인 설득 커뮤니케이션 유형들은 뚜렷한 대상, 즉 목표 수용자를 설정하고 그에 맞춰 메시지, 소구방법, 매체 등을 각기 달리 사용하고 있다. 따라서 수용자의 나이, 성별, 교육 정도, 지리적 여건, 소득 정도, 학력, 라이프스타일 등에 따라 커뮤니케이션 내용이 달라진다.

차배근은 이상과 같이 설득 커뮤니케이션의 속성에 대하여 언급하였는데, 이러한 전통적 기준들에 대하여 다른 입장을 취한 경우도 있다. 예를 들어 의도성에 대하여 우리의 행동이 부지불식간이나 무의식적인 자극에 의해 영향을 받고 태도나 행동이 변화하는 것을 목격할 수 있기 때문에 직접적인 의도가 없는 글이나 행위들도 다른 사람의 태도나 행동에 영향을 줄 수 있다고 지적하였다. 예를 들어 아이들의 이솝우화 책에서 미인은 종종 '선'에 비유되고 못생긴 사람은 '악'에 비유된다. 이솝우화가 직접적으로 이런 관념을 의도한 것은 아니지만, 아이들은 부지불식간에 미인은 선으로 못생긴 사람은 악으로 학습하게 된다는 것이다.

또한 도구성이라는 속성에 대하여서도 지금까지의 관점은 설득 커뮤니케이터가 의도한 특정한 결과를 얻어냈을 때 설득이 성공한 것으로 간주해왔고, 이러한 효과 중심적인 설득 개념은 설득을 과정보다는 성과 측면에서 고려하는 경향이 강했다. 그러나 금연 캠페인을 생각해 보았을 때 의도했던 만큼의 금연효과를 내지 못했어도 어느 정도의 효과를 보였다면 효과가 있었다고 보아야 한다는 주장이 제기되었다. 또한 설득을 성과에 국한하여 이해할 경우 설득의 효과를 측정하기가 어렵다는 것도 문제점으로 지적되었다. 이러한 문제점들로 인해 설득은 전통적인 효과 중심적 개념에서 벗어나 보다 과정 중심적인 개념으로 이해해야 한다는 주장이 설득력을 얻어가고 있다고 하겠다. 그뿐만 아니라 이상과 같은 속성에 쿠퍼와 노드스타인(Cooper & Nothstine, 1992)을 비롯한 많은 학자들은 설득이 상징적 표현으로 이뤄진다고 주장하였다. 여기서 상징적 행동은 우리가 의미를 부여하는 모든 행위들, 즉 다른 사람에게 자신의 태도나 믿음, 또는 의도를 나타내는 것을 말한다. 또한 집회, 시위운동, 보이콧 등 집단적인 행동도 포함할 수 있다. 그러나 설득은 비상징적인 표현도 포함할 수 있다. 키나, 몸무게, 연령, 인종 등과 같은 신체적 특징이 설득적 요소가 될 수 있으며, 미소, 눈 깜빡임, 동공팽창 등과 같은 다양한 비자발적 요소들도 설득 현상과 관련지어 생각해 볼 수 있다.

또한 어떤 학자는 설득이 이뤄지기 위해서는 두 사람 이상이 있어야 한다고 주장하지만 어떤 개인은 내적인 커뮤니케이션을 통해 자신이 원하는 것을 자신에게 말함으로써 스스로를 설득시킬 수 있다. 즉, 자기 설득(self-persuasion) 현상 또한 설득에 포함된다고 볼 수 있다는 것이다. 예를 들면, 다이어트 중인 사람이 음식섭취에 조심하기 위하여 자신이 생각하는 이상적인 모델 사진을 냉장고 문에 붙여놓고 음식을 삼가는 행위 등은 자기 설득으로 볼 수 있다.

따라서 이상과 같이 설득 커뮤니케이션의 기본적 및 상대적 속성들은 현대에 오면서 영역이 넓혀지거나 몇 가지 속성들이 추가되었으며, 설득은 정적인 상태가 아니라 동적인 과정이라 할 수 있다.

3. 설득 커뮤니케이션의 기능

설득 커뮤니케이션은 사회의 요소요소에서 중요한 기능을 수행하고 있다. 일찍이 미국의 커뮤니케이션 학자 베팅하우스(Bettinghaus)는 '인간이 동물과 다른 것은 바로 설득 커뮤니케이션이라는 문제 해결 또는 의사결정의 도구를 가지고 있기 때문이다'라고 말한 바 있다. 이에 나타나 있듯이 설득 커뮤니케이션은 문제를 해결하는 주요 수단이자 의사결정에 중요한 역할을 하고 있다고 할 수 있다. 예컨대 오늘날 국내외에서 수시로 발생하는 다양한 분쟁의 해결에 대화와 타협이라는 설득 커뮤니케이션이 중요한 수단으로 사용되고 있다. 그뿐만 아니라 사회적인 면에서도 설득 커뮤니케이션은 중요한 기능을 수행하는데, 이는 특히 국민적 합의를 이뤄내는 것이 필수적인 민주사회의 경우 건전한 의미의 설득 커뮤니케이션이 요구되기 때문이다. 또 설득 커뮤니케이션은 경제, 종교, 언론 등의 분야에서도 커다란 힘을 발휘하는 등 사회의 구석구석에 편재되어 모든 분야에서 중요한 구실을 하고 있다고 할 수 있다(차배근, 1989).

이렇게 설득 커뮤니케이션이 분명 사회의 각 분야에서 중요한 기능을 수행하고 있음에도 불구하고 역사적으로 볼 때 설득 커뮤니케이션의 수단과 그 힘을 악용하여 커다란 해악을 초래했던 사건들도 종종 있다. 즉 커뮤니케이션의 기능에 정기능적인 면과 역기능적인 면이 동시에 있는 것처럼 설득 커뮤니케이션도 정기능을 수행하는 가운데 역기능이 수반되기도 한다. 설득 커뮤니케이션의 역기능은 그 의도성 여부에 따라 현재적 역기능(manifest dysfunctions)과 잠재적 역기능(latent dysfunctions)으로 나눌 수 있다. 전자는 설득 커뮤니케이션을 의도적으로 악용함으로써 야기되는 바람직하지 않은 결과를 말한다. 예를 들어 독재정권의 선전과 같이 여론을 조작함으로써 사회에 초래한 좋지 않은 영향이나 기만적인 광고나 PR에 의한 사회 문화적 폐해가 이에 해당한다. 후자는 설득 커뮤니케이션을 의도적으로 악용하지는 않더라도 우연히 또는 자연발생적으로 일어나는 역기능을 말한다. 예를 들어 설득 커뮤니케이션의 대표적 유형인 광고의 경우 본의 아니게 소비자를 현혹시킨다든지 소비주의적 성향을 갖도록 한다는 것이다.

이상과 같이 설득 커뮤니케이션은 정기능뿐만 아니라 역기능도 지니고 있음을 알 수 있다. 따라서 설득 커뮤니케이션이 긍정적 기능을 수행하여 사회적 및 개인적 차원에서 도움이 될 수 있도록 이를 선용해야 하는 동시에 오용 또는 악용되지 않도록 예방해야 할 것이다.

4. 설득 커뮤니케이션 연구의 의의

제1, 2차 세계대전 동안에 적극 활용된 연합국과 나치스의 선전기법을 학문적으로 연구하려는 움직임이 활발해졌다. 즉 새로운 사회과학적 연구 전통에 입각한 학자들은 이론에 기반을 둔 가설 검증 방법을 설득 상황에 적용하여 과학적으로 분석하고자 하였다. 또한 이 시기를 전후하여 커뮤니케이션학 분야에서 설득현상 연구에 과학적 방법론을 도입해 연구영역의 지평을 넓히고 이론 정립에 힘쓴 호블랜드, 레빈, 라스웰, 라자스펠드 등의 노력이 두드러졌는데 이들을 커뮤니케이션학의 4비조라 한다(김영석, 2005).

설득 커뮤니케이션의 연구는 4비조에 의해 확립되었다고 할 수 있는데 먼저 예일대학 심리학과의 호블랜드는 제2차 세계대전 중 군과 동맹국 병사들의 신념과 태도에 영향을 미치는 정훈 활동을 심리학적 방법으로 분석했다. 호블랜드는 설득과정을 '정보원－메시지－매체－수용자 효과'의 커뮤니케이션 과정 요소들에 대입함으로써 철학적 사고가 주종을 이루었던 설득과정 및 효과에 대한 관점을 체계적이고 과학적인 것으로 바꾸는 데 일조했다. 그의 업적은 연구체계를 정립시키고 커뮤니케이션 분야에 심리학적 실험연구 방법을 도입하여 객관적 지식의 확보와 연구영역의 확장에도 기여한 점이라 하겠다.

한편 레빈은 소집단 및 집단 역학, 게이트키핑 현상의 연구에서 탁월한 성과를 올림으로써 커뮤니케이션 과정에 나타난 미시적 현상 연구에 주력했다.

라스웰은 정치학자로서 특히 선전이라는 설득 현상에 대해 학문적 관심을 두고 이를 체계적으로 연구하여 많은 논저를 발표함으로써 설득 분야뿐 아니라 커뮤니케이션 이론의 정립에도 크게 이바지하였다. 선전에 관한 체계적 연구는 라스웰에 의해 시작되었다고 해도 과언이 아닌데, 특히 그는 누가 무엇을 어떤 매체를 통해 누구에게 전달해 어떤 효과를 얻느냐 하는 식의 커뮤니케이션 과정 모형을 처음으로 제시했다.

마지막으로 라자스펠드는 컬럼비아 대학 응용사회과학연구소장으로 있으면서 선거 캠페인이라는 설득 커뮤니케이션이 유권자들의 투표행위에 어떻게 영향을 미치고 있는가의 문제를 역대 대통령 선거 때마다 연구하여 이에 관한 여러 가지 이론들을 제시함으로써 정치적 설득 커뮤니케이션이라는 연구 분야의 개척에 커다란 공헌을 했다. 즉 대중매체를 통한 선거 캠페인이 수용자에게 어떠한 설득 효과를 얼마나 미치고 있는가를 실증적으로 연구하여 그 효과를 밝힘으로써 설득 커뮤니케이션의 이론 정립에 이바지한 것이다.

이상과 같이 설득 커뮤니케이션의 연구는 체계적으로 자리 잡게 되었는데, 설득 커뮤니케이션을 연구하는 의의는 설득 커뮤니케이션의 중요성에서 찾을 수 있을 것이다. 앞서 베팅하우스의 말을 빌려 언급한 바 있듯이 설득 커뮤니케이션이라는 문제 해결 및 의사결정의 도구를 지니고 있는 것은 인간에게서 찾을 수 있는 중요한 특징 가운데 하나라고 할 수 있다. 따라서 우리 주변에서 항시 발생하고 있는 설득 커뮤니케이션 현상들을 명확히 기술하고 그 원인과 처방에 대해 설명하며, 나아가 미래에도 이와 유사한 현상들이 일어날 것인가를 예측해 보고, 그러한 현상들을 통제하여 가능한 긍정적 결과를 얻도록 하는 데에 필요한 실증적 자료들을 얻는 것이 바로 설득 커뮤니케이션을 연구하는 의의라 할 수 있을 것이다.

5. 설득 커뮤니케이션 요소별 특성

커뮤니케이션 과정이란 송신자가 자신이 지니고 있는 감정, 정보, 사상 등을 언어적 표현이나 비언적 표현을 사용하여 수신자에게 전달하고, 이에 대하여는 수신자는 특정 반응이나 행동을 보여주는 일련의 과정을 말한다.

일반적으로 커뮤니케이션은 크게 송신자와 수신자, 메시지, 피드백의 4가지 요소로 나누어진다.

■ 송신자

커뮤니케이션은 송신자가 의사소통의 필요성을 느낄 때부터 시작된다. 이때의 필요성은 정보를 전달할 필요성일 수도 있고 상대방으로 하여금 특정 행동을 취할 것을 요구하는 필요성일 수도 있다.

■ 수신자

메시지가 수신자에게 전해지면 수신자는 메시지를 통해 송신자가 무엇을 표현하려고 했는지 이해할 수 있어야 한다.

■ 메시지

수신자는 송신자의 마음을 읽을 수가 없기 때문에 송신자의 의도를 수신자가 이해할 수 있는 말을 통해 메시지로 바꾸어야 한다.

■ 피드백

수신자가 송신자로부터 받은 메시지 내용에 대한 자기 해석을 하여 다시 송신자에게 전달한다.

설득 커뮤니케이션 모델은 효율성에 영향을 주는 다양한 요인들 간의 관계를 기존의 모델에서 확장한 것으로 커뮤니케이션의 공식적인 경로와 비공식적인 경로 모두를 포함한다.

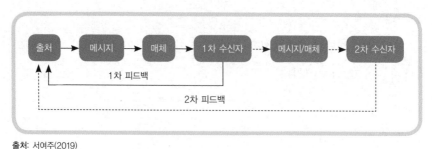

그림 3-16   설득 커뮤니케이션 모델

[그림 3-16]에서 보면, 출처가 설득 메시지를 매체를 통해 전달하고, 이 메시지를 1차 수신자가 받아들이며, 1차 수신자는 이 메시지에 대한 피드백을 출처에게 제공한다. 출처부터 1차 수신자까지의 흐름을 설득 커뮤니케이션의 공식적인 과정에 해당하며, 이는 기존의 설득 커뮤니케이션 모델에 해당한다. 즉 출처가 설득메시지를 대중매체를 통해 내보내고 소비자가 이 메시지를 수용한 다음, 메시지 처리 결과에 대한 피드백을 출처에게 제공하는 것이다. 이러한 공식적인 과정에서는 출처가 메시지와 매체를 통제할 수 있으며, 이를 통해 수신자에게 영향을 미칠 수 있다.

한편 이 모델에서는 설득 커뮤니케이션의 비공식적인 과정도 포함하고 있다. 출처의 설득 메시지를 수용한 1차 수신자는 대중매체와는 성격이 다른 매체를 통하여 1차 수신자의 주관적 경험과 견해로 각색된 메시지를 2차 수신자에게 전달하며, 2차 수신자는 이 메시지를 수용하고 처리한 결과에 대한 피드백을 출처에게 제공한다. 여기서 1차 수신자가 사용하는 매체에는 구전과 인터넷, 블로그, SNS 후기 등이 포함된다.

설득 커뮤니케이션의 비공식적인 과정에서는 출처가 매체와 메시지를 직접적으로 통제하기가 어렵기 때문에 2차 수신자에게 영향을 미치기 힘들다는 특징이 있다. 비공식 과정의 메시지에는 긍정적인 내용뿐만 아니라 부정적인 내용도 포함되어 있는데, 부정적 메시지가 소비자에게 미치는 영향력은 매우 크다.

일반적으로 소비자는 공식적 과정에서의 메시지를 신뢰하지 않는 경향이 있지만, 구전과 같은 비공식적 과정에서의 메시지를 신뢰하는 경향은 강하다.

1) 출처

출처는 커뮤니케이션 개시자로 메시지를 전달하는 개인 또는 대상이다. 출처에 주요 특성들에는 신뢰성, 신체매력, 호감 등이 있다.

(1) 출처 신뢰성

출처 신뢰성은 출처가 전문적 지식을 가지고 있으면서 진실하다고 수신자가 지각하는 정도를 의미한다. 출처의 전문성과 진실성이 증가할수록 수신자는 출처가 신뢰롭다고 지각할 가능성이 더 커진다.

① 출처 전문성

출처 전문성은 출처가 전달하려는 주제에 관해 갖고 있는 지식의 정도를 말한다. 예를 들어 치약광고에서 치약의 특성을 치과의사가 설명하는 경우와 일반 유명인이 설명하는 경우 소비자는 어떤 모델의 말에 더 신뢰하겠는가?

② 출처 진실성

출처 진실성은 출처가 편파적이지 않고 정직하게 정보를 제공한다고 수신자가 지각하는 정도를 의미한다. 연구자들은 전문성과 진실성이 출처효과에 대해 상호 관련되어 있음을 발견하였다. 다시 말해 출처가 전문성이 낮다고 지각되더라도 진실하다고 느껴지면, 그 출처는 수신자에게 영향을 줄 수 있다. 반대로 전문성이 높은 출처라도 진실성이 의심되면 설득효과는 떨어진다.

진실성에 영향을 주는 한 가지 매우 중요한 요인은 수신자가 출처행동의 원인을 밝히려는 귀인이다. 만일 출처가 사리사욕(예를 들어, 돈) 때문에 설득 메시지를 전달하는 것으로 지각되면, 그 출처의 진실성은 실질적으로 낮아진다. 이러한 효과는 여러 명의 모델을 사용할 때 확대된다. 만일 진실하지 못한 여러 명의 모델이 광고에 등장하면, 출처의 진실성은 극적으로 감소한다. 반대로 만일 진실한 여러 명의 모델이 등장하면 진실성은 극적으로 증가한다(Moore et al., 1994).

요약하면, 신뢰성이 높은 출처는 신뢰성이 낮은 출처보다 훨씬 효과적이다(Sternthal et al., 1978). 신뢰성이 높은 출처는 다음과 같은 방식으로 소비자에게 영향을 준다.

- 신뢰성이 높은 출처는 소비자에게서 더욱 긍정적인 태도변화를 일으킨다.
- 신뢰성이 높은 출처는 소비자에게서 행동변화를 더 많이 일으킨다.
- 신뢰성이 높은 출처는 신체적이거나 사회적인 위협을 포함한 공포소구를 사용하려는 광고인의 능력을 증가시킨다.
- 신뢰성이 높은 출처는 메시지에 대한 반박을 억제한다.

이러한 영향은 광고인에게 커다란 혜택을 준다. 소비자는 설득 메시지에 대한 반응으로 자신의 생각을 가질 수 있는데, 이러한 인지반응은 메시지에 대해 긍정적(자기주장)일 수도 있고, 부정적(반박주장)일 수도 있으며, 또는 출처의 특성에 관한 생각(예, 출처비하)일 수도 있다(Wright, 1973). 광고에서 전문적이면서 진실한 모델이 등장하면, 소비자는 광고 메시지에 대한 방어수준을 낮추며 부정적인 인지반응(예, 반박주장 또는 출처비하)을 일으키지 않는 경향이 있다. 따라서 신뢰성이 높은 출처의 설득력은 높아진다.

(2) 카리스마

그 밖에 정보원 관련 변인으로 카리스마(charisma)를 생각해 볼 수 있다. 이는 권력적 영향력이나 의견지도력과 비슷한 것으로 일반적으로 인물이나 지도자들이 지니고 있는 권위적 영향력, 즉 무엇인가의 위엄을 가지고 다른 사람들을 쉽게 이끌어 나가거나 설복시킬 수 있는 능력을 말한다. 예컨대 영국의 윈스턴 처칠이나 프랑스의 나폴레옹, 미국의 루즈벨트 전 대통령 등이 이러한 카리스마를 지니고 있었다고 할 수 있다. 본래 카리스마라는 말은 '종교적, 마력적 힘이나 특수한 인물의 비상한 능력에 의해 생겨나는 지도력'을 의미했다(차배근, 1989). 카리스마라는 말은 막스 베버에 의해 학술적인 용어로 본격적으로 사용되기 시작하였는데, 그는 카리스마적 권위를 전통적 · 법률적 권위와 구별되는 형태의 권위로 정식화하였으며, 이러한 권위가 변형되는 과정을 카리스마의 일상화(routinization of charisma)라고 표현하였다. 그러나 오늘에 와서는 종교적이거나 마력적인 것에 관련시키기보다는 보편적으로 사람들을 강하게 끌어당기는 인격적인 특성을 의미하면서, 특이한 인물이 지니는 특수한 지도력이나 영향력을 의미하는 말로 사용하고 있는데, 그래도 아직까지 이 말에는 무언가 신비성 같은 것이 포함되어 있다고 하겠다.

카리스마가 설득 커뮤니케이션 효과에 미치는 영향을 다룬 실증연구들은 거의 수행되지 않아 직접적으로 그 효과에 대하여 언급하기는 어렵다. 그러나 역사적으로 위대한 인물들에 대한 사례연구를 통해 간접적으로 그 영향력을 추정해 볼 때, 출처의 카리스마를 지니고 있다면 이는 수신자의 의견이나 태도 변용에 중요한 영향을 미친다고 볼 수 있을 것이다.

(3) 출처의 신체매력

신체매력의 영향에 관한 연구들은 신체적으로 매력적인 출처가 그렇지 않은 출처보다 신념을 변화시키는 데 일반적으로 더 성공적임을 보여주었다(Chaiken, 1979). 사람들은 대부분 신체적으로 매력적인 사람에 관한 긍정적인 고정관념을 형성한다. 예를 들어, 한 연구는 남녀 대학생들이 신체적으로 매력적인 사람이 더 감수성이 있고, 온정적이며, 겸손하고, 행복할 것으로 기대함을 보여 주었다(Dion et al., 1972).

광고모델의 신체매력이 소비자에게 어떻게 영향을 주는지를 보여주는 많은 연구가 있다. 일반적으로 연구결과들은 매력적인 사람이 평범한 외양의 사람보다 광고제품이나 상표에 더 긍정적이고 호의적으로 반영됨을 보여주었다. 예를 들어 한 연구에서 응답자들은 신시내티(Cincin-nati) 동물원에서 다양한 활동을 하는 매력적인 모델 또는 평범한 모델 중 하나의 슬라이드 쇼를 보았다(Debevec & Kernan, 1984; Speck, Schumann, & Thompson, 1988). 응답자들은 나중에 슬라이드 쇼와 모델 양자에 대해 자신들의 인상이 어떠했는지를 평가하였다. 아울러 그들이 동물원에서 자원봉사를 할 것인지를 평가하였다. 연구결과는 슬라이드 쇼에 대한 인상은 매력적인 모델이 나왔을 때 유의하게 더 호의적임을 밝혔다. 이 효과는 매력적인 여성을 본 남성 응답자들에게서 특히 강하게 나타났다. 사실상 이러한 남성은 평범한 모델을 보았던 남성 응답자들보다 동물원을 재정적으로 돕기 위한 모임에 참석하거나 모금안을 통과시키는 데 유의하게 더 많은 관심을 보였다. 신체매력은 다른 변수들과 상호작용을 한다. 한 연구에서 매우 매력적인 모델과 덜 매력적인 모델이 커피와 향수광고에 등장하였다(Baker & Churchill, 1977). 연구결과는 성적 소구를 사용하는 향수광고에서는 섹시한 매력적인 모델이 응답자의 구매의도를 증가시켰지만, 성적 소구와는 관련이 없는 커피광고에서는 덜 매력적인 모델이 더 효과적이었다. 따라서 어떤 제품유형에서는 신체적으로 매력적이고 섹시한 광고 모델을 활용하는 것이 부적절할 수도 있다.

출처의 신체매력에 관해 저자의 생각을 전한다. 출처의 매력은 일반적으로 외양을 말하는데, 이러한 외양은 몇몇 유형으로 분류할 수가 있다. 예를 들어 신체매력은 섹시함, 고전미, 건강미, 우아한 미 등으로 분류할 수 있을 것이다. 위에서 언급한 연구에서 성적 소구를 활용하지 않는 커피 광고에 섹시한 모델을 등장시키는 것은 의미가 없었을 것이다. 만일 섹시한 매력이 아니라 고전미 또는 우아한 미의 매력이었다면, 어떠한 결과가 나타났을까? 아직까지 신체매력을 분류하여 그 효과를 살펴본 연구는 거의 없다. 따라서 추후에는 이 점을 고려하는 것이 좀 더 유익한 결과를 산출할 것이다.

오늘날 문화권에 상관없이 대부분의 광고에는 신체적으로 매력적인 모델들이 등장한다. 우리의 경우는 더욱 그렇다. 매력적인 유명연예인이라면 너도나도 광고에 모델로 등장한다. 그러나 매우 매력적인 모델을 활용하는 것이 소비자에게 부정적인 영향을 줄 수 있다는 연구들이 있다. 이 연구들은 매우 매력적인 모델을 활용하는 것에 대한 잠재적인 부정적 효과로 여성의 자기 이미지 손상을 지적하고 있다. 이러한 연구들은 성인 여성, 10대 여성, 심지어 어린 소녀들이 자신의 신체매력을 모델의 신체매력과 비교하여, 그 결과 사회적 이상형과의 비교에서 열등감을 느낀다고 지적하였다(Martin & Kennedy, 1993). 연구자들은 매우 매력적인 모델과의 자기비교가 자존감을 실제로 낮출 수 있음을 발견하였다(Richins, 1991).

① 조화가설

바로 위에서 언급한 연구는 모델의 특징이 제품의 특징과 일치해야 함을 시사해 준다. 이와 관련하여 조화(matchup)가설은 제품의 두드러진 특성이 출처의 두드러진 특성과 일치해야 한다는 것이다. 예를 들어 향수는 이성을 유혹하기 위해 사용되기에 신체적으로 매력적인 모델이 향수에 적합하다. 그러나 커피는 사람들을 각성시키는 데 특성을 가지기에 신체적으로 섹시한 매력적인 모델과는 연합하지 않을 것이다. 즉 커피는 아침에 사람들을 잠에서 깨어나게 해 활동을 위한 준비를 하게 하는 각성 제품이다. 따라서 신체적으로 섹시한 매력적인 모델은 커피와 연합하지 않을 것이다.

② 성적소구

성적 광고는 소비자의 주의를 끌며, 광고회상을 증가시키고, 소비자의 광고의 태도를 개선한다. 그러나 매우 노골적인 광고는 역효과를 가져올 수 있다. 예를 들어, 한 연구는 자동차 광고에서 신체적으로 매력적이면서 부분적으로 옷을 입은 모델은 자동차의 이미지에 긍정적인 영향을 주지만, 모델이 지나치게 관능적이면, 광고노출 후 일주일이 지나서 측정된 광고회상은 상당히 나빠짐을 발견하였다(Steadman, 1969; Chestnet, LaChance, & Lubitz, 1977).

전통적으로 성적 소구를 사용하는 대부분의 광고는 여성의 몸에 초점을 두었고, 이에 관련된 대부분의 연구들도 광고에서 여성의 누드 또는 세미누드의 효과를 다루었다. 그러나 미국의 경우 1990년대부터 남성 몸의 관능미를 표현하는 광고가 증가하였고, 이에 따라 남성 누드에 대한 소비자의 반응을 분석하는 연구들이 수행되었다(Simpson, Horton, & Brown, 1996). 한 연구에서 남성과 여성 응답자들이 보디 오일 또는 공구 세트 광고에서 유형의 옷(정장으로부터 누드를 암시하는 옷까지)을 입은 남성 모델을 보았다. 연구결과는 여성 누드의 결과와 유사하였다. 모델과 동성의 응답자는 모델에 대해 부정적인 평가를 하였다. 남성 소비자는 남성 모델이 옷을 제대로 입고 나온 광고를 선호하였지만, 여성 소비자는, 보디 오일의 경우, 누드를 암시하는 광고와 누드 광고를 선호하였다. 그러나 공구 세트의 경우, 여성들도 누드에 대해 부정적이었다. 이는 누드와 공구 세트란 제품 간에 아무런 관련이 없기 때문이다.

따라서 성적 소구를 활용하는 광고에 대한 일반적인 결과들을 다음과 같이 정리할 수 있다. 첫째, 성적 소구가 적절한 제품이 있다. 둘째, 성적 소구는 광고에 대한 주의를 유도하고 관찰자의 흥분수준을 증가시킨다. 셋째, 성적 소구는 주의분산으로 인해 상표와 광고 메시지에 대한 소비자의 인지 과정을 약화시킨다. 넷째, 성적 암시 누드모델은 이성에게 더 잘 소구된다. (Smith, Haugtvedt, Jadrich, & Anton, 1995).

(4) 출처호감

출처호감은 소비자가 정보출처에 대해 갖는 긍정적이거나 부정적인 감정을 말한다. 일반적으로 출처호감에 영향을 줄 수 있는 요인으로는 첫째, 출처를 관찰하는 청중의 욕구를 출처가 충족시켜준다고 인식되는 정도, 둘째, 출처가 청중을 유쾌하게 만드는 정도, 셋째, 출처가 청중의 신념과 유사한 신념을 가지고 있거나 유사하게 행동하는 정도 등이 있다 (Chebat, Gelinas-Chebat, & Filiatrault, 1993).

(5) 수면자 효과

신뢰성이 높은 출처의 설득효과는 시간이 경과하면서 없어질 수 있다. 비록 신뢰성이 높은 출처가 신뢰성이 낮은 출처보다 초기에는 더 영향력이 있다 하더라도 연구는 출처의 신뢰성의 효과가 대략 3주 후에는 사라지는 경향이 있다고 보고하였다(Kelman & Hovland, 1953). 다시 말해 신뢰성이 낮은 출처도 높은 출처와 마찬가지로 설득효과를 갖는다. 이러한 현상이 수면자 효과이다. 소비자는 메시지 자체를 잊기보다는 메시지 출처를 더 빨리 잊는다. 그러나 메시지 출처를 다시 부각시키면 이 효과는 나타나지 않는다. 다시 말해 신뢰성이 높은 출처가 낮은 출처보다 훨씬 더 설득적인 것으로 다시 나타난다(Hannah & Sternthal, 1984).

연구들은 수면자 효과의 원인을 시간경과에 따른 분리로 보고 있다. 즉 소비자는 메시지와 메시지 출처를 분리하여 메시지 내용만을 기억에 남겨 둔다는 것이다. 이러한 차별적 쇠퇴 이론은 부정적 단서(예, 신뢰성이 낮은 출처)에 대한 기억이 메시지 자체보다 더 빨리 쇠퇴하고, 메시지의 주요 내용만이 남는다고 제안한다(Alba, Marmorstein, & Chattopadhyay,

1992).

　한편, 수면자 효과는 메시지 자체의 처리가 중요함을 시사한다. 신뢰성이 높은 출처의 경우, 일시적으로 메시지의 영향력을 높일 수는 있지만 메시지가 처리되지 않으면 신뢰성이 높은 출처의 설득력은 지속되지 못하며, 반면에 메시지가 처리되면 그 설득력은 지속성을 가질 수 있다. 신뢰성이 낮은 출처라서 메시지를 들었을 때 거부하였더라도 메시지가 체계적으로 처리되면 수면자 효과가 나타나는 것이다.

　이러한 수면자 효과는 신뢰성이 높은 출처를 사용하는 기업에게 의미 있는 시사점을 제공한다. 기업은 모델이 갖는 설득력을 유지하기 위해 광고를 정기적으로 반복해서 모델과 메시지가 분리되는 것을 막아야 한다. 아울러 기업은 광고 메시지가 소비자에 의해 처리될 수 있도록 메시지를 체계적이고 효율적으로 만들어야 한다.

2) 메시지 특성

　설득 분야에서 수신자에게 영향을 주는 메시지 내용과 구성에 대한 연구는 대단히 많이 이루어졌다. 메시지 내용은 청중에게 아이디어를 전달하기 위해 사용되는 전략을 말한다. 예를 들어 감정소구를 사용할 것인지 아니면 이성소구를 사용할 것인지를 결정하는 것이 메시지의 내용이다. 메시지의 구성은 메시지의 물리적 구조를 말한다. 예를 들어, 메시지에서 정보를 어느 위치에 제시할 것인지 또는 메시지에서 정보를 얼마나 반복할 것인지 등이다.

(1) 메시지 내용

메시지를 개발하기 위한 첫 번째 단계는 메시지 내용을 결정하는 것이다. 전달자가 의미를 전달하기 위해 사용할 수 있는 도구들은 매우 다양하다. 이러한 도구에는 어떠한 것들이 있는지 살펴보자.

① 메시지 틀

메시지 틀이란 메시지의 긍정적 또는 부정적 구성형식을 의미하는 것으로 조망 이론(prospect theory)에서 비롯된 개념이다(Tversky & Kahneman, 1979, 1981). 조망 이론에 따르면, 메시지는 '득' 또는 '실'의 틀로 위치할 수 있다. '득' 틀의 메시지는 어떤 대안을 채택할 경우 얻게 되는 편익이나 긍정적인 결과를 강조하고(예, "어디서나 당당한 아름다움으로 다른 사람에게 호감을 느끼게 합니다"), 반면에 '실' 틀의 메시지는 대안을 채택하지 않을 경우 얻게 되는 부정적인 결과나 놓치는 편익을 강조한다(예, "타 브랜드와 비교하여 이런 가격에 가을유행의 정장을 구매하실 수 없습니다"). 동일한 메시지가 득 또는 실 중 어떤 형태로 표현되는가에 따라 소비자의 판단이나 결정이 영향을 받을 수 있다는 점에서 메시지 틀은 설득 커뮤니케이션에서 중요한 요소이다.

메시지 틀의 효과에 대한 연구결과는 일관적이지 않다. 결과 간의 차이를 해소하기 위해 연구자들은 수용자의 교육수준, 성별, 관여, 메시지 주제의 위험성 지각(Cox, Cox, & Zimet, 2006), 소비자의 기분상태(양윤, 구혜리, 2006) 등과 함께 메시지 틀의 효과를 연구하였다. 교육수준에 관한 연구에서는 수용자의 교육수준이 높을수록 긍정적인 지가 더 효과적이고 교육수준이 낮을수록 부정적인 메시지가 설득에 더 효과적이라는 결과를 보고하였다(Smith, 1996). 성별에 관한 연구에서는 남성에게서 긍정적 틀의 광고가 효과적이고 여성에게서는 부정적 틀의 광고가 효과적인 것으로 나타났다(Rothman & Salovey, 1997). 관여의 관련성을 살펴본 연구에서는 부정적 틀은 소비자의 관여수준이 낮을 때(저관여에서는 정보처리가 활성화되지 않음) 효과적이지만, 소비자의 관여수준이 높을 때(고관여에서는 정교화된 인지적 처리가 일어남) 덜 효과적이었다(Shiv, Edell, & Payne, 1997, 2004).

한편 메시지 틀의 효과를 광고주제의 위험성 지각과 관련하여 살펴본 연구에서, 권고안을 따르지 않을 때 발생하는 위험이 상대적으로 높은 피부암 진단의 경우에는 부정적 틀이 더 효과적이었고, 권고안을 따르지 않아서 발생하는 위험이 상대적으로 낮은 피부암 예방의 경우에는 긍정적 틀이 더 효과적이었다(Rothman, Salovey, Antone, Keough, & Martin, 1993). 이러한 결과는 기능-위험 이론과 관련된 것이다. 기능-위험 이론은 조망 이론에서 파생된 것으로, 실로 틀화된 부정적 메시지는 높은 위험의 제품을 사용하려는 소비자의 의지를 증가시키는 반면, 득으로 특화된 긍정적 메시지는 낮은 위험 제품의 매력을 증가시킨다고 제안한다.

② 수사학적 표현

한 연구에서 수사학의 중심은 주어진 상황에서 생각을 가장 효과적으로 표현하는 방식을 발견하는 것이라고 하였다(McQuarrie & Mick, 1996). 수사학적 표현은 운, 결말, 과장, 은유, 풍자, 인상적인 문구 등을 포함한다. 수사학은 광고물, 포장, 또는 홍보 등과 관련된 모든 마케팅 메시지와 관련이 있다. 광고에서 자주 사용하는 수사학적 표현들 중에는 역설과 은유가 있다. 역설은 반박적인, 잘못된, 또는 불가능한 것으로 보이지만, 어느 면에서는 사실인 진술을 말한다(McQuarrie & Mick, 1996). 은유는 부수적인 의미를 제공하려는 목적을 위해 하나의 대상을 또 다른 것으로 대체한다. 예를 들어 존슨 앤 존슨의 일회용 반창고 광고에서 "당신 아이의 새로운 보디가드에게 안부 전하세요"라는 카피를 보면, 보디가드는 일회용 반창고에 대한 은유이다. 여기서의 부수적인 의미는 상처에 대한 강력한 보호이다.

③ 메시지 복잡성

정보처리 관점에서 보면 메시지가 영향력을 발휘하기 위해서는 수신자가 노출, 주의, 이해단계를 거쳐야만 한다. 소비자의 이해에 강력하게 영향을 미치는 요인이 메시지 복잡성이다. 만일 메시지가 너무 복잡하다면 수신자는 그 메시지를 이해할 수 없을 것이고, 따라서 그 메시지에 의해 설득되지 않을 것이다(Eagly, 1974). 메시지 복잡성은 메시지에 너무나 많은 정보가 있을 때 나타난다. 소비자의 정보처리 용량은 제한적이어서 너무 많은 정보가 소비자에게 주어지면, 소비자는 과부하되고 부정적으로 반응할 수도 있다. 따라서 메시지는 가급적 단순명료해야 효과적이다.

④ 결론 제시하기

메시지 개발과 관련된 또 다른 문제는 전달자가 청중에게 결론을 제시해주느냐이다. '결론 제시하기'의 효과를 살펴본 연구에 의하면, 이 문제는 메시지의 복잡성과 청중의 관여에 의존한다(Raven & Rubin, 1983). 만일 메시지가 비교적 복잡하거나 청중이 메시지 주제에 관여되지 않는다면, 결론을 제시하는 것이 좋을 것이다. 그러나 청중의 관여가 높고 메시지 내용이 강력하며 메시지가 복잡하지 않다면, 메시지에서 결론을 생략하여 청중이 그 결론을 추론하게 하는 것이 좋을 것이다(Sawyer & Howard, 1991).

한편, 결론 제시하기에 관해 메시지의 복잡성과 청중의 관여에 상관 없이 일반적으로 결론을 제시하는 것이 좋다고 생각한다. 소비자는 정보를 있는 그대로 수용하는 것이 아니라 정보를 새롭게 구성한다. 따라서 결론을 생략할 경우, 소비자가 새롭게 구성한 정보를 가지고 내린 결론은 원래 의도했던 결론과 다를 수도 있기에 이러한 왜곡 가능성을 막기 위해서는 메시지에 결론을 제시하는 것이 좋을 것이다.

⑤ 비교 메시지

비교 메시지는 전달자가 자신의 장단점을 경쟁자의 장단점과 비교하는 메시지이다. 이 접근은 경쟁사 제품에 비해 자사제품의 우월성을 주장하기 위해 하나 이상의 경쟁사를 명백하게 드러내어 비교하려는 광고에서 빈번히 사용된다(Prasad, 1976).

미국의 경우 1970년대 초반 이래, 연방거래위원회(Federal Trade Commision: FTC)는 광고에서 경쟁사의 이름을 드러내는 것이 제품우월성의 주장을 소비자가 평가하는 데 도움을 줄 것이라고 생각하여 비교광고의 사용을 장려하였다(Gorn & Weinberg, 1984). 비교광고는 시장에 진입하려고 노력하는 후발 중소기업에게 유용한데, 특히 만일 이러한 기업의 주장이 독립적인 제3의 기관에 의해 행해진 조사에 근거한다면, 더욱 그렇다(Wilkie & Farris, 1975).

유럽의 경우, 비교광고는 꽤 부정적으로 여겨진다. 독일, 이탈리아, 벨기에에서는 1990년대에 비교광고가 금지되었다. 프랑스에서는 한 담배 광고 캠페인이 흡연과 과자 먹는 것을 비교하였다. 그 광고의 표제는 "인생은 위험으로 가득하다. 그러나 위험은 모두 동일하지 않다"였다. 표제 아래에 세 가지 과자가 제시되었으며, 그 광고는 과자의 높은 지방성분 때문에, 과자가 담배보다 건강에 더 위험하다는 것을 암시하였다(Bois & Parker-Pope, 1996). 이 광고는 프랑스 공무원들을 놀라게 했으며 결국 이들은 그 광고를 금지시켰다.

국내의 경우, 비교광고의 효시는 1980년대 초반의 파스퇴르 유업이었다. 그 당시 파스퇴르는 우유시장에서 후발업체로 시장에 진입하기 위해 우유 살균방법에서의 차이를 비교 강조하였다. 파스퇴르는 기존 업체의 고온 살균방법과 다르게 저온에서 살균하기에 우유의 영양분이 파괴되지 않고 맛이 살아 있다고 주장하였다. 그러나 파스퇴르의 이러한 광고가 지나친 경쟁을 유발하여 이후 비교광고는 금지되었다. 20년의 세월이 흐른 2000년대에 들어서 국내 광고시장에는 가끔 간접적인 비교광고가 다시 등장하고 있다.

이러한 비교광고는 상표의 위치화와 차별화를 위해 사용될 수 있다. 시장점유율이 낮은 상표를 선두상표와 직접적으로 비교함으로써, 기업은 소비자의 마음속에 자사상표가 선두상표에 근접하는 것으로 위치화할 수 있다(Dröge & Darmon, 1987). 치약의 제품범주를 살펴본 연구자들은 비교광고가 비(非)비교광고보다 새로운 상표를 선두상표에 가깝게 위치화하고, 깨끗한 상표 이미지를 창출하는 데 더 우세할 수 있음을 발견하였다. 친숙하지 않은 상표와 선두상표 간의 직접적인 비교는 소비자가 비친숙한 상표를 선두상표와 유사한 것으로 지각하도록 비친숙한 상표를 재위치화한다(Pechmann & Ratneshwar, 1991).

비교광고에는 두 가지 유형이 있다. 직접비교광고에서는 비교상표가 구체적으로 제시되지만, 간접비교광고에서는 비교상표가 명백하게 제시되지 않는다. 두 유형 중 어느 것이 더 효과적일까? 해답은 상표의 시장점유율에 달려 있다. 한 연구는 시장점유율이 낮은 상표는 선두상표와의 직접비교가, 시장점유율이 중간 정도인 상표는 소비자의 혼란을 피하기 위해 경쟁상표를 언급하지 않는 간접비교가, 선두상표는 일반적으로 비교광고를 피하는 것이 좋다고 결론을 내렸다(Pechmann & Stewart, 1990). 선두상표가 비교광고를 피해야 하는 이유로는 비교로 인한 자사 소비자의 혼란스러움을 막아 그들을 보호하기 위해서이다. 그러나 선두상표도 비교광고를 하는 것이 효과적일 수 있음을 보여주는 연구도 있다 (Miniard, Barone, Rose, & Manning, 1994).

한편 비교광고의 효과는 소비자가 광고를 처리하는 유형에 따라 달라진다. 한 연구에 따르면, 비교광고는 소비자가 광고를 제품속성에 근거하여 분석적으로 처리하려 할 때가 제품을 사용하는 자신의 모습을 상상하는 심상처리를 할 때보다 더 효과적임을 보여주었다. 아울러 이 연구는 소비자의 개인차인 인지욕구에 따라서도 비교광고의 효과가 달라짐을 보여주었는데, 인지욕구가 낮은 소비자는 비비교광고를 선호하였고, 인지욕구가 높은 소비자는 비교광고와 비비교광고 간에 선호도에서 통계적으로 유의한 차이가 없었다(양윤, 허진아, 2008). 따라서 비교광고에 관한 연구로부터 얻어진 몇 가지 결론은 다음과 같다.

- 비교광고는 시장점유율이 낮거나 새로운 상표가 선두상표와의 지각된 차이를 줄이는 데 있어서 효과적일 수 있다(Gorn & Weinberg, 1984).
- 시장점유율이 중간수준인 상표는 유사한 수준의 다른 상표와 비교해야 할 때 간접비교광고를 사용해야 한다.
- 상표 간의 차별화를 위해서는 중요한 속성들에서 비교가 이루어져

야 한다.

- 일반적으로 선두상표는 비교광고를 피하는 것이 좋을 것이다.
- 비교광고의 효과는 소비자의 광고처리 유형과 인지욕구에 따라 달라진다.

⑥ 일방 메시지 대 양방 메시지

비교 메시지와 관련하여 제기되는 한 가지 의문은 메시지가 장·단점을 모두 제공해야 하느냐이다. 이 의문에 대한 답은 몇 가지 요인을 고려해야 한다. 장점만을 제공하는 메시지를 일방메시지라 하고, 장점과 단점을 모두 제공하는 메시지를 양방 메시지라 한다.

양방 메시지에 대한 유명한 고전적인 예로 미국 자동차 렌털회사인 에이비스(Avis)의 광고카피를 들 수 있다. 에이비스는 업계 1위인 허츠(Hertz)에 대항하기 위해 "We are No. 2, but we try harder"라는 카피를 내보냈다. 이 카피는 소비자에게 강하게 어필되어 에어비스의 시장점유율을 높이는 데 크게 기여하였다. 이 카피에서 보면 "…… try harder" 다음에 "than Hertz"가 생략되었음을 알 수 있다. "우리는 2등"이라는 말은 사소한 단점으로 작용하지만, "우리는 (허츠보다) 더 열심히 노력한다"는 커다란 장점으로 작용한다.

양방 메시지에 관한 연구는 이 메시지가 설득에서 효과적일 수 있음을 보여주었다. 메시지에 장·단점을 모두 제시하는 것이 소비자에게 공정한 것으로 보일 수 있으며, 메시지와 출처에 대해 반박할 가능성을 낮출 수 있다. 특히 청중이 비우호적일 때, 반대주장이 있음을 알 때 또는 경쟁자가 반박할 이성이 있을 때, 양방 메시지는 효과적이다(Jones & Brehm, 1970; Kamins & Assael, 1987; Sawyer, 1973).

양방 메시지와 관련하여 살펴볼 것이 있다. 위에서 양방 메시지가 메시지와 출처에 대한 반박

가능성을 낮출 수 있다고 했는데, 이는 면역효과에 근거한 것이다. 면역효과는 예방접종과 동일한 것으로, 즉 경쟁사의 공격이 있기 전에 미리 자사의 사소한 단점을 소비자에게 제시하여 경쟁에 대한 저항력을 높이는 것을 말한다.

한 연구에서 연구자들은 실험참가자들을 세 집단으로 구분하여 첫째 집단은 자신들의 견해를 지지하는 메시지를 듣게 하고, 둘째 집단은 자기 견해를 약하게나마 공격하는 내용과 그 공격에 대처하는 메시지를 듣게 하였으며, 셋째 집단은 아무런 메시지도 듣지 않게 하였다. 이러한 실험처치 후에 모든 조건에서 참가자들은 자신들의 견해를 공격하고 반대하는 메시지를 들었다. 세 조건 중에서 가장 저항을 잘한 조건은 둘째 조건(면역조건)이었고, 그다음이 첫째 조건이었다(McGuire & Papageorgis, 1961). 추후연구에서는 견해를 지지하는 방법이 관점을 보충한다는 측면에서는 효과적이지만, 사람들이 전혀 새로운 반대주장에 접했을 때는 지지 메시지의 효과는 없었으며, 면역방법이 여전히 효과적임을 보여 주었다(McGuire, 1964).

한편 경우에 따라서는 장점만을 제공하는 일방 메시지가 태도변화를 더 크게 초래할 수도 있다. 일방 메시지는 청중이 우호적일 때, 청중이 경쟁자의 반박주장을 들으려 하지 않을 때, 청중이 특정한 논점에 관여하지 않을 때, 또는 청중의 교육수준이 높지 않을 때 효과적일 수 있다. 이러한 경우에 단점을 제시하는 것은 청중을 단지 혼란스럽게 만들수 있으며 지지 논점의 효과를 약화시킬 수 있다(Chu, 1967; Pechmann, 1990). 결론적으로 많은 구매가 소비자의 저관여 상태에서 이루어짐을

고려한다면, 양방 메시지를 사용할 때 주의가 필요하다.

　일반적으로 소비자를 현재 고객, 잠재 고객, 부정적 고객의 세 부류로 구분할 수 있다. 현재 고객은 현재 특정 제품을 구매 또는 사용하는 집단이고, 잠재 고객은 특정 제품에 대해 긍정적이어서 현재는 아니지만 그 제품을 구매 또는 사용할 가능성이 있는 집단이며, 부정적 고객은 특정 제품에 대해 부정적이어서 현재도 미래에도 그 제품을 구매 또는 사용할 가능성이 적은 집단이다. 이 경우에 일방 메시지는 현재 고객과 잠재 고객에게 효과적일 수 있고, 양방 메시지는 부정적 고객에게서 효과적일 수 있다.

⑦ 공포소구

　공포소구는 소비자가 특정한 제품을 사용하지 않거나 어떤 행동을 변화시키지 않으면 불행한 상황에 놓일 것임을 지적하는 메시지이다. 공포소구는 사람의 위험지각을 작동시킨다. 신체손상의 위험은 충돌검사 결과를 광고하는 자동차회사에서, 재정적 위험은 보험회사에서, 사회적 위험은 방향제, 구강청정제 또는 비듬치료 샴푸회사에서 공포를 유발하기 위해 주로 사용된다. 예를 들어 보험회사의 광고는 자사의 보험제품에 가입하지 않으면, 훗날 큰일을 당할 것임을 암시함으로써 소비자에게 겁을 주는 내용들이 대부분이다. 또한 음주운전 방지, 금연 등의 공익광고도 주로 신체적 위험에 관한 것이다.

　공포소구에는 흔히 긍정적 공포와 부정적 공포 그리고 이들 양자의 복합적 소구형태가 사용된다. 긍정적 소구는 권고안을 채택할 경우 얻게 될 물리적, 심리적 혜택이나 긍정적 결과를 강조하는 형식이고, 부정적 소구는 권고안을 채택하지 않을 경우 입게 될 물리적, 심리적 손실 및 부정적 결과를 강조하는 것이다. 이와 같이 공포소구는 특정한 행동을 하지 않음으로써 발생하는 부정적인 결과를 메시지 속에 제시하여 공포를 일으킨다.

공포는 부정적인 감정이기 때문에 공포가 발생하게 되면 이것을 제거하기 위한 동기가 부여되는 것이 보통이다. 대체로 사람들은 부정적인 결과가 발생하는 것을 원하지 않을 뿐만 아니라, 그것을 경험하는 것 자체를 두려워하기 때문에 메시지에서 권고된 방향으로 행동할 가능성이 높다(Witte, Meyer, & Martell, 2001). 따라서 공포의 감정반응이 문제해결에 필요한 정보처리를 방해하지 않는 한, 공포소구는 효과적일 것이다(Keller & Block, 1996).

지금까지 공포소구에 관한 연구주제는 크게 세 가지였는데, 이는 공포수준, 공포유형, 공포소구와 설득 간의 매개변수 등이다. 세 가지 중에서 공포수준에 관한 연구가 대부분을 차지하였다. 공포수준의 연구는 불일치하는 결과를 산출하였다. 공포의 감정반응과 설득효과 간에 부정적 관계가 존재한다는 연구(Janis & Feshbach, 1953; DeWolfe & Govennale, 1964)와 너무 심한 공포는 역기능적인 감정과 불안을 불러일으키고 긴장을 강화시킨다는 것을 연구도 있다(Henthorne, Latour, & Nataraajan, 1993). 그러나 많은 연구는 공포의 감정반응과 설득 사이에 긍정적인 관계가 있음을 제시하고 있으며(Bennett, 1996; LaTour & Rotfeld, 1997), 또 다른 연구에서는 타인들을 돕도록 동기화하는 공포소구와 설득 간에도 긍정적인 관계가 있음을 발견하였다(Boozzi & Moore, 1994). 결과적으로 많은 연구는 공포수준과 설득 간의 관계가 선형적이고 긍정적임을 보여 주었다(LaTour, Snipes, & Bliss, 1996).

공포소구에 관한 이전의 연구에서 공포유형에 따라 설득효과가 달라지는지에 대한 연구는 많지 않았다. 공포유형은 크게 두 가지, 즉 신체적 위협과 사회적 위협으로 나눌 수 있다. 신체적 공포소구는 설득 메시지 권고에 응하지 않을 경우 발생할 수 있는 신체적 위험을 강조하는 반면, 사회적 공포 소구는 자신에게 중요한 타인이나 집단에 의한 사회적 부인(외면, 무시, 소 외 등)의 위험을 강조한다(Unger & Stearns, 1983). 전자의 예로는 흡연, 안전벨트와 관련된 연구를 들 수 있으며, 후자의 예로는 샴푸나 화장품, 방취제의 광고에서 광고제품을 사용하지 않으면 다른 사람들로부터 외면을 당하게 될 것을 강조하는 연구를 들 수 있다. 일부 연구만이 광고에서 사회적 위협의 설득효과를 조사하였다(Evans, Rozelle, Lasater, Dembroski, & Allen, 1970). 구강위생을 다룬 한 연구에서, 연구자들은 사회적 승인소구의 효과가 신체적 위협소구의 효과보다 실제 행동에서의 변화가 더 컸다는 것을 발견하였다(Evans et al., 1970). 결론적으로 이 연구는 어떤 경우에는 사회적 승인이 신체적 위협보다 설득에서 더 효과적일 수 있음을 제안하고 있다.

한편, 몇몇 연구자는 공포소구와 설득효과 간의 긍정적 관계와 부정적 관계를 나타내는 원인을 밝히려는 연구를 시도하였다. 그 결과 공포소구와 설득효과 사이에는 개인차 변수가 매개변수로 작용하여 조절역할을 한다는 사실을 밝혀냈다(Arthur & Quester, 2004). 이러한 연구들에서 밝혀졌던 매개변수로는 자존감, 불안의 수준, 대응 스타일 등이 있다.

공포소구가 효과적이기 위해서는 다음과 같은 조건들을 고려해야 한다(Tanner, Jr., Hunt & Eppright, 1991).

- 공포를 일으키는 문제에 대처하고 해결하기 위한 구체적인 방법을 제공하라.

- 방법을 따르면 문제가 해결될 것이라는 지침을 제공하라.
- 이미 상당한 위협을 느꼈거나 위협에 노출된 청중에게는 높은 수준의 공포를 피하라.
- 자존감이 낮은 청중에게는 높은 수준의 공포 메시지를 피하라.
- 공포의 유형과 소비자의 개인차를 고려하라.

⑧ 유머소구

유머는 기대와의 불일치 또는 기대로부터의 이탈에 의해 생긴다(Alden Hoyer, & Lee, 1993).

광고에서의 유머는 긍정적인 효과뿐만 아니라 부정적인 효과도 가질 수 있다. 마케터는 유머 사용의 세 가지 잠재적인 부정적 결과를 고려해야 한다. 먼저, 유머는 메시지 이해도를 낮출 수 있다. 예를 들어 유머광고의 내용회상과 진지한 광고의 내용회상을 비교했던 한 연구는 진지한 광고의 내용회상이 유의하게 좋음을 보였다(Cantor & Venus, 1980). 즉 유머는 메시지에 대한 주의를 분산시킨다(Murphy, Cunningham, & Wilcox, 1979). 둘째, 유머광고는 일반적으로 생명이 짧다. 유머는 처음에는 재미있지만, 반복되면 싫증이 난다. 특히 유머가 개그 유형이라면, 유머는 빨리 사라진다. 셋째, 유머광고는 청중에 따라 기대치 않았던 부정적 효과를 가질 수 있다.

유머광고에서 가장 위험스러운 점은 청중에 따라 동일한 유머 메시지에 대한 반응이 다를 수 있다는 것이다. 한 연구는 여성이 남성보다 유머광고에 더 부정적으로 반응한다고 하였다(Lammers, 1983). 또 다른 연구는 성별을 제외한 청중의 많은 특성(예, 인종, 국적, 성격, 사회적 태도 등)이 유머효과를 조절함을 발견하였다(Sternthal & Craig, 1982).

그러나 유머는 설득 커뮤니케이션에 매우 긍정적인 영향을 주기도 한다. 예를 들어 한 현장연구는 재미있는 전단이 이웃 피크닉 같은 사회적 친목모임을 알려 주기 위해 배포됐을 때, 평범한 전단이 배포됐을 때보다 20% 더 많은 사람들이 참석하였음을 보여 주었다(Scott, Klein, & Bryant, 1990). 다른 연구는 유머광고가 특정 상표에 대한 소비자의 태도를 개선하였으며 고정보의 회상을 향상시켰다고 주장하였다(Zhang & Zinkhan, 1991).

유머소구의 세 가지 장점은 첫째, 유머는 소비자의 기분을 좋게 하여, 설득 메시지에 대한 반박주장을 떠올리지 못하게 할 수 있다. 둘째, 유머는 소비자의 주의를 유도하여 광고에 대한 회상과 이해를 높인다. 셋째, 유머는 소비자의 광고에 대한 호감을 증가시킨다.

그러나 유머는 메시지의 이해도를 낮추고, 메시지에 대한 주의를 분산시키며, 기대치 않았던 소비자의 부정적 반응을 이끌어낼 수 있다.

한편, 유머소구의 효과와 관련된 두 가지 부수적인 요소가 있다. 첫째, 유머는 어떤 식으로든 제품 또는 서비스와 관련되어야 한다. 둘째, 유머의 효과는 특정 상표에 대한 소비자의 사전평가에 의해 조절된다(Chatto-padhyay & Basu, 1990; Smith, 1993). 두 번째 요소는 유머와 사전평가 사이에 상호작용이 있음을 의미한다. 한 연구에서 광고가 해학적이고 특정 상표에 대한 사전평가가 긍정적일 때, 소비자의 구매의도는 증가하였다. 그러나 광고가 해학적이고 사전평가가 부정적일 때, 구매의도는 감소하였다. 비(非)유머광고일 때는 반대 결과가 나타났다. 즉 사전평가가 부정적일 때, 구매의도는 비유머광고 조건에서 증가하였지만, 유머광고 조건에서 감소하였다.

⑨ 생생한 정보 대 추상적 정보

생생하고 구체적인 정보를 갖고 있는 메시지가 추상적인 정보를 갖고 있는 메시지보다 수신자에게 더 큰 영향을 준다(Nisbett & Ross, 1980). 생생한 메시지는 주의를 끌 뿐만 아니라 유지시켜, 수신자에게 상상하도록 자극한다. 따라서 생생한 메시지는 장기기억에 더 잘 저장되며 훗날 더 잘 인출된다.

메시지를 생생하게 만드는 요인은 첫째, 개인적 관련성이다. 개인적 관련성을 갖는 메시지는 수신자의 관여수준을 높이며 관여수준이 증가할 때 메시지의 영향력 또한 증가한다. 둘째, 구체성이다. 구체적인 메시지는 사람, 행위, 상황에 관해 상세하고 세부적인 정보를 제공한다. 셋째, 수신자와의 근접성이다. 수신자와 시간적·공간적·감각적으로 가능한 메시지는 생생하다. 시간근접성은 가능한 한 참신하며 새로운 정보의 사용과 관련이 있다. 공간근접성은 정보를 수신자가 처한 상황과 가능한 한 가깝게 연결되는 맥락에 배치하는 것과 관련된다. 감각근접성은 자신이 경험한 것을 청중에게 말할 수 있는 누군가(예, 모델)가 직접 경험하는 내용과 관련이 있다. 예를 들어, 판매원이 고객에게 자동차를 시승해 볼 것을 권하는 한 가지 이유는 고객으로 하여금 자동차 시승에 대한 감각 경험을 직접 획득하게 하려는 것이다.

그러나 구체성과 추상성을 연구할 때 한 가지 주의해야 할 점이 이 구체성과 추상성을 조작할 때 제공되는 정보의 양에서 차이가 생길 수 있는데, 이러한 정보 양에서의 차이를 통제해야만 한다. 일반적으로 생생하고 구체적인 메시지는 추상적인 메시지에 비해 문장이 긴 편이어서 정보를 보다 많이 갖는다. 이러한 문장의 길이(정보 양)를 유사하게 통제하지 못하면, 결과가 구체성과 추상성 간의 차이에서 기인한 것인지 아니면 정보 양에서의 차이에 기인한 것인지를 알 수 없다.

⑩ 강의 대 드라마

강의는 출처가 정보를 알려주고 설득하려는 시도에서 청중에게 직접 말하는 것이다. TV광고는 출처가 청중에게 직접 얘기하고 제품정보를 제공한다는 면에서 강의형식을 빈번히 사용한다. 드라마는 간접적인 연설형식을 취한다. 광고에서의 등장인물들은 청중이 아니라 자기들끼리 얘기를 한다. 이러한 유형의 광고는 영화 또는 연극과 유사하다. TV광고는 둘 이상의 인물들이 제품에 관해 서로 얘기를 주고받는 만화 또는 미니드라마, 형태를 종종 사용한다.

광고가 강의형식을 취할 때 사실이 제공되며, 소비자는 광고의 설득시도를 분명하게 인식한다. 이러한 경우에는 앞에서 살펴본 출처의 특성들이 매우 중요하며, 광고인은 청중의 인지반응에 관심을 두어야 한다.

드라마 기법은 전혀 다른 기제로 작동한다. 드라마는 세상에 관한 이야기이고, 광고인의 목적은 관찰학습이다. 다시 말해 시청자가 광고에서 모델들 간의 상호작용에 의해 나타나는 내용을 학습할 것으로 본다. 광고드라마가 사실일 때, 소비자는 그것에 주의를 하고 일상에 적용할 수 있는 결론을 도출한다. 그 결과로서 소비자가 반박주장을 제기할 가능성은 매우 낮아진다.

강의기법은 매우 압축된 형태로 정보를 제시하는 장점을 지닌다. 그러나 강의는 딱딱하고 지루하며 반박주장을 빈번히 불러일으킨다. 반대로 드라마는 감정이 내포된 이야기를 만들어 냄으로써 그리고 제품사용의 의미를 변형함으로써 청중의 흥미를 자극할 수 있다.

변형광고(transformational advertising)는 소비자로 하여금 제품사용의 경험을 제품이 아니라 심리적 특성들과 연합하게 하려는 광고이다(Puto & Wells, 1984). 성공적인 변형광고는 소비자가 감정적으로 관여하게 하고, 광고제품이나 서비스에 관한 소비자의 생각과 느낌을 변화시킨다. 예를 들어, 향수 광고는 이러한 제품의 사용을 로맨틱하고 관능적인 경험으로 변형시키려 한다. 사실상 대부분의 향수광고의 목적은 여성(남성)을 이성에게 매우 매력적인 화려한 인물로 변형시키려는 것이다(Swaminathan, Zinkhan, & Reddy, 1996). 한편 일상생활의 한 단면을 광고에 가져옴으로써 감정을 전이시키려는 삶의 단면(slice of life) 광고도 변형광고에 해당한다.

여러 연구자들이 강의와 드라마 기법이 소비자 반응에 미치는 효과를 연구하였다. 한 연구에서 응답자들은 강의나 드라마 중 하나를 이용한 자동차 광고를 보았다. 강의 형태의 광고를 본 응답자들이 드라마 형태의 광고를 본 응답자들보다 반박주장을 더 많이 제기하였고, 광고에 훨씬 덜 감정이 이입되었으며, 광고에서 묘사한 사건들에 관한 메시지를 지지하는 주장을 보다 적게 하였다. 다시 설명하자면, 강의 형태 광고보다 드라마 형태의 광고가 메시지 내용에 있어 효과적이었다(Bolla, 1990).

전반적으로 드라마 기법이 응답자에게서 더 큰 감정과 더 적은 반박주장을 불러일으킨다. 또한 드라마 기법은 광고에 대한 응답자의 감정이입뿐만 아니라 응답자로 하여금 광고가 진실하다고 더 느끼게 만든다. 일반적으로 강의광고는 평가적으로 처리되고 드라마 광고는 감정적으로 처리되기 때문에, 효과적인 강의광고는 소비자의 반박주장을 극복할 수 있는 높은 품질의 주장을 사용해야 하지만, 효과적인 드라마 광고는 소비자를 감정적으로 관여시키고, 광고를 진실적으로 보이게 해야 하며, 감정이입을 유발해야 한다(Deighton, Romer, & McQueen, 1989).

드라마 광고의 한 가지 문제는 광고가 시간을 필요로 한다는 것이다. 한 연구는 특정 제품에 대한 변형광고가 15초가 아니라 30초로 방영될 때, 그 광고에 대한 소비자의 태도가 더 호의적이고 구매의도가 더 높아지는 것을 발견하였다. 그러나 정보광고의 경우 결과는 정반대였다. 즉 광고시간이 길수록 소비자의 태도와 구매의도는 덜 호의적이었다(Singh & Cole, 1993).

(2) 메시지 구성

메시지 개발에서 메시지 내용뿐만 아니라 메시지 구성 또한 중요하다. 메시지 구성은 메시지 내용을 어떻게 조직하느냐에 관한 것으로, 중요한 정보를 메시지 어디에 위치시키느냐와 정보를 메시지에서 얼마나 반복 제시하느냐 하는 점을 다룬다.

① 초두효과와 최신효과

초두효과와 최신효과는 메시지의 처음과 마지막에 제시된 정보의 상대적 영향력을 말한다. 초두효과는 메시지에서 처음 제시된 정보의 영향력이 클 때 일어나며, 최신효과는 메시지에서 마지막에 제시된 정보의 영향력이 클 때 일어난다. 초두효과와 최신효과는 단일 메시지뿐만 아니라 일련의 메시지에서도 일어난다. 예를 들어, TV나 잡지에서 보면 많은 광고가 연속적으로 나오는데 제시 순서에서 처음, 중간, 마지막 어디에 위치해야 효과가 가장 좋겠는가? 일반적으로 일관된 결과는 초두효과를 지지한다.

이에 관해 좀 더 살펴보면, 우선 시간의 경과에 따라서는 초두효과가 더 효과적이다. 둘째 메시지를 정교하게 처리(예, 고관여 처리)할 때 초두효과가 발생하는 경향이 있고, 초두효과는 인쇄광고와 같은 시각적 자료보다 라디오 광고와 같은 언어적 자료에서 더 강하게 나타난다(Unnava, Burnkrant, & Erevelles, 1994).

한 가지 분명한 연구결과는 메시지의 중간에 제시되는 정보의 회상이 상대적으로 가장 나쁘다는 것이다. 즉 메시지의 중간에 제시되는 정보는 처음 또는 마지막에 제시되는 정보보다 기억하기 어렵다. 따라서 의사전달자는 중요한 내용을 메시지의 중간에 제시해서는 안 된다.

② 반복효과

반복효과와 관련하여 한 가지 중요한 의문은 정보를 얼마나 반복해야 하느냐이다. 한 연구자는 세 번 노출하면 충분할 것이라고 제안하였다(Krugman, 1972). 이러한 세 번의 노출은 실험실 연구에서 나온 결과이다. 실험실 상황에서는 실험참가자들이 광고를 강제적으로 봐야 하지만, 현실에서는 소비자가 광고를 강제적으로 볼 필요가 없다. 따라서 현실상황을 고려하면, 반복횟수는 세 번 이상일 수 있을 것이다. 그러나 아직까지 현실에서의 적정한 반복횟수를 제시한 연구는 없다. 더욱이 연구결과들에 의하면, 오히려 지나친 반복이 소비자로 하여금 메시지에 대해 부정적이게 만들 수 있다고 제안하였는데, 이러한 효과가 광고싫증이다.

한 연구에서 응답자들이 한 시간짜리 TV쇼를 시청하는 동안 가상적인 치약광고에 1회, 3회, 또는 5회 반복조건들 중 한 조건에 노출되었다. 연구결과 노출횟수가 증가할 때, 광고에 대한 반박주장의 수 역시 증가하였다(Belch, 1982). 이와 유사하게 다른 연구들은 지나친 반복이 광고에 대한 소비자의 태도를 부정적으로 만들 수 있음을 발견하였다(Burke & Edell, 1986).

　　이러한 이유로 인해, 광고인은 동일한 광고를 계속해서 반복제시하지 않는다. 대신에 광고인은 동일한 메시지를 전달하는 일련의 다른 광고물을 만든다. 한 연구에서 연구자들은 연속물로 나가는 각각의 광고내용을 약간 달리하여 이를 검증하였다. 연구결과, 변경된 광고를 통해 메시지가 반복될 때 긍정적인 인지반응의 수는 증가하였고 부정적인 인지반응의 수는 감소하였다(Cox & Cox, 1988; Rethans, Swasy, & Marks, 1986).

　　메시지 반복의 효과를 설명하기 위해, 이요인 이론(two-factor theory)은 사람들이 반복 메시지를 받을 때 두 가지 다른 심리적 과정이 작동한다고 제안한다. 하나는 메시지 반복이 수신자의 불확실성을 감소시키고 메시지에 대한 학습을 증가시켜 긍정적인 반응을 유발한다는 것이다(McCullough & Ostrom, 1974). 그러나 다른 과정에서는 메시지 반복과 더불어 수신자의 지루함은 증가한다. 어느 순간에 지루함이 긍정적 효과를 넘어서서 수신자는 광고에 부정적으로 반응하기 시작한다(Rethans, Swasy, & Marks, 1986). 이요인 이론은 소비자의 지루함을 피하기 위해 전달자는 광고반복 시 광고를 약간 변경해야 한다고 제안한다.

　　광고싫증이 기업에게는 잠재적인 위험이지만, 메시지 반복은 학습에서 중요하다. 이러한 딜레마에 대한 한 가지 해결책은, 이미 앞에서 언급했듯이, 동일한 기본 메시지를 사용하지만 흥미를 유지하기 위해 내용을 약간씩 변경하는 것이다. 연구자는 광고에서의 이러한 변화가 싫증을 유발하지 않은 채 광고의 회상을 실질적으로 개선함을 보여 주었다(Burnkrant & Unnava, 1987; Unnava & Burnkrant, 1991). 아울러 이러한 변화의 또 다른 장점은 소비자로 하여금 경쟁사의 광고에 더 저항하게 만든다(Haugtvedt, Schumann, Schneier, & Warren, 1994). 마지막으로 반복광고에 노출되는 것이 자발적이고, 반복이 시간경과에 따라 분산되며, 반복이 경쟁사의 광고가 나갈 때에도 이루어지고, 반복이 실세계의 혼잡한 환경에서도 나타난다면, 반복광고는 '소비자의 마음속에 가장 먼저 떠오르는 의식(top-of-the-mind-awareness)'과 상표선택을 실질적으로 개선한다(D' Souza & Rao, 1995).

3) 매체

매체는 커뮤니케이션에 있어서 필수적인 요소로 메시지를 전달하려는 도구이다. 매체는 크게 방송매체(TV, 라디오)와 인쇄매체(신문, 잡지)로 나눌 수 있고, 최근에는 인터넷과 SNS의 활용이 증가하고 있다. 매체에 근거한 전략은 선정된 표적시장의 소비자가 읽고, 보며, 듣는 특정한 매체에 광고를 배치하는 것이다. 이를 위해 마케터는 소비자조사를 통해 특정한 매체를 포함하는 표적고객들의 소비자 프로필을 구성한다.

특정한 매체를 선정하기 전에, 마케터는 메시지의 전달력을 높일 수 있는 일반적인 매체범주를 선정해야 한다. 어떤 매체범주를 선정하느냐는 광고제품 또는 서비스, 도달하고자 하는 표적시장 그리고 마케터의 광고목적 등에 달려 있다. 광고인은 하나의 매체범주를 선정하기보다는 다중매체 캠페인 전략을 활용한다. 다중매체는 광고캠페인의 대부분을 수행하는 한 가지 주요한 매체범주와 보충지원을 제공하는 다른 매체범주로 구성된다.

많은 연구는 다양한 제품, 청중, 광고목적 등에서 각 매체의 효과를 비교하였다. 일반적으로 연구결과들은 확정적이지 않다. 한 가지 보편적인 결과는 각각의 매체범주가 광고내용에 대해 각자의 특정한 효과를 가진다는 것이다. 예를 들어 인쇄매체는 무제한의 메시지 길이를 허용하며,

인쇄매체의 한 유형인 신문은 메시지의 시기적절성이 두드러지고, 방송
매체는 상대적으로 고정된 노출시간을 가지고 있다(Philport & Arbitier,
1997). 몇몇 매체범주는 다른 범주보다 어떤 제품 또는 메시지에 더 적절
하다. 예를 들어 속도가 매우 빠른 컴퓨터 신제품에 대한 메시지를 소비
자에게 전달하려는 마케터는 컴퓨터용 전문잡지 또는 온라인에서 그 제
품에 대한 메시지를 전달할 수 있을 것이다. 일단 마케터가 적절한 매체
범주를 확인하면, 그다음에 그들은 표적청중에 도달할 수 있는 특정한
매체를 그 범주에서 선정할 수 있다.

(1) 인터넷

인터넷은 뉴스레터 또는 사이버잡지와 같은 많은 온라인 대안매체를
가져왔다. 오늘날 거의 모든 인쇄 및 방송매체는 자신의 웹사이트를 가
지고 있고 온라인 출판을 하고 있다. 많은 소비자가 제품정보를 찾고 제
품을 비교하기 위해 인터넷을 사용하고 있으며, 아울러 온라인 쇼핑도
증가하고 있다. 또한 마케터는 웹사이트에 배너광고를 내보내고 있다.

현재 많은 기업은 자신의 웹사이트를 가지고 있고 이를 통해 자사제
품의 정보를 제공하고 있다. 더욱이 웹을 통해 개별 소비자의 구매습관,
제품 선호, 지출패턴 등을 추적할 수 있고, 더 나아가 웹사이트, 촉진캠페
인, 개별 소비자에게 맞춰진 광고물 등을 디자인할 수 있도록 이러한 정
보를 데이터 베이스화하고 있다(Bush, Bush, & Harris, 1998).

(2) 정밀 표적화

많은 마케터는 '정밀 표적화'라고 부르는 매체전략을 사용하고 있다.

이 전략은 매우 세부적으로 세분화된 표적시장의 욕구와 관심을 충족시켜 줌으로써 시장에서 자신만의 특정한 틈새를 찾으려는 매체전략을 말한다.

직접우송(direct mail) 및 직접마케팅(direct marketing)은 정밀표적화의 좋은 예이다. 직접우송은 표적고객의 우편주소로 직접 보내는 광고이다. 직접마케팅은 매체가 아니라, 소비자로부터 직접적인 반응을 얻으려는 목적으로 다양한 매체(예, 우편, 인쇄, 방송, 전화, 인터넷)를 사용하는 상호작용적 마케팅 기법이다. 직접마케팅의 주요 장점은 그것이 측정 가능한 반응을 산출한다는 것이다. 즉 마케터는 조사당 비용, 판매당 비용, 광고당 수입 등과 같은 변수를 통해 직접마케팅의 수익성을 수정할 수 있고, 캠페인의 시기 및 빈도를 평가할 수 있다. 직접마케팅의 주요 목적은 적합한 구매자의 데이터베이스를 구축하고 꾸준히 정교화하는 것으로, 이는 조사와 직접요청으로 이루어진다. 이러한 데이터베이스의 분석은 매우 선별적으로 세분화된 고객층을 만들어 낼 수 있다. 그런데 한 가지 문제는 고객의 쇼핑내력을 데이터베이스화하는 것이 소비자의 사생활 침해일 수 있다는 점이다.

인터넷쇼핑과 케이블TV의 홈쇼핑은 구매자의 정보를 데이터베이스화한다는 점에서 직접마케팅 기법을 사용한다고 볼 수 있다. 온라인마케터는 자사 사이트의 방문자와 고객으로부터 개인정보를 수집하며 매우 세분화된 데이터베이스를 개발한다. 또 다른 마케터는 상세한 개인정보를 제공하는 그리고 온라인 또는 전화광고를 보거나 듣는 데 동의한 소비자에게 무료서비스 또는 제품을 제공한다.

최근에는 빅데이터 분석방법 기술의 발달로 고객 데이터와 구매 패턴을 수집하고 분석해, 고객 맞춤형 제품을 추천한다. 고객의 수요를 파악하고 필요한 물건을 제시하는 역할은 물론이고, 고객의 구매 목록을 데이터화해서 분석하고 고객이 필요한 물건을 전단지로 복사하여 집으로 배송할 수 있다. 더욱이 소비자 반응이 좋은 상품을 실시간으로 분석해 출시 초기에도 이상 징후를 미리 파악할 수 있다.

4) 수신자

수신자는 자신의 경험과 특성에 근거하여 자신이 수신한 메시지를 해석한다.

(1) 제 특성

메시지로부터 정확하게 이끌어 낼 수 있는 의미의 양은 메시지 특성, 메시지를 처리하는 수신자의 기회와 능력, 그리고 수신자의 동기 등과 관련이 있다(Mick, 1992). 사실상 개인의 모든 개별 특성(예, 성격)은 메시지 해적의 정확성에 영향을 준다. 개인의 인구통계학적 특성(예, 연령, 성별, 결혼 여부, 소득, 학력 등), 사회문화적 특성(예, 사회계층, 인종 등) 그리고 라이프스타일은 메시지 해석에서 주요한 요소들이다. 태도, 사전학습 또는 경험, 기대, 동기 등도 메시지 해석에 영향을 준다. 어떤 누구도 전달자가 의도했던 방향으로 마케팅 메시지를 읽고 이해하지 않는다. 예를 들어 중학교 2학년의 읽기 수준에서 작성된 직접우편 광고의 이해에 대한 연구에서는 직접우편 수용자의 1/3이 메시지를 의도한 대로 이해하지 못했다(Harrison-Walker, 1995).

개인의 관여수준은 메시지에 얼마나 주의를 기울일지 그리고 메시지를 이마나 조심스럽게 해석해야 할지를 결정할 수 있는 요소이다. 예를 들어 운동에 관심이 없는 사람은(저관여수준) 운동용품에 관한 광고에 주의하지 않을 것이지만, 관심이 많은 사람은(고관여수준) 그 광고에 주의를 기울여 철저하게 읽거나 볼 것이다. 따라서 표적청중의 관여수준이 설득 커뮤니케이션의 설계와 내용에서 중요한 요소이다.

(2) 감정

소비자의 감정은 광고물을 지각하고, 회상하며, 광고물에 근거해 행동하려는 소비자에게 영향을 준다(Swinyard, 1993). 한 연구는 소비자의 기분이 광고 메시지가 제시되는 맥락(예, 인접 TV프로그램 또는 인접 신문기사)과 광고 자체의 내용에 의해 종종 영향을 받으며, 이러한 기분이 그다음에는 광고 메시지에 대한 소비자의 평가와 회상에 영향을 준다고 하였다(Mathur & Chattopadhyay, 1991). 또 다른 연구는 소비자의 각성(또는 흥분)상태가 광고의 인지적 처리(즉 중심단서 처리)를 제한하고 주변단서 처리를 증가시킨다고 하였다(Pham, 1996). 긍정적 결과를 묘사하는 광고에 의해 유발되는 긍정적 감정은 소비자가 광고제품을 구매할 가능성을 증가시킬 수도 있으며, 반면에 부정적인 결과를 묘사하는 광고는 부정적인 감정을 유발할 수도 있을 것이다. 물론 이러한 결과는 마케터의 목적과 일치할 수도 있다. 소비자는 만일 자신이 광고제품을 구매하지 않는다면 부정적인 결과가 발생할 수 있다고 설득당할 수 있다.

(3) 선별지각

소비자는 광고 메시지를 선별적으로 지각한다. 소비자는 자신에게 특별한 흥미 또는 관련성을 주지 못하는 광고를 무시하는 경향이 있다. 특히 리모컨은 소비자가 TV채널을 변경함으로써 광고를 건너뛰게(zap-ping) 하거나 또는 음소거 장치를 사용하여 광고내용을 듣지 않게 할 수 있다. 이러한 선별지각은 소비자가 메시지를 해석하는 데 영향을 줌으로써 커뮤니케이션을 방해할 수 있다.

5) 피드백

마케팅 커뮤니케이션은 일반적으로 바람직한 방식(예, 광고제품의 구매 등)으로 행동하도록 표적청중을 설득하기 위해 설계되기 때문에, 설득 커뮤니케이션에 대한 궁극적인 검증은 수용자의 반응에 의해 이루어진다. 이러한 이유로 전달자는 즉각적으로 가능한 한 정확하게 피드백을 획득해야 한다. 피드백을 통해서만이 전달자는 메시지가 얼마나 잘 전달됐는지를 평가할 수 있다.

대인 간 커뮤니케이션의 중요한 장점은 언어적 단서뿐만 아니라 비언어적 단서를 통해 즉각적인 피드백을 획득할 수 있다는 점이다. 경험이 많은 전달자는 피드백에 상당히 주의를 기울이며 자신이 청중으로부터 보거나 들은 것에 근거해 자신의 메시지를 수정한다. 즉각적인 피드백은 대인판매를 효과적으로 만드는 요인이다. 이는 즉각적인 피드백이 고객 응대 담당자로 하여금 각 소비자의 표현된 욕구와 관찰된 반응에 맞추어서 판매방식을 조율할 수 있게 하기 때문이다.

피드백을 획득하는 것은 매스 커뮤니케이션과 대인 간 커뮤니케이션 모두에서 중요하다. 대중매체에서 차지하는 광고의 높은 비용 때문에, 많은 마케터는 대중 커뮤니케이션 피드백을 우선적으로 다룬다. 메시지를 다루는 담당부서는 표적청중이 매스 커뮤니케이션을 수용하는지, 의도한 대로 이해하는지, 그리고 의도한 목적달성에 효과적인지를 사전에 결정할 어떤 방법을 개발해야만 한다.

대인 간 커뮤니케이션과 달리, 매스 커뮤니케이션 피드백은 거의 직접적이지 않다. 대신에 그것은 보통 추론된다. 수신자가 광고제품을 구매한다(구매하지 않는다). 수신자가 잡지구독을 갱신한다(갱신하지 않는다)와 같이, 전달자는 표적청중의 결과적 행동(또는 무행동)으로부터 자신의 메시지가 얼마나 설득적인지를 추론한다. 기업이 청중으로부터 찾으려 하는 또 다른 유형의 피드백은 제품구매에 따른 고객의 만족 또는 불만족의 정도이다. 기업은 자사상표의 신뢰할 만한 이미지를 유지하기 위해 가능한 한 빨리 문제점을 찾아서 해결하려 한다.

(1) 광고효과의 측정

광고인은 어떤 메시지가 전달됐는지, 어떤 TV프로그램이 시청됐는지, 그리고 표적청중이 어떤 광고를 기억하는지 등을 알아보기 위해 소비자 조사를 실시함으로써 메시지의 효과를 측정한다. 표적청중이 특정 광고에 주목하지 않거나 잘못 이해하고 있다고 피드백이 알려 줄 때, 광고인은 커뮤니케이션이 원래 의도한 대로 일어나도록 메시지를 수정한다.

광고효과 측정은 광고가 매체를 통해 나가기 전(사전검사) 또는 나간후(사후검사)에 행해질 수 있다. 사전검사는 광고 메시지의 어떤 요소가 손실을 초래하기 전에 수정돼야 하는지를 결정하기 위해 실시된다. 사후검사는 이미 나간 광고의 효과를 평가하기 위해 그리고 미래 광고의 효과를 높이기 위해 어떤 요소를 변경해야 하는지를 알아보기 위해 실시된다.

참 / 고 / 문 / 헌

김영석(2005). 설득 커뮤니케이션, 나남출판.

김용진, 고민정(2017). 빅데이터 활동과 광고사례기반의 소비자 행동론, 생능출판사.

서여주(2021). 소비와 시장 2판, 백산출판사.

이학식, 김종성(1999). 상표확장효과의 조절변수로서 소비자 특성과 지각의 역할평가, 마케팅연구, 14(2), 23-44.

양윤(2014). 소비자 심리학, 학지사.

양윤(1995). 소비자 정보통합 이론과 광고에의 제안-가산 모형과 평균화 모형 비교, 신산업경영저널, 13, 69-85.

차배근(1989). 설득커뮤니케이션 이론, 서울대학교출판부.

황지영(2019). 리테일의 미래, 인플루엔셜.

Alden, D. L., Hoyer, W. D., & Lee, C. (1993). Identifying global and culture-specific dimensions of humor in advertising: A multinational analysis. Journal of Marketing, 57(2), 64-75.

Baddeley, A. D. (1966). Short-term memory for word sequences as a function of acoustic, semantic and formal similarity, Quarterly journal of experimental psychology, 18(4), 362-365.

Baddeley, A. D. (1966). The influence of acoustic and semantic similarity on long-term memory for word sequences. Quarterly Journal of Experimental Psychology, 18(4), 302-309.

Baker, M. J., & Churchill Jr, G. A. (1977). The impact of physically attractive models on advertising evaluations. Journal of Marketing research, 14(4), 538-555.

Bandura, A. (1977). Self-efficacy: toward a unifying theory of behavioral change. Psychological review, 84(2), 191.

Bandura, A. (1986). The explanatory and predictive scope of self—efficacy theory. Journal of social and clinical psychology, 4(3), 359—373.

Bauer, R. A. (1960). Consumer behavior as risk taking. Chicago, IL, 384—398.

Bettman, J. R. (1986). Consumer psychology. Annual review of psychology, 37(1), 257—289.

Biehl, M., Matsumoto, D., Ekman, P., Hearn, V., Heider, K., Kudoh, T., & Ton, V. (1997). Matsumoto and Ekman's Japanese and Caucasian Facial Expressions of Emotion (JACFEE): Reliability data and cross—national differences. Journal of Nonverbal behavior, 21, 3—21.

Carpenter, G. S., Glazer, R., & Nakamoto, K. (1994). Meaningful brands from meaningless differentiation: The dependence on irrelevant attributes. Journal of marketing research, 31(3), 339—350.

Chaiken, S. (1979). Communicator physical attractiveness and persuasion. Journal of Personality and social Psychology, 37(8), 1387.

Chebat, J. C., Gelinas—Chebat, C., & Filiatrault, P. (1993). Interactive effects of musical and visual cues on time perception: An application to waiting lines in banks. Perceptual and Motor skills, 77(3), 995—1020.

Cohen, S., & Kurath, D. (1967). Spectroscopic factors for the 1p shell. Nuclear Physics A, 101(1), 1—16.

Cooper, M., & Nothstine, W. L. (1992). Power persuasion: Moving an ancient art into the media age. Educational Video Group.

Debevec, K., & Kernan, J. B. (1984). More evidence on the effects of a pre-senter's attractiveness some cognitive, affective, and behavioral conse-quences. ACR North American Advances.

Engel, J. F., Kollat, D. T., & Blackwell, R. D. (1973). Consumer behavior 2nd edition.

Engel, J.F., R.D. Kollat and P.W. Miniard(1986). Consumer Behavior. 5th ed., Hinsdale, Ill.: Dryden Press.

EVANS, M., & BLYTHE, J. (1994). Fashion: a new paradigm of consumer behaviour. Journal of Consumer Studies & Home Economics, 18(3), 229−237.

Gass, R.H., & Seiter, J.S. (1999). Persuasion, social influence, and compliance gaining. Boston:

Hansen, F., & Hansen, M. H. (1972). CENTER FOR MARKETING COMMUNI-CATION.

Heider, F. (1958). The naive analysis of action.

Holbrook, M. B., & Hirschman, E. C. (1982). The experiential aspects of consumption: Consumer fantasies, feelings, and fun. Journal of consumer research, 9(2), 132−140.

Howard, J. A., & Sheth, J. N. (1969). The theory of buyer behavior. New York, 63, 145.

Jacoby, J. (1976). Consumer psychology: An octennium. Annual Review of Psychology, 27(1), 331−358.

Jung, C. G. (1961). Symbols and the interpretation of dreams. The collected works of CG Jung, 18.

Kahneman, D. (1973). Attention and effort (Vol. 1063). Englewood Cliffs, NJ: Prentice−Hall.

Kahneman, D. (1973). Attention and effort (Vol. 1063, pp. 218−226). Englewood Cliffs, NJ: Prentice−Hall.

Kahneman, D., & Tversky, A. (1979). On the interpretation of intuitive probability: A reply to Jonathan Cohen.

Kahneman, D., & Tversky, A. (1979). On the interpretation of intuitive probability: A reply to Jonathan Cohen.

Kahneman, Daniel, and Amos Tversky(1979). "Prospect Theory: An Analysis of Decision under Risk", Econometrica, XLVII(1979), 263−291.

Katona, G. (1960). The powerful consumer. The powerful consumer.

Kelley, H. H. (1967). Attribution theory in social psychology. In Nebraska symposium on motivation. University of Nebraska Press.

Kelley, H. H. (1973). The processes of causal attribution. American psychologist, 28(2), 107.

Kelley, W. N. (1972). Purine and pyrimidine metabolism of cells in culture. In Growth, nutrition, and metabolism of cells in culture (pp. 211−256). Academic Press.

Kollat, D. T., Blackwell, R. D., & Engel, J. F. (1972). The current status of consumer behavior research: Developments during the 1968−1972 period. ACR Special Volumes.

Kotler, P. (1965). Behavioral models for analyzing buyers. Journal of Marketing, 29(4), 37−45.

Krugman, H. E. (2000). Memory without recall, exposure without perception. Journal of advertising research, 40(6), 49−54.

Larson, C. U. (1989). Persuasion: Reception and responsibility. Wadsworth Publishing Company, 10 Davis Drive, Belmont, CA 94002.

Markus, H. R., & Kitayama, S. (1998). The cultural psychology of personality. Journal of cross−cultural psychology, 29(1), 63−87.

Maslow, A. H. (1943). A theory of human motivation. Psychological review, 50(4), 370.

Mathur, M., & Chattopadhyay, A. (1991). The impact of moods generated by television programs on responses to advertising. Psychology & Marketing, 8(1), 59−77.

McGuire, W. J. (1976). Some internal psychological factors influencing consumer choice. Journal of Consumer research, 2(4), 302−319.

Miller, G. (1956). Human memory and the storage of information. IRE Transactions on Information Theory, 2(3), 129−137.

Nicosia, F. M. (1966). Consumer Decision Processes; Marketing and Advertising Implications.

Olson, J. M., & Zanna, M. P. (1993). Attitudes and attitude change. Annual review of psychology, 44(1), 117−154.

Pechmann, C., & Ratneshwar, S. (1991). The use of comparative advertising for brand positioning: Association versus differentiation. Journal of Consumer Research, 18(2), 145−160.

Petty, R. E., Cacioppo, J. T., Petty, R. E., & Cacioppo, J. T. (1986). The elaboration likelihood model of persuasion (pp. 1−24). Springer New York.

Plutchik, R. (1980). A general psychoevolutionary theory of emotion. In Theories of emotion (pp. 3−33). Academic press.

Rethans, A. J., Swasy, J. L., & Marks, L. J. (1986). Effects of television commercial repetition, receiver knowledge, and commercial length: A test of the two−factor model. Journal of Marketing Research, 23(1), 50−61.

Sawyer, A. G., & Howard, D. J. (1991). Effects of omitting conclusions in advertisements to involved and uninvolved audiences. Journal of marketing research, 28(4), 467−474.

Schiffman, A., & Kanuk, J. (1994). Corporate culture. American Psychologist, 49, 251−75.

Simons, D. J., & Chabris, C. F. (1999). Gorillas in our midst: Sustained inattentional blindness for dynamic events. perception, 28(9), 1059−1074.

Simpson, P. M., Horton, S., & Brown, G. (1996). Male nudity in advertisements: A modified replication and extension of gender and product effects. Journal of the Academy of Marketing Science, 24, 257−262.

Smith, S. M., Haugtvedt, C. P., Jadrich, J. M., & Anton, M. R. (1995). Understanding Responses to Sex Appeals in Advertising: An Individual Difference Approach. Advances in consumer research, 22(1).

Speck, P. S., Schumann, D. W., & Thompson, C. (1988). Celebrity endorsements—scripts, schema and roles: Theoretical framework and preliminary tests. ACR North American Advances.

Stone, G. P. (1954). City shoppers and urban identification: observations on the social psychology of city life. American journal of Sociology, 60(1), 36—45.

Tulving, E. (1974). Cue—dependent forgetting: When we forget something we once knew, it does not necessarily mean that the memory trace has been lost; it may only be inaccessible. American scientist, 62(1), 74—82.

Van Trijp, J. C. M., Hoyer, W. D., & Inman, J. J. (1996). Why switch? Variety seeking behavior as a product x individual interaction. Journal of Marketing Research.

Wallace, W. T. (1994). Memory for music: Effect of melody on recall of text. Journal of Experimental Psychology: Learning, Memory, and Cognition, 20(6), 1471.

Zuckerman, M. (1979). Sensation seeking. John Wiley & Sons, Inc..

저자 약력

서여주

이화여자대학교 일반대학원 경영학 석사
이화여자대학교 일반대학원 소비자학 박사

前 IDS & Associates Consulting 컨설턴트
　경기연구원 연구원
　한국직업능력개발원 연구원
　과학기술정책연구원 부연구위원

現 알토스랩 대표
　가천대학교, 강남대학교, 단국대학교, 을지대학교 외래교수
　우송대학교, 한남대학교 겸임교수

서여주 박사는 소비자에 집중된 수많은 이슈들에 관심을 가진 학자로서 최근에는 소비자가 인식하고 있는 기업의 가치, 즉 진정성(authentic)에 관한 연구를 중점으로 진행하고 있다. 2016년 소비자정책교육학회와 2018년 고객만족경영학회에서 우수논문상을 수상하였다. 소비자 행동, 소비자 심리 및 문화 그리고 소비자정책에 관하여 학계는 물론 실무적 영역에서 선도적인 문제제기를 하고 있다. 대학에서는 기업과 소비자에 대한 명확한 이해를 바탕으로 강의를 진행하면서, 소비자 중심적인 시각에서 소비자 만족과 효용을 극대화하는 가교역할을 담당하고 있고, 기업이 소비자 니즈를 재빨리 확인할 수 있는 소비행동에 대한 다양하고 심층적인 정보를 수집·가공하여 소비자 후생향상에 기여할 수 있는 연구를 진행하고 있다.

대표 저서로는 《고객서비스 능력 향상을 위한 고객응대실무》, 《소비자 그리고 라이프스타일》, 《소비와 시장》, 《소비와 프로모션》, 《소셜미디어와 마케팅》, 《인간심리 : 개인, 상황, 관계 중심》, 《365 글로벌 매너 : 당신의 결정적 차이를 만들어 줄 법칙》, 《ESG를 생각하는 소비와 소비자 》, 《인간관계 심리 메커니즘 》 등이 있다.

저자와의
합의하에
인지첩부
생략

소비자 행동과 심리

2020년 2월 20일 초 판 1쇄 발행
2023년 7월 30일 제3판 1쇄 발행

지은이 서여주
펴낸이 진욱상
펴낸곳 (주)백산출판사
교 정 박시내
본문디자인 구효숙
표지디자인 오정은

등 록 2017년 5월 29일 제406-2017-000058호
주 소 경기도 파주시 회동길 370(백산빌딩 3층)
전 화 02-914-1621(代)
팩 스 031-955-9911
이메일 edit@ibaeksan.kr
홈페이지 www.ibaeksan.kr

ISBN 979-11-6567-679-7 93180
값 26,000원